LE SEIGNEUR
DE LA BRUME

Retrouvez toutes les collections **J'ai lu pour elle**
sur notre site :

www.jailu.com

ANN LAWRENCE

LE SEIGNEUR DE LA BRUME

Traduit de l'américain par Catherine Berthet

Titre original :

Lord of the Mist
A Love Spell Book published
by Dorchester Publishing Co., Inc., New York

Prologue

Forêt de Ravenswood, Angleterre, été 1204

Christina s'agenouilla entre les racines et ramassa quelques branches de fougère pour ses bouquets. Elle travaillait vite, car les trois bûcherons qui l'escortaient avaient presque terminé leur tâche.

Il restait peu de lumière pour faire la route jusqu'au village et une brume épaisse recouvrait la campagne. Elle s'élevait en volutes blanches au-dessus de la rivière, enveloppait les branches des saules, et dérobait à sa vue les hommes qui liaient des fagots non loin de là.

Alors qu'elle se redressait en serrant les fougères contre sa poitrine, elle sentit le sol trembler sous ses pieds. Sa gorge se noua et elle scruta la forêt, cherchant des yeux ceux qui venaient dans leur direction.

Des cavaliers.

— Christina ! cria l'un des bûcherons. Attention !

Elle recula à l'abri des grands chênes.

Une troupe apparut sur le chemin, déchirant le voile de brume qui s'étendait le long du cours d'eau.

Le cheval de tête, immense, d'un noir d'ébène, piétina le sol à quelques pas d'elle sans que le cavalier remarquât sa présence. Les fougères lui échappèrent des mains. Le martèlement des sabots lui coupa le souffle.

Son manteau noir flottait sur ses épaules comme les ailes d'un oiseau de proie. Elle le reconnut au lourd torque d'or qu'il portait et à son cheval caparaçonné de noir et d'or.

Le seigneur de Ravenswood… Durand de Marle.

Les autres cavaliers surgirent du brouillard.

Elle demeura tapie dans l'ombre, aussi immobile qu'une statue.

— Tu l'as vu ? lui demanda un bûcheron.

— Qui ?

— Eh bien, le roi.

— Non, je ne l'ai pas vu, chuchota-t-elle.

Les cavaliers avaient percé le brouillard, tels des esprits poussés par le vent. Ils étaient passés si près qu'elle aurait pu les toucher. Un roi était parmi eux, mais elle n'avait eu d'yeux que pour *lui*.

Ils disparurent dans un tourbillon, le sol vibrant sous le galop des chevaux. Une odeur de cuir et d'acier persista quelques secondes sur leur passage.

Puis le brouillard recouvrit le chemin. Il avait disparu.

1

Château de Ravenswood, Angleterre, mai 1205

Debout au pied du cercueil, Durand de Marle observa le visage figé de son épouse.

— Tu es très belle, Marion.

Il posa les doigts sur sa main glacée et caressa de son pouce l'anneau d'or qu'elle portait à l'annulaire.

— Aussi belle dans la mort que tu l'étais de ton vivant.

De fait, il avait l'impression qu'elle était endormie et allait se réveiller d'un moment à l'autre pour lui reprocher sa trop longue absence. On l'avait revêtue d'une robe de lainage bleu clair qu'il ne connaissait pas. Mais ses bijoux étaient ceux qu'il lui avait offerts le jour de leur mariage. De longs colliers de perles ramenés de Terre sainte, et une ceinture d'argent ornée de breloques en or.

— Ta sœur a fait tout ce qu'il fallait pour toi, dit-il en arrangeant négligemment un pli de sa robe.

Il fit le tour de la petite chapelle et s'arrêta pour observer une tapisserie à laquelle il n'avait encore jamais prêté attention. Le sujet, qui représentait le martyre de saint Étienne, n'avait rien pour lui remonter le moral. Ses pas le ramenèrent vers le cercueil.

Des coussins brodés avaient été disposés sur le sol afin que les proches de dame Marion puissent prier confortablement pour la paix de son âme. Il soupira et se laissa tomber à genoux.

Mais il était incapable de prier.

Incapable de pardonner.

Une des bougies posées sur le petit autel de marbre grésilla et s'éteignit avec une odeur âcre. Il regarda la mince volute de fumée grise s'élever vers le plafond blanc.

Il compta les bougies. Dix-sept. Depuis combien d'heures brûlaient-elles ? Combien de temps s'écoulerait encore, avant qu'une bienfaisante obscurité ne vienne l'envelopper ?

Il se leva et se remit à arpenter la salle.

— Pourquoi ne puis-je prier ? demanda-t-il à saint Étienne, qui endurait son martyre.

Deux bougies s'éteignirent presque en même temps.

— Me sentirai-je mieux dans la pénombre ?

Il pinça la mèche de deux autres chandelles. L'ombre se répandit dans les coins de la petite chapelle. Il retourna près du cercueil, s'agenouilla et joignit les mains, le regard fixé sur le visage de sa femme. Dans ce nouvel éclairage, les traits de Marion semblaient ceux d'une jeune fille innocente.

— Pardonnez les péchés de mon épouse, murmura Durand. Pardonnez le froid qui règne dans mon cœur.

Comme par un effet de magie, un parfum de printemps lui parvint tout à coup.

La douceur des violettes, des feuilles trempées de rosée, l'odeur de la terre.

Il se redressa et pivota, cherchant d'où provenaient ces délicieux parfums. Au fond de la chapelle, près des anciens fonts baptismaux, se tenait un fantôme entièrement revêtu de blanc.

— Pardonnez-moi, mon seigneur, d'avoir interrompu vos prières, dit doucement le fantôme avant de reculer près d'une rangée de bougies à l'entrée de la chapelle.

Ce n'était pas un esprit… mais une femme.

Elle tenait entre les mains un énorme panier empli de fleurs qui répandaient leur enivrant parfum.

— Non, restez, dit-il en tendant la main. Vous ne me dérangez nullement. Venez par ici.

Malgré le lourd panier, la femme avança vers lui d'un pas léger et gracieux qui ne fit qu'accentuer sa première impression. Était-ce un esprit ? Ses pieds touchaient-ils le sol ? Malgré lui, il jeta un coup d'œil au bas de sa robe et vit qu'elle portait des chaussures de cuir simples et robustes.

— Je reviendrai plus tard, mon seigneur.

Elle fit une respectueuse révérence, mais ses yeux ne quittèrent pas le torque qu'il portait au cou. Les parfums qui s'échappaient du panier embaumaient l'air de la chapelle.

— Non, restez. Prenez tout votre temps.

Durand s'avança vers l'autel et alluma quelques bougies afin de mieux observer cette créature à l'aspect éthéré. Elle vint vers lui, posa son panier sur un banc et emplit une des lampes à huile de l'autel.

Sa chevelure était sombre et brillante. Elle retombait dans son dos en une lourde tresse, mêlée de rubans. Ses sourcils étaient finement dessinés et il remarqua, lorsqu'elle coula un regard vers lui, que ses prunelles étaient sombres.

Chaque fois qu'elle levait les yeux, il faisait un petit signe de tête pour lui confirmer que sa présence ne le gênait pas. Dans l'espoir de la mettre à son aise, il s'approcha et toucha une guirlande de fougères et de rubans posée dans son panier.

— Est-ce vous qui avez fait cela ?

La femme hocha la tête, puis baissa les yeux. Elle disposa les guirlandes de fleurs sur le corps de son épouse. Chaque fois que ses doigts effleuraient les délicats pétales d'une violette, le délicieux parfum printanier les enveloppait.

— Me permettez-vous, mon seigneur ?

Elle tenait dans ses mains une superbe cascade de feuilles, de rubans et de fleurs.

Il hocha la tête, sans comprendre ce qu'elle voulait faire. Elle glissa la guirlande entre les doigts de la jeune défunte. Quand elle eut fini, Marion ressemblait à une déesse des forêts.

— Vos fleurs l'embellissent plus que ses bijoux, dit-il en désignant les rangs de perles et les chaînes d'or.

Les joues de la jeune femme se teintèrent de rose.

— Je veux simplement faire honneur à ma maîtresse, répondit-elle d'une voix douce. Elle a été bonne pour moi.

Leurs regards se croisèrent.

Tout à coup, il sentit une veine battre dans sa gorge, puis dans ses tempes.

— Qui êtes-vous ? demanda-t-il.

Elle pencha la tête de côté pour l'observer. Il eut l'impression étrange que son âme était mise à nu.

— Qui suis-je ?

Elle souleva son panier vide et se détourna. Il contempla son dos droit, le balancement sensuel de ses hanches, sa longue tresse noire. Elle semblait glisser sur le sol sans le toucher.

— Je suis la nourrice de votre fille, mon seigneur.

Durand quitta la chapelle quelques instants plus tard et pénétra dans la grande salle. Il alla s'asseoir près d'Oriel Martine, la sœur de sa femme, qui devenait la châtelaine de Ravenswood maintenant que Marion était morte. Il attendit qu'un serviteur eût rempli son gobelet de vin avant de parler.

Oriel lui sourit. Elle avait le même regard bleu que Marion, le même visage ovale.

— Oriel, avons-nous une nourrice, ici ?

La jeune femme se leva.

— Vous êtes vraiment impossible, Durand. Il faut bien que votre fille soit nourrie ! Je suis sûre que si l'enfant avait été un garçon, vous auriez non seulement connu sa nourrice, mais vous auriez aussi désigné un valet pour veiller sur le destrier que vous n'auriez pas manqué de lui offrir le jour même de sa naissance !

Elle lui tourna le dos et s'éloigna, l'air digne et offensé.

Durand soupira et scruta la foule qui encombrait la salle et se pressait autour des tables. Tout le monde parlait à voix basse, par respect pour la maîtresse qui venait de mourir. La jeune femme de la chapelle n'était nulle part.

Un homme s'approcha de lui d'un pas hésitant.

— Mon seigneur ?

Durand hocha la tête. L'homme avait des cheveux bruns et de beaux traits fins. Il était mince comme un chien de chasse et vêtu avec autant d'élégance que s'il était à la cour du roi.

— Qu'y a-t-il, maître Le Gros ?

— Je vous prie d'accepter ma plus profonde sympathie pour la perte de notre chère dame Marion, dit le marchand d'une voix grave.

Durand eut une brève inclination de tête.

— Je ne souhaite pas vous déranger dans un tel moment de peine, ni…

— Parlez, Le Gros. Que voulez-vous ?

— Bien, mon seigneur, répondit l'homme en se raclant la gorge. Vous allez faire venir vos fils pour le service dédié à dame Marion. Auront-ils besoin de... de vêtements appropriés ? J'ai de la belle toile de laine qui conviendra...

— Ne vous donnez pas tant de peine. Mes fils ont tout ce qu'il faut.

— Comme vous voudrez, mon seigneur.

Simon Le Gros s'inclina, mais demeura devant Durand.

— Quoi d'autre ? s'enquit celui-ci avec impatience.

— Je ne vois pas messire Luke. Il devait... euh... régler quelques comptes.

Durand inspira profondément pour éviter de s'emporter.

— Laissez-moi vos factures. Je m'assurerai que mon frère s'en occupe.

Simon ouvrit la bourse de cuir accrochée à sa ceinture et en sortit une feuille de parchemin pliée en quatre. Il la tendit à Durand.

— Permettez-moi une fois encore d'exprimer mon profond chagrin. Dame Marion est présente dans mes prières. Je prierai chaque jour pour...

— Oui, oui, c'est bien, marmonna Durand, pressé d'endiguer ce flot de paroles.

— Mon seigneur.

Le Gros s'inclina plusieurs fois avant de se retirer.

— Le ver de terre est parti ?

Penne Martine, le mari d'Oriel et meilleur ami de Durand, se glissa sur un siège à côté de lui. Il ressemblait tant à sa femme qu'on les prenait souvent pour frère et sœur. Durand eut un sourire contraint.

— Un ver de terre ? Il me fait plutôt penser à un épouvantail. Mais... je ne le connais que depuis deux jours.

— S'il te déplaît, pourquoi le gardes-tu ?

Penne fit signe à un serviteur de leur apporter du vin. Légèrement moins grand que Durand, il avait la même allure noble, commune à tous les chevaliers qui portaient l'épée et montaient à cheval depuis des années. Toutefois, ses traits n'avaient pas la dureté de ceux de son ami. Penne semblait toujours prêt à rire. Durand avait conscience que son propre visage était sévère.

— Pourquoi pas ? Je fais confiance au jugement de mon frère. Luke prétend que Simon Le Gros pratique des prix justes. Il paraît aussi que son épouse prépare des lotions parfumées qui n'ont pas leur pareil dans tout le royaume.

— Si c'est maîtresse Le Gros qui fabrique la lotion dont Oriel enduit sa peau en ce moment, Le Gros doit être retenu ici à tout prix. Sinon lui, du moins son épouse. Oriel a la peau aussi douce qu'une pêche, et délicieusement parfumée. Il suffit que je mette le nez dans son cou pour avoir envie de...

Le visage de Penne s'enflamma et il murmura :

— Pardonne-moi. Je ne devrais pas parler de ces choses-là, alors que Marion est...

— Cela suffit, Penne ! Je suis las de voir tout le monde marcher sur la pointe des pieds autour de moi. Personne n'ose finir ses phrases, ni croiser mon regard.

Excepté la jeune femme de la chapelle. Elle avait plongé les yeux dans les siens, et il s'était rappelé avec un pincement douloureux les émotions qu'une femme pouvait lui faire éprouver.

— Tout le monde aimait dame Marion, dit Penne.

— Oui, fit Durand. *Tout le monde* aimait dame Marion.

Il y eut un silence inconfortable, puis Durand s'éclaircit la gorge.

— J'ai offensé Oriel.

Il remplit son gobelet de vin et renversa quelques gouttes sur le parchemin de Le Gros lorsqu'il vit une femme vêtue de blanc entrer dans la salle. Il épongea vivement le vin et s'aperçut que ce n'était pas celle qui avait glissé les guirlandes de fleurs entre les doigts de son épouse. La femme de la chapelle avait des formes plus rondes, une démarche plus gracieuse. Et un merveilleux parfum l'enveloppait.

— Comment cela ? demanda Penne en prenant la coupe que Durand lui tendait.

— Je lui ai demandé s'il y avait une nourrice parmi mes serviteurs.

— La question me paraît assez anodine.

— Moi aussi. Pourquoi Oriel était-elle offusquée ?

Penne détourna les yeux et ses longs doigts se serrèrent sur le pied de la coupe.

— Oriel est très sensible à tout ce qui touche les enfants. Elle trouve que tu négliges ta fille. Es-tu passé la voir ?

Durand sentit un flot de sang lui monter au visage.

— C'est inutile. Je la regarderai quand elle sera en âge d'être mariée.

— Si c'est ce que tu as dit à Oriel, je ne suis pas étonné qu'elle se soit offusquée. C'est ainsi que son père s'est comporté. Marion et elle n'ont pas eu leur mot à dire dans le choix de leur époux.

Penne secoua la tête et se coupa une tranche de fromage tendre.

— Elles n'ont pas eu à…

Durand s'interrompit en voyant la femme de la chapelle pénétrer dans la grande salle. Il la reconnut aussitôt, sans avoir besoin de respirer son parfum. Sa démarche était unique. Elle traversa la salle et se dirigea vers l'escalier qui menait à la tour est, où se trouvaient de petites chambres destinées aux serviteurs de rang supérieur. C'était là également que logeait sa fille, supposa-t-il.

Alors qu'elle atteignait les marches, elle se tourna et le vit. Elle ralentit le pas, s'arrêta. Puis, avec un mouvement imperceptible de la tête, elle disparut dans l'escalier en colimaçon.

Durand eut soudain la gorge sèche.

— Penne. Tu as vu cette femme, qui vient de traverser la salle pour se rendre dans la tour ?

— Oui, dit son ami en hochant la tête.

— C'est la nourrice de l'enfant ? demanda-t-il sans oser croiser le regard de Penne.

— Oui, c'est elle.

Une onde de chaleur envahit le corps de Durand. La sensation le troubla autant que la première fois, dans la chapelle. Un autre péché à ajouter à une liste déjà longue… Des pensées lascives, alors que le corps de sa femme n'était même pas encore en terre.

— Elle me fait pitié, commenta Penne.

— Pitié ? répéta Durand, interloqué.

— Oui. C'est peut-être la nourrice de l'enfant, mais c'est aussi l'épouse de Simon Le Gros.

Christina Le Gros s'empressa de gravir les marches de pierre menant à la chambre qui était devenue la sienne.

Elle avait été consciente de l'attention que lui prêtaient les hommes dans la grande salle.

Et plus particulièrement un homme.

Après tant de mois d'absence, Durand de Marle avait fini par revenir chez lui. Elle avait enfin fait la connaissance du maître dont on parlait avec respect, et parfois avec crainte. L'homme qui était venu à elle, porté par la brume, et qui depuis n'avait plus quitté ses rêves.

C'était un guerrier, à l'allure à la fois provocante et séduisante. Sa peau était burinée par le soleil, et son visage endurci par les terribles conditions de vie en Terre sainte où, d'après les confidences de dame Marion, il avait servi le roi Richard. Une de ses lotions adoucirait peut-être le…

Non, il ne fallait pas avoir de telles pensées.

— Merci, Alice, dit-elle à la servante en prenant l'enfant de messire Durand dans ses bras.

Alice l'aida à délacer sa robe afin de donner le sein au nourrisson. Puis la vieille femme prit place sur un tabouret à côté d'elle et se mit à pleurer.

— Voilà déjà deux jours que dame Marion est morte. Je n'arrive pas à le croire. Chaque fois que je vois le bébé, je pense à ma maîtresse. Allongée toute froide dans cette chapelle, et bientôt dans sa tombe…

Alice s'essuya les yeux avec un coin de son tablier.

— Combien de jours ma maîtresse a-t-elle passés au lit, en proie à la fièvre ? Cinquante ? Soixante ? Et pendant tout ce temps, *il* n'est jamais venu la voir.

— Trente jours, Alice. Et tu sais très bien que dame Marion nous avait interdit de le prévenir. Et puis… quand elle est morte, il est venu sur-le-champ.

Alice secoua la tête, l'air accablé.

— Elle me manque terriblement. Je l'avais connue quand elle n'était elle-même qu'un tout petit bébé.

Christina se pencha pour prendre gentiment la main de la servante.

— Je comprends. Ma mère aussi est morte, et elle était très aimée de tous ceux qui la connaissaient. Bien sûr, ce n'était pas une noble dame, seulement l'épouse d'un marchand. Mais nombreux furent ceux qui pleurèrent sa mort. Il est normal que tu penses à dame Marion. Prie pour le repos de son âme.

Elle baissa les yeux sur l'enfant qui pétrissait son sein de ses petits poings.

— Prie aussi pour cette enfant.

— Oui, mais quand je vois le bébé, je pense à ma maîtresse. Messire Durand ne pouvait-il se contenter de ses deux beaux garçons ?

— Alice ! Il ne faut pas dire de telles choses.

Alice secoua sa tête grisonnante. Les larmes coulèrent sur son visage creusé de rides profondes.

— Vous êtes ici depuis peu, maîtresse Le Gros. Mais moi, cela fait quarante ans que je sers la famille de Marle. C'est toujours pareil. Les hommes de cette famille sont gouvernés par leurs désirs. Sa Seigneurie revient chez lui après des mois d'absence, il répand sa semence dans le ventre de son épouse et disparaît de nouveau. Et ma belle dame doit porter un nouvel enfant et en mourir !

La voix d'Alice s'étrangla et elle éclata en sanglots.

Christina se tourna vers les flammes du foyer et fredonna une berceuse au bébé, tout en passant les doigts dans ses cheveux soyeux.

— Pardonnez-moi, maîtresse, reprit Alice en s'agenouillant près d'elle. J'avais oublié que vous aviez aussi perdu votre bébé.

— Oui, Alice.

Christina se mordit les lèvres. Sa petite fille était morte le jour de la naissance de Félicité. Elle n'avait vécu que trois jours. Elle était pourtant si belle, si vigoureuse. Mais la maladie s'en était emparée et l'avait emportée brusquement.

— Et le seigneur Durand aura pris une nouvelle épouse avant la fin de l'année. Vous verrez. Une autre prendra la place de ma chère maîtresse, et ce sera comme si dame Marion n'avait jamais existé.

— Pourquoi dis-tu cela ?

— Les seigneurs se marient pour le pouvoir, vous le savez bien. Il voudra plus de terres et il trouvera une pauvre innocente qui devra endurer le même traitement que ma pauvre maîtresse.

Alice essuya ses larmes sur sa manche.

— C'est une bénédiction que vous ayez été au château pour nourrir l'enfant de dame Marion.

— Oui. C'était sans doute la volonté de Dieu.

— La volonté de Dieu... Si Dieu était une femme, les hommes souffriraient pour mettre les enfants au monde et mourraient en punition de leurs désirs. Sa Seigneurie n'est même pas venue voir l'enfant.

— Alice, pourrais-tu aller me chercher une coupe de lait tiède?

La servante se leva et obéit. Christina accueillit le silence avec soulagement. Elle ne voulait plus rien entendre sur la mort et sur le désir des hommes. Elle fouilla dans un coffre et en sortit des langes propres pour changer le bébé, s'émerveillant devant les pieds minuscules et les fossettes qui creusaient les petites jambes, comme s'il s'était agi de son propre enfant.

Tout ce qu'elle avait toujours demandé à la vie, c'était un enfant à elle. Le but d'une femme n'était-il pas d'enfanter et de nourrir son bébé? Elle n'avait pas réussi à donner la vie. Du moins pouvait-elle, pendant quelque temps, nourrir un enfant. Le fait de s'occuper de ce nourrisson l'avait aidée à guérir ses plaies, songea-t-elle en embrassant ses joues rondes.

— J'espère que tu ressembleras à ta mère. Car si tu as le menton volontaire de ton père et son nez aquilin, tu risques fort de ne jamais trouver d'amoureux dans tout le royaume du roi John.

Elle chatouilla le ventre de l'enfant, qui répondit à ses taquineries par un petit cri de ravissement.

La porte s'ouvrit en grinçant, et Christina ramena prestement devant elle les pans de sa robe.

— Alice? dit-elle en se retournant.

— Je vois que tu t'habitues à ton nid douillet, Christina.

Simon Le Gros referma la porte derrière lui, traversa la chambre en trois larges enjambées et se campa devant la cheminée, offrant ses mains à la chaleur des flammes.

— Oui, ajouta-t-il. C'est bien mieux que tout ce que je pouvais imaginer. Le seigneur de Marle sera forcément dans les meilleures dispositions envers toi.

— Que veux-tu, Simon?

— Eh bien, Christina, je souhaitais simplement prendre de tes nouvelles, dit son époux avec un sourire matois. Tu es si confinée avec ce bébé que je t'ai à peine aperçue depuis le jour où tu as apporté ses parfums à dame Marion. Laisse-moi réfléchir... c'était le jour où tu as donné naissance à l'enfant.

Autrefois, son sourire avait charmé Christina, ses paroles l'avaient captivée, son beau visage l'avait séduite. Aujourd'hui cependant, elle ne pouvait oublier qu'il ne lui avait rendu visite qu'une seule fois depuis la mort de leur enfant. Pourtant, d'après Alice, il était venu plusieurs fois par jour prendre des nouvelles de dame Marion, alors que celle-ci luttait contre la mort.

Il eut un geste large pour désigner la chambre.

— Si dame Marion avait survécu à la naissance de l'enfant, elle nous aurait recommandés à messire Durand. Nous aurions sans doute obtenu la licence du vieil Owen, qui est trop malade pour continuer de servir son maître, et nous aurions pu nous établir ici. Mais comme elle est morte et que cet idiot de Luke...

— Simon, non ! Les serviteurs ne doivent pas t'entendre parler ainsi du frère de messire Durand. Messire Luke est le maître de Ravenswood, il ne faut pas l'insulter.

— Personne ne peut m'entendre, rétorqua Simon, agacé. Tu dois faire en sorte d'entrer dans les bonnes grâces de Durand de Marle. Souris et sois agréable lorsqu'il te rend visite. Il n'a que faire de tes lotions et de tes parfums, mais tu es la seule femme au château qui puisse nourrir son enfant.

Christina se garda de lui dire que Durand ne venait jamais voir sa fille. Mais il était rentré à Ravenswood alors que son épouse venait de mourir des suites de ses couches. C'était peut-être le chagrin qui le détournait de l'enfant. Elle ne pouvait croire qu'il manquât autant de cœur que le prétendait Alice.

Sans doute tenait-il l'enfant pour responsable de la mort de Marion.

— La disparition de dame Marion est une dure épreuve pour nous, poursuivit Simon.

— Dame Oriel semble apprécier mes préparations autant que sa sœur.

Simon se frotta les mains.

— Excellent ! Elle aura de l'influence sur messire Durand.

Il fronça les sourcils et ajouta:

— S'il suggère de confier l'enfant à une femme du village, il faudra donner une potion au bébé pour le rendre malade.

Christina se leva d'un bond.

— Simon! Je ne pourrais jamais faire une chose pareille! Et d'ailleurs, je ne sais pas préparer ce genre de potions!

Simon s'approcha d'elle et effleura de ses longs doigts la tête du bébé qui dormait contre son sein, les lèvres entrouvertes.

— Je ne te demande pas de lui faire du mal. Mais il serait souhaitable pour nous que l'enfant préfère ton lait. Tu feras ce que je te demande. Ta présence auprès du bébé me prive de toi dans le lit conjugal. Tu n'as donné naissance qu'à deux enfants – des filles, par-dessus le marché. Toutes deux mortes avant d'avoir vu l'été. Et nous savons parfaitement que ce n'est pas *ma* faute, martela-t-il d'une voix dure.

Ces mots résonnèrent douloureusement aux oreilles de Christina.

— Le roi passera certainement par ici avant de s'embarquer pour la Normandie, continua-t-il. Le château sera plein de dames nobles que tes préparations intéresseront.

— Le roi va revenir ici? s'exclama-t-elle en se mordant les lèvres. Je pensais que messire Durand partirait dans un jour ou deux.

— J'ai entendu dire que Durand resterait pour attendre le roi. Nous devons entrer dans ses bonnes grâces. Tu feras tout ce qu'il faudra pour nous assurer une position confortable à Ravenswood, n'est-ce pas?

Christina déposa l'enfant dans son petit lit et referma les pans de sa robe. Simon la prit par le bras et la fit pivoter sur elle-même.

— Tu feras le nécessaire. Tu embrasseras même les bottes de messire Durand, s'il le souhaite. C'est compris?

Elle leva les yeux vers son époux. Ses cheveux sombres, qui retombaient en boucles soyeuses sur sa nuque, lui donnaient belle allure.

— Je ferai ce que mon devoir exige, dit-elle doucement.

Simon hocha la tête.

— J'aime mieux cela. Fais-toi apprécier, et vite. Je veux être établi et posséder une licence quand le roi arrivera. Sinon, c'est quelqu'un d'autre qui raflera l'or dans les coffres de John. Le roi ne regarde pas à la dépense. Durand s'efforcera de l'imiter pour ne pas lui déplaire. Fais ce qu'il faut.

Sur ces mots, Simon tourna les talons et sortit.

Christina se laissa tomber sur le lit et reprit l'enfant dans ses bras.

— Oh, ma douce, comme tu es innocente... Tu ignores encore tout des intrigues des hommes.

Les yeux brûlants de larmes, elle pensa à ses propres fillettes allongées dans leur tombe. L'une dans les champs de lavande de leur contrée, et la deuxième ici, sur les terres de Ravenswood.

— Maîtresse Le Gros?

Durand de Marle se tenait sur le seuil de la chambre. Elle contourna le lit et fit une profonde révérence.

— Mon seigneur, comment puis-je vous être utile?

Durand demeura immobile et l'observa longuement. Elle dut faire un effort sur elle-même pour ne pas rajuster son corsage ou repousser ses cheveux en arrière.

— C'est moi qui puis vous être utile.

Elle leva la tête et le considéra avec étonnement.

— Comment cela, mon seigneur?

Il fit quelques pas à l'intérieur de la chambre. Malgré son teint hâlé par le grand air, il semblait las.

— Vous nourrissez mon enfant, vous parez mon épouse de guirlandes de fleurs. Comment puis-je vous récompenser?

Christina sourit.

— Je n'attends pas de récompense, mon seigneur. Je n'ai besoin de rien, car on me donne tout avant que je l'aie demandé. Mais je vous remercie de vous en inquiéter.

— Très bien. Toutefois, il faudra venir me voir si vous venez à manquer de quoi que ce soit.

Il jeta un coup d'œil vers une alcôve, à l'autre bout de la pièce, et regretta qu'elle n'ait tiré la tenture qui dissimulait cet espace ensoleillé.

— Que faites-vous là? demanda-t-il en pénétrant dans l'alcôve.

Elle le suivit devant la table sur laquelle étaient disposés les plantes et les ingrédients dont elle se servait pour ses parfums.

— Je prépare un mélange de fleurs parfumées pour le savon de dame Oriel.

Allait-il lui interdire de travailler ? se demanda-t-elle avec inquiétude. Il souleva les petits bols les uns après les autres en humant leur contenu. Puis il désigna l'un d'entre eux.

— C'est de la lavande, n'est-ce pas ?

Christina acquiesça.

— Je tiens les graines de mon père. Elle est beaucoup plus parfumée que celle qu'on trouve d'habitude.

— Naturellement, dit-il en souriant. Et qu'allez-vous mettre dans le savon de dame Oriel ?

— Je crois que les fleurs d'été de Mirbeau, sa précédente résidence, manquent beaucoup à dame Oriel. Je vais essayer de fabriquer un parfum qui lui rappellera la maison de son enfance.

Le regard de Durand croisa celui de Christina.

— Et quel genre de plantes utiliseriez-vous pour moi ?

Les plantes de la forêt baignant dans la brume...

Ces mots lui vinrent spontanément à l'esprit, mais elle répondit simplement :

— Celles que vous aimez, mon seigneur.

À cette distance, elle distinguait bien ses prunelles grises comme une mer d'hiver. La petite cicatrice blanche au coin de ses lèvres lui donnait une allure austère. Une autre cicatrice se détachait sur la peau brune de sa pommette saillante. Détournant à grand-peine les yeux de son visage, Christina se pencha sur le bébé pour arranger ses langes.

— Votre fille sera une beauté.

Il tourna brusquement les talons et regagna la porte.

— Si vous avez besoin de quelque chose, n'hésitez pas à venir me voir.

Elle crut qu'il allait sortir mais, la main sur la poignée, il pivota tout à coup.

— Cette enfant a beaucoup de chance de vous avoir.

Il s'inclina devant elle comme si elle avait été une dame de qualité et s'en fut.

Christina garda les yeux fixés sur la porte et serra le bébé contre sa poitrine.

— Ma douce Félicité, tu portes bien ton nom. Tu as un père noble et puissant, un guerrier qui veillera sur toi. C'est une bénédiction.

L'enfant s'étira et ouvrit ses grands yeux gris-bleu. Deviendraient-ils du même gris que ceux du seigneur Durand ?

2

Après l'interminable service funèbre, Durand regarda ses fils repartir pour le château de Warre, au nord-ouest de Winchester. Il ne les avait plus vus depuis presque six mois. Adrien, qui allait sur ses quinze ans, avait grandi. Robert, qui n'avait que douze ans, avait versé les larmes qu'il n'avait pas trouvées en lui-même.

Durand retourna dans le tombeau avec Luke et s'agenouilla pour la dernière fois près de sa femme. Mais il ne parvenait toujours pas à prier. Il posa une main sur les murs de pierre froids et frissonna.

— Je veux mourir sur un champ de bataille et être enterré sur place. Pas dans ce caveau sombre et humide.

— Tu t'es attardé ici assez longtemps, dit Luke. J'ai de la distraction à te proposer. Tu pourrais relire quelques comptes ? Penne m'a dit que tu envisageais de partir demain matin pour rejoindre le roi.

Les deux hommes sortirent de la crypte et émergèrent dans la lumière pâle.

— J'ai changé d'idée. La pensée de retourner dans le Warwickshire ne me dit rien. Je vais attendre le roi John ici.

— Dans ce cas, pardonne-moi. Les comptes peuvent attendre, dit Luke en posant une main sur l'épaule de son frère.

— En fait, j'ai une facture de Le Gros que j'ai oublié de te donner. Nous pouvons aussi bien aller voir ces comptes maintenant. Seraient-ils un peu en désordre ?

Luke éclata d'un rire franc.

— Non, Durand. Penne dit que c'est toi qui te faisais sermonner par le père Léo quand il fallait compter. Moi, j'ai toujours été très bon en calcul.

Lorsqu'ils entrèrent dans la salle où Luke faisait ses comptes, celui-ci s'installa sur un banc, tandis que Durand prenait place dans un fauteuil de chêne sculpté, devant une longue table sur laquelle étaient nettement alignées les piles de parchemins.

Durand sortit la facture de Le Gros de la bourse qu'il portait à la ceinture. Il déroula le parchemin et le tendit à Luke.

— Pourquoi n'as-tu pas encore accordé une licence à Le Gros ? Cela fera bientôt dix mois qu'il est arrivé. Tu dis que ses prix sont justes. Et si Penne ne se trompe pas, le vieil Owen ne vivra pas jusqu'au mois d'août. Après lui, il n'y aura plus de marchand au village. Tu n'as qu'à offrir sa place à Le Gros, et qu'on n'en parle plus.

Luke tapota les documents que Durand examinait.

— Je l'aurais déjà fait, mais il y a quelque chose chez cet homme qui me déplaît.

Durand considéra son jeune frère avec curiosité. Ils ne se ressemblaient que par la taille et la vivacité de caractère, qu'ils tenaient de leur père. Luke, de dix ans son cadet, ressemblait à leur mère. Ses cheveux avaient la couleur du feu : de l'or sombre strié de rouge. Les femmes adoraient ses yeux aux paupières lourdes et sa bouche généreuse.

Cependant, leur mère n'aurait su dire combien il fallait d'œufs pour en faire une douzaine. Luke en revanche avait l'esprit vif. En outre, il était franc comme l'or et Durand avait totalement confiance en lui.

— Moi aussi, je trouve à ce Le Gros une allure déplaisante. Il me fait penser à... à un serpent. Mais à en croire ces chiffres, il est honnête. Je ne peux pas supporter le boulanger, mais je ne crois pas qu'il nous trompe sur le prix du pain. Or, tu dis toi-même que la marchandise de Le Gros est de bonne qualité et qu'Oriel ne peut plus se passer des savons de maîtresse Le Gros. Pourquoi faire traîner cette affaire ? Établis une charte et fais-le signer. S'il essaye de nous rouler, le corbeau se chargera de dévorer le serpent.

— Dois-je en parler au vieil Owen ?

Durand se leva et ajouta quelques bûches dans le feu.

— Bien sûr, demande-lui conseil. Mais depuis la mort de son fils, Owen a perdu le goût de vivre, il attend avec impatience qu'un autre prenne sa place. Il faudrait l'installer au château puisqu'il est malade, et autoriser Le Gros à prendre sa maison au village.

Il attisa les flammes et marmonna :

— Cette pièce est froide et humide.

— Mais elle me plaît, rétorqua Luke en souriant. Elle est à côté des cuisines... qui regorgent de filles appétissantes.

Durand ne put s'empêcher de lui rendre son sourire.

— Et maîtresse Le Gros ? demanda Luke en enroulant les parchemins puis en les attachant à l'aide d'une lanière de cuir. Ne devrait-elle pas rester au château, tant que nous n'avons pas d'autre nourrice ?

Une épaisse fumée s'éleva au-dessus des flammes et Durand fit mine de s'en occuper, évitant de répondre tout de suite.

— Oriel dit qu'elle est une nourrice idéale. Pourquoi ne pas laisser Le Gros s'installer au village et établir son stock ? Sa femme le rejoindra plus tard.

— Elle ne tolère aucune familiarité.

Durand se redressa d'un bond.

— Des familiarités ? Aurais-tu déjà essayé de glisser la main sous ses jupes ?

Luke posa une main sur son cœur avec une indignation feinte.

— Je ne m'intéresse pas aux femmes mariées. Ce ne sont donc que des suppositions. En fait, je ne suis pas sûr que maîtresse Le Gros vive dans notre monde. Peut-être habite-t-elle dans un nuage. C'est à peine si elle semble toucher le sol lorsqu'elle se déplace. Mais tu as remarqué comme sa silhouette est séduisante ? Ses seins sont...

— Tais-toi.

Durand n'était pas près d'admettre qu'il avait remarqué lui aussi la rondeur de sa poitrine, ses seins qui se pressaient contre l'étoffe de la robe, ce matin-là dans la chapelle...

— As-tu déjà songé à te marier, Luke ?

— J'y pense chaque jour. Mais chaque soir, lorsque j'étreins une nouvelle femme et que je sens ses cuisses se nouer autour de moi, je reporte ma décision...

Durand abattit son poing sur l'épaule de son frère.

— Ne sème pas trop de bâtards dans le château.

— Non. Chez les de Marle, ce sont les femmes qui sont douées de ce côté-là.

Durand se figea. Luke savait-il quelque chose ? Avait-il simplement des soupçons ?

— Que veux-tu dire ?

Luke arqua un sourcil.

— Eh bien, je fais allusion à notre mère, bien sûr. As-tu eu de ses nouvelles, dernièrement ?

Durand respira un peu plus librement.

— Non, mais les espions de John me rapportent ses faits et gestes, de loin en loin. Le comte Bazin l'entretient en ce moment à Paris. Père se retournerait dans sa tombe s'il savait.

— Oui. Quoiqu'il n'ait rien à redire, puisqu'il l'avait quasiment répudiée...

— Après avoir trop longtemps toléré ses écarts de conduite.

Luke hocha la tête.

— Ce Bazin est un vieux roué, n'est-ce pas ? Ne sert-il pas le roi Philippe ?

Durand acquiesça.

— Je suppose que la position de notre mère conduira John à se poser des questions sur notre loyauté.

Après avoir quitté son frère, il se rendit aux écuries. Il fit seller sa jument et sortit de l'enceinte du château.

La route qui menait au village était plongée dans la brume. Il laissa sa monture avancer au pas. Un grand nombre de villageois regagnaient le village après avoir assisté à l'enterrement de Marion. Leur dévouement était de bon augure. Les hommes étaient convenablement vêtus, ils ne portaient plus de haillons, comme c'était le cas du temps de son père. Luke était un bon châtelain.

Durand dépassa le village et gagna le bord de la rivière, d'où il pouvait contempler Ravenswood. Bâti sur des ruines romaines, le château avait été autrefois une forteresse saxonne.

Depuis les tours de guet, il pouvait surveiller les routes qui menaient à Portsmouth et à Winchester. Jusqu'à ce que le roi Philippe lui confisque ses biens en Normandie, il avait pensé léguer Ravenswood à Luke. Maintenant, le château et ses autres possessions disséminées dans le Sussex devraient aller à Adrien et à Robert.

La brume qui s'étendait sur la route s'enroulait également autour des murs du château. Les quatre tours carrées étaient éclairées par des torches qui scintillaient derrière les créneaux. Sa bannière, sur laquelle figurait un corbeau dévorant les yeux d'un serpent, flottait à chaque coin de la forteresse.

La famine ne sévissait pas encore ici, comme dans le reste de l'Angleterre. En revanche, ses coffres se vidaient pour soutenir les efforts du roi John sur le continent. Avant longtemps, le manque de fonds se ferait ressentir.

Deux jeunes garçons dévalèrent le flanc de la colline, en roulant sur eux-mêmes et en poussant des cris de joie. L'espace d'un instant, il imagina que c'étaient ses fils. Mais ceux-ci n'avaient pas le droit de folâtrer ainsi. Ils devaient être occupés à polir une armure ou à additionner des chiffres, comme Luke et lui l'avaient fait autrefois.

C'étaient de beaux garçons, ils feraient honneur au nom des de Marle. Eux, au moins, étaient ses fils. Il n'avait pas de doute sur leur naissance... Pendant un instant, il songea à l'enfant que Marion venait de mettre au monde. Celle-ci n'était pas de lui.

— Qui était ton amant, Marion ? demanda-t-il à haute voix. Pourquoi m'as-tu trahi ?

Mais il connaissait la réponse. Il l'avait trop souvent délaissée. Le regret, la colère, la jalousie, et un profond désir de vengeance se mêlèrent dans son cœur.

La dernière fois que Marion avait été infidèle, elle avait pris pour amant un jardinier. Durand avait expédié l'homme dans l'un de ses châteaux de Normandie et il avait fermé à clé le jardin de Marion. Qui avait-elle choisi cette fois ? Un autre serviteur ? Ou bien un chevalier ?

Était-ce quelqu'un de proche ?

Christina prit plaisir à parcourir d'un bon pas le domaine de Ravenswood. Elle regarda le maître d'écuries nourrir les oiseaux captifs dont le fier profil ornait la bannière du seigneur Durand de Marle. Derrière elle, Alice maugréait et se plaignait de l'heure tardive, de la boue, des carrioles qui venaient livrer du matériel de guerre, tels des barils de clous pour les fers à cheval et des flèches pour les arbalètes.

En fait, la cour extérieure était aussi animée qu'une petite ville. Serrant plus étroitement Félicité contre sa poitrine, Christina poursuivit son exploration. Elle arriva devant une lourde porte de bois qui perçait le mur d'enceinte. Une grille de fer formait une minuscule fenêtre dans le panneau. Les gonds et la serrure étaient sculptés en forme de feuilles.

— Qu'y a-t-il derrière cette porte, Alice ? Ce n'est pas une poterne ?

— Non, c'est le jardin de Sa Seigneurie.

Christina se haussa sur la pointe des pieds pour jeter un coup d'œil par la grille. Elle découvrit un jardin à l'abandon. Des allées de pierres blanches formaient des cercles concentriques. Les haies étaient envahies d'herbes folles et des plantes rampantes rognaient sur les allées. Un banc de pierre se trouvait au centre du jardin.

Et tout autour... tout autour, c'était un coin de paradis. Elle aperçut des roses, des genêts, de l'aubépine, des violettes. Un parfum de sauge et de romarin parvint jusqu'à elle, mélangé à l'odeur âcre de l'humus. Un lierre épais brunissait le long des palissades. Comme elle aurait aimé posséder un jardin comme celui-ci, afin d'y faire pousser les plantes dont elle avait besoin !

— Pourquoi ce jardin n'est-il pas entretenu, Alice ?

— Oh, c'était toujours ainsi, avec dame Marion. Elle se prenait de passion pour une chose et puis soudain, elle s'en désintéressait totalement. Ceci est la reproduction du jardin d'une reine. J'ai oublié si c'était Éléonore, ou Mathilde...

— Sa Seigneurie s'ennuyait facilement ?

— Oui, maîtresse. Elle était aussi changeante qu'un ciel de printemps. Un moment elle riait, l'instant d'après elle était en larmes. Dieu ait son âme.

Christina observa le lourd loquet de fer.

— Pourrais-tu trouver la clé qui ouvre cette porte ?

— Il vaut mieux vous occuper de vos affaires, maîtresse, rétorqua Alice en désignant le bébé. Ne mettez pas votre nez là où il ne faut pas. Le seigneur Durand est redoutable quand il se met en colère.

— Pourquoi m'interdirait-il d'entrer dans ce petit jardin ?

— Parce que c'était celui de Sa Seigneurie.

Christina se détourna à regret et suivit Alice jusqu'au château. Elle regarda plusieurs fois derrière elle, imaginant ce qui se trouvait derrière la petite porte et qu'elle n'avait pu voir. Depuis qu'elle était partie de chez elle pour suivre son époux qui était marchand itinérant, elle avait toujours regretté de ne pas avoir de jardin à elle. Et celui-ci, si négligé, était comme une blessure qu'on aurait laissée à vif.

La sentinelle s'écarta pour les laisser entrer et Christina traversa la grande salle tête baissée. Il y avait trop d'hommes inconnus au château. La plupart étaient venus ici pour attendre l'arrivée du roi John, et ils n'avaient rien d'autre à faire que de boire et de jouer aux dés. Plusieurs d'entre eux avaient pris place le long de la galerie, afin d'observer les gens qui passaient au-dessous, dans la grande salle.

Et tout à coup, elle le vit. Le seigneur Durand se tenait devant l'immense cheminée de pierre blanche. De chaque côté du foyer, des peintures s'étalant du sol au plafond décrivaient les différentes saisons. À droite, l'hiver laissait doucement place au printemps. À gauche, les couleurs rougeoyantes de l'été annonçaient l'automne. Des scènes quotidiennes étaient dessinées en détail.

Durand portait toujours la tunique noire brodée de fils d'or et d'argent qu'il avait revêtue le matin pour la messe funèbre. Une lourde ceinture d'argent lui entourait la taille, et la poignée en or de son épée représentait une tête de corbeau. Ses cheveux sombres étaient éclairés de riches reflets auburn. Ses yeux gris se posèrent sur elle.

Christina sentit un flot de sang lui monter au visage. Il fit un signe de tête presque imperceptible, et elle ne l'aurait sans doute pas vu si une boucle sombre n'était tombée sur son front. Il la repoussa vivement en arrière. Il portait le torque d'or, comme le jour où elle l'avait vu dans la forêt, plusieurs mois auparavant.

Au cours de ses vingt-huit années d'existence, il ne lui était pas arrivé souvent d'agir sur une impulsion. Pourtant, elle confia Félicité à Alice et s'approcha de lui.

Plusieurs hommes étaient assis autour du foyer, dans de lourds fauteuils de chêne. L'un d'eux était Luke de Marle, châtelain de Ravenswood et frère de Durand. Elle reconnut également l'époux de dame Oriel, Penne Martine, un baron dont le roi Philippe avait confisqué les domaines. On disait de lui qu'il était un guerrier aussi redoutable que le seigneur Durand.

Ce dernier inclina la tête à son approche.

— Maîtresse Le Gros.

— Mon seigneur, chuchota-t-elle d'une voix étranglée.

Quel démon l'avait poussée à s'approcher de lui ?

Elle leva les yeux et rencontra un masque impénétrable. Le visage de Durand n'exprimait ni plaisir ni ennui.

— J'ai remarqué un petit jardin, juste derrière le colombier, mon seigneur...

— Vraiment ?

Durand fronça les sourcils. Luke se leva.

— Oui, acquiesça-t-elle. Il est malheureusement à l'abandon.

— À l'abandon ? répéta Durand en soutenant son regard.

Luke s'approcha d'eux. Christina eut l'impression d'être une colombe guettée par un oiseau de proie... Ou plutôt, *deux* oiseaux de proie.

— J'ai songé que je pourrais le remettre en état et y faire pousser les plantes qui me sont utiles pour mes potions.

Durand se rembrunit.

— Non. Ce jardin restera fermé. Je ne veux pas que mes hommes perdent leur temps à s'en occuper.

— Je peux faire ce travail moi-même, mon seigneur.

Il s'assombrit davantage encore.

— Je vous l'interdis. Vous avez d'autres tâches plus importantes à accomplir.

Il prononça ces mots d'un ton si rude qu'elle frissonna.

— Pardonnez-moi, mon seigneur.

Agrippant sa jupe à deux mains, elle s'éloigna en toute hâte.

— Quelle idiote je suis, marmonna-t-elle.

La chambre était froide. Elle fit du feu et secoua la tête en regardant Alice, déjà endormie près du berceau de Félicité. Puis elle alla chercher un pilon dans l'alcôve et entreprit de réduire en poudre des graines de lavande, essayant d'oublier dans son travail la scène qui venait d'avoir lieu.

Elle mesura la lavande à l'aide d'une petite cuillère en corne, la mélangea avec du romarin et des marguerites dans un sachet de toile, qu'elle ferma d'un ruban de soie. Elle accrocha le sachet au-dessus du berceau et chuchota au bébé endormi :

— Je ne lui adresserai plus jamais la parole.

Ce soir-là, assise près du brasero dans la chambre de dame Oriel, Christina cousait. Félicité dormait dans un couffin d'osier placé à ses pieds. La chambre était petite, mais luxueuse. Le lit était orné de tentures jaunes brodées de soie. Il régnait une douce chaleur, et un parfum de fleurs d'été embaumait la pièce.

La fenêtre orientée vers le sud et fermée par du verre offrait une vue superbe sur la route de Portsmouth. Dame Oriel arpentait la chambre, tout en jouant du bout des doigts avec la boule de parfum qu'elle portait à la ceinture. Elle finit par aller s'agenouiller à côté du couffin de Félicité.

— Ma sœur souhaitait tellement avoir une fille, dit-elle en caressant la tête de l'enfant. J'espère qu'elle ressemblera à sa mère.

— C'est probable, répondit Christina. Elle n'a pas le teint brun de messire Durand et…

Oriel l'interrompit brusquement.

— Christina, quelle est la chose que vous désirez le plus au monde ?

— Un enfant.

Christina sentit ses joues s'enflammer. Elle venait de confesser un désir profond qu'elle avait toujours caché, même à Simon.

— Je viens d'une famille nombreuse, se hâta-t-elle d'ajouter. Nous étions huit à table, avant que mes frères ne quittent la maison. Et ma mère me manque. Voilà trois printemps déjà qu'elle est morte.

Oriel s'assit à côté d'elle, sur le banc recouvert de toile jaune.

— Vous pensez comme moi… C'est-à-dire que… beaucoup de femmes ressentent la même chose.

Christina tira sur son aiguille en silence pendant un moment, puis répliqua :

— Les enfants vous aiment sans réserve, n'est-ce pas ? Si ce sont de bons petits, élevés avec amour, ils vous apportent beaucoup de joie.

Peut-être même sont-ils la seule joie de votre vie… songea-t-elle.

— Alors que les maris sont plus exigeants.

Oriel s'interrompit et s'éclaircit la gorge.

— Christina, sauriez-vous… ? C'est-à-dire… j'ai une amie…

Elle se mit à tirer nerveusement sur le pompon qui ornait la boule de parfum, et Christina songea qu'il lui faudrait le raccommoder.

— Cette amie… poursuivit Oriel, hésitante. Cette amie et son mari aimeraient avoir un enfant.

La jeune femme se leva tout à coup et se remit à arpenter la chambre.

— Un peu comme vous, Christina…

Elle retourna vers le banc et se laissa tomber à côté de Christina, dans un bruissement de soie.

— Mon amie a honte d'elle-même, vous comprenez. Bien que mariée depuis de nombreuses années, elle n'a encore jamais porté d'enfant et…

Ses doigts se crispèrent sur le pompon qu'elle avait réduit en charpie.

— Elle craint que son époux ne se lasse d'elle, car elle ne parvient pas à combler son vœu le plus cher.

Oriel exprimait à voix haute les propres angoisses de Christina. Chaque fois qu'elle avait perdu un enfant, avant le terme ou après l'accouchement, Simon était devenu plus distant.

— De quelle façon puis-je aider votre amie, madame ?

Christina garda les yeux fixés sur son ouvrage, de crainte d'embarrasser sa compagne. Car elle ne doutait pas que c'était d'elle-même dont parlait dame Oriel. Il y avait trop d'émotion contenue dans sa voix pour qu'il en soit autrement.

— Auriez-vous une potion qui puisse stimuler… enfin… qui aiderait une femme à avoir un enfant ? acheva Oriel d'un ton précipité.

Christina déposa son ouvrage à côté d'elle et prit Félicité dans ses bras, inhalant le doux parfum qui s'échappait de ses cheveux soyeux.

— Les femmes cherchent toujours à faire plaisir aux hommes, commenta-t-elle. Quand les hommes commenceront-ils à faire plaisir aux femmes ?

Oriel bondit sur ses pieds et eut un petit rire teinté d'amertume.

— Les hommes ! Ils n'ont pas besoin de faire plaisir à une femme. Si l'une d'entre elles ne répond pas à leurs attentes, ils peuvent en trouver dix autres pour la remplacer. Mais avez-vous quelque chose ? Si mon amie prenait le remède maintenant, cela empêcherait peut-être... Elle ne pense pas que son mari lui ait été infidèle, mais il est profondément déçu. Cela risque de le précipiter dans les bras d'une autre femme, n'est-ce pas ?

— Si un homme désire un héritier, il lui faut une épouse, fit remarquer Christina.

— Certes, mais si un homme veut un fils et que son épouse demeure stérile, le lit devient un lieu d'ennui. Cela suffit pour pousser un homme vers une autre.

Christina se leva et hocha la tête.

— Je connais plusieurs remèdes que votre amie pourrait essayer.

— Oh, merci !

Le visage de dame Oriel s'illumina d'une telle joie, que Christina eut le cœur lourd.

— Quoi que je fasse, madame, le résultat reste entre les mains de Dieu.

Mais dame Oriel n'écoutait plus. Elle était déjà partie, dans le bruissement de soie de ses jupes. Christina prit un moment pour ranger son ouvrage dans son sac, puis elle souleva Félicité et la cala contre son épaule. Ses coussins parfumés pouvaient attendre. La potion destinée à retenir un mari était plus urgente.

Avant de quitter la chambre, elle lança un dernier regard aux luxueuses draperies du lit d'Oriel. Elle-même avait pris de nombreuses potions, pourtant elle n'avait pu garder un seul de ses enfants. Cependant, elle avait vu ses préparations produire des miracles sur d'autres femmes.

— Peut-être dame Oriel aura-t-elle plus de chance que moi, murmura-t-elle.

Christina posa les mains à plat sur sa table de travail et soupira. Elle n'avait pas les ingrédients nécessaires pour le philtre d'amour de dame Oriel. Et il n'était pas question de demander à Simon de les lui procurer. Il la questionnerait interminablement et finirait par se moquer d'elle, si elle lui avouait ce qu'elle voulait en faire.

Les femmes stériles ne pouvaient s'en prendre qu'à elles-mêmes, lui répétait-il souvent.

Christina s'approcha du couffin dans lequel Félicité était couchée.

— Félicité, il va falloir aller à la cueillette, dit-elle en lançant un coup d'œil à la fenêtre ouverte.

Le soleil matinal resplendissait dans un ciel pur et dégagé.

— Il faut profiter de ce beau temps.

Un moment plus tard, vêtue d'un manteau de laine brune, et Félicité fermement arrimée à elle par une bande de tissu, Christina frappa à la porte de messire Luke. On vint répondre immédiatement, mais la porte demeura à peine entrouverte. Luke lui sourit dans l'entrebâillement. Ses cheveux étaient en désordre et sa tunique froissée. Christina entendit un rire de femme derrière lui.

— Pardonnez-moi de vous déranger, messire. Je voulais vous demander la permission de sortir de l'enceinte du château pour aller ramasser des plantes.

— Vous n'êtes pas prisonnière, et vous pouvez aller et venir à votre guise.

Il se pencha légèrement et son sourire se fit plus doux. Christina esquissa une révérence.

— Je vous remercie, messire. Mais j'aurais besoin d'une escorte de plusieurs hommes. J'aimerais cueillir certaines plantes et les mettre en pot afin de les utiliser dans mon atelier. Mais je n'ai pas le droit de réquisitionner un valet d'écurie pour guider mon cheval ou des hommes pour me protéger.

Luke jeta dans la chambre un regard de regret, puis sortit en tirant la porte derrière lui.

— Venez. Je vais donner des ordres pour vous. Je connais quelques paresseux que cette mission occupera.

Durand se rendit au village, escorté par Penne. Il inspecta le four du boulanger, le moulin, le puits, et arriva enfin devant la maison qui serait bientôt celle de son nouveau marchand. Le long bâtiment de pierre se trouvait à la sortie du village, sur la route de Portsmouth.

De vieilles pierres, récupérées dans un ancien temple romain, servaient de décoration à la façade. Durand se baissa pour entrer et sourit en retrouvant l'atmosphère familière de la boutique. Une profusion de marchandises étaient entassées pêle-mêle sur les étagères et dans des coffres. Une myriade de senteurs s'échappaient des sacs et des caisses.

La première pièce servait de magasin. La chambre se trouvait à l'étage, au-dessus de la boutique, mais le vieil homme n'avait plus la force de gravir l'échelle. Durand le trouva couché sur une paillasse, près de l'âtre, en compagnie de Simon Le Gros.

— Voulez-vous que je m'occupe de votre cheval, mon seigneur ? s'enquit Simon.

Durand acquiesça d'un signe de tête.

— Je n'aime pas voir la maladie, déclara tranquillement Penne, en suivant Simon dans la cour.

Durand arpenta la pièce encombrée, remarquant la poussière et les toiles d'araignée. Ce laisser-aller était une preuve de la gravité de l'état du vieil homme. Autrefois, Owen avait été aussi méticuleux qu'une vestale.

— Que puis-je faire pour vous, Owen ? Y a-t-il quelque chose que vous aimeriez emmener au château ?

— Je n'ai besoin de rien, à part mon lit.

Le marmonnement rauque du vieil homme dégénéra en toux sèche. Durand versa de la bière dans un gobelet et soutint Owen pour l'aider à boire.

— Je ferai dresser un inventaire de tout ce qui se trouve ici, et mon frère s'en occupera pour vous.

Les doigts noueux du vieil homme se crispèrent sur la tunique de Durand.

— J'ai quelque chose... à dire...

Son corps fut secoué d'une toux violente et il murmura d'une voix à peine audible :

— Vous trahir...

— Me trahir ? Que dis-tu ?

Savait-il quelque chose au sujet de Marion?

Simon et Penne rentrèrent à ce moment dans le cottage.

— Au château, mon seigneur, promit alors le vieil homme. Au château... je vous dirai tout.

Durand hocha la tête, inquiet. Le visage d'Owen était grisâtre, ses yeux étaient jaunes.

— Simon, pouvez-vous emmener Owen à Ravenswood?

— Certainement, mon seigneur. Je resterai auprès de lui jusqu'à ce qu'il ait la force de monter à cheval, puis je l'accompagnerai au château.

Durand partit en compagnie de Penne.

— Je venais ici quand j'étais petit, expliqua-t-il en considérant le long bâtiment. Pour moi, Owen était une sorte de dieu. Il m'autorisait à m'asseoir au coin du feu et me racontait des histoires extraordinaires! Grâce à lui, je savais tout ce qui se passait au village. Maintenant... maintenant, je sais de combien d'hommes dispose le roi Philippe, mais j'ignore le nombre des paysans qui cultivent mes terres.

— Marion se plaignait souvent de tes absences prolongées.

— Oui, elle avait des raisons de se plaindre.

— Tu n'étais pas libre d'agir à ta guise. Je sais qu'il ne faut pas médire des morts, mais elle était mesquine et capricieuse. Elle aurait voulu que tu négliges le service de notre souverain pour t'occuper d'elle.

Durand lança son cheval au petit galop et suivit la piste tracée par un daim, le long d'un ruisseau.

— Ne parle pas ainsi de Marion devant Oriel.

— Oriel serait de mon avis. Si le roi Richard avait vécu, tu serais comte à présent. Tes absences convenaient à Marion, tant qu'elle espérait obtenir un titre. Elle n'a commencé à se plaindre que lorsque tu as dû faire tes preuves de nouveau avec John.

— Tous les hommes doivent prouver leur loyauté au roi.

Le chemin s'élargit et Penne fit avancer sa monture à la hauteur de celle de Durand. Les deux chevaux ralentirent sur le chemin creusé de profondes ornières.

— Oriel et Marion avaient de vives discussions au sujet de John et de Richard. Et de la confiscation de nos biens en Normandie par le roi Philippe...

Durand s'arrêta et leva une main pour faire signe à Penne de se taire. Il désigna une clairière près de la rive.

Penne suivit du regard la direction qu'il lui indiquait, et haussa les sourcils. Les deux hommes demeurèrent immobiles, fascinés.

Christina Le Gros dansait dans la clairière. On eût dit un esprit de la forêt, inspiré par le chant cristallin de la rivière et le souffle du vent dans les feuillages. Une onde de chaleur traversa le corps de Durand.

Elle se balançait gracieusement, semblant à peine effleurer l'herbe tendre, tourbillonnant avec légèreté dans les buissons. Son manteau brun formait une corolle autour de ses chevilles. Elle tenait un nourrisson serré dans ses bras. L'enfant de Marion.

Très lentement, Durand dirigea son cheval vers elle, suivi de Penne. Ils arrivèrent à sa hauteur avant qu'elle n'ait remarqué leur présence.

— Oh… mon seigneur.

Ses joues se colorèrent de rose et elle se figea. Sa tresse défaite lui barrait l'épaule. Ses chaussures et le bas de son manteau étaient maculés de boue.

— Maîtresse Le Gros, que diable faites-vous seule dans ces bois?

D'un large geste de la main, il désigna la forêt épaisse qui les entourait.

— Je ramasse des plantes, mon seigneur. Ces hommes sont là pour me protéger.

— Je ne vois personne.

Durand mit pied à terre et s'approcha d'elle. Elle ne bougea pas, mais ses joues s'empourprèrent davantage.

— Ils étaient là il y a un moment. Je suis venue m'asseoir à l'écart pour nourrir le bébé.

Elle montra du doigt une souche d'arbre. Il vit que sa joue portait également des traces de boue.

— Et quel est ce paquet que vous portez?

— Votre fille.

— C'est bien ce que je pensais. Un enfant n'a rien à faire dans la forêt. Avez-vous songé aux fièvres? Aux brigands?

— Mon seigneur, votre fille ne court aucun danger, je peux l'affirmer. Elle est en sécurité ici, et bien au chaud.

Elle croisa les bras sur le bébé, comme pour le protéger – ou se protéger elle-même – de la colère de Durand.

— Où sont les hommes ?

— Ici, Durand !

Luke s'avança dans la clairière. Il portait une hache, ce que Durand trouva étrange.

— N'aie crainte, la nourrice de ta fille est bien protégée. En fait, tout le monde file doux devant elle. Moi-même, j'ai dû me plier à ses désirs ! As-tu déjà essayé d'abattre un arbre ? C'est un dur labeur !

Luke s'assit sur la souche.

— Je préfère affronter le plus farouche guerrier, plutôt que de déterrer des plantes et de couper des feuillages pour maîtresse Le Gros. Elle veut des orties et de l'aubépine ! Uniquement des plantes qui piquent et vous écorchent les mains.

— Je me sers de nombreuses plantes, mon seigneur, expliqua vivement Christina. Je voulais en ramener quelques-unes au château.

Le sourire qui éclairait le visage de Luke attisa la colère de Durand. Trois hommes avancèrent dans la clairière, les bras chargés de branchages, les mains souillées par le riche humus de la forêt. Des hommes robustes et travailleurs. Puis sept autres surgirent de l'ombre. Ils formaient une escorte amplement suffisante.

Durand eut conscience d'avoir eu une réaction ridicule.

— Retournez au château. Immédiatement, ordonna-t-il à maîtresse Le Gros.

Il remonta en selle et partit au galop. De la boue jaillit sous les sabots du cheval tandis qu'il s'enfonçait dans la forêt.

Christina retourna aussitôt vers les chevaux. Elle frissonnait de peur, malgré les paroles rassurantes de Luke, qui affirma que son frère n'était pas vraiment en colère.

— J'ai du mal à imaginer ce que ça doit être quand il l'est réellement, dit-elle.

— Oh, c'est un spectacle extraordinaire. Il crache du feu par les narines, il lui pousse des griffes au bout des doigts, et…

— Assez ! s'exclama Christina en riant.

Félicité se mit à pleurer et elle lui tapota le dos pour la calmer.

— Je n'ai toujours pas les plantes dont j'ai besoin.

— Ah, non ! s'exclama Luke en levant les mains. Je refuse de continuer à creuser.

— Vous n'avez pas creusé du tout. Et vous avez menti à messire Durand. Vous n'avez pas abattu d'arbre non plus.

Luke s'inclina devant elle.

— Pardonnez-moi ma négligence, maîtresse Le Gros. Que désirez-vous d'autre ? Car je vois bien que vous n'êtes pas satisfaite.

— Dame Oriel et le père Odo m'ont commandé plusieurs potions. Je ne peux pas les préparer avec ce que j'ai. Il me faut plus que des violettes et des primevères.

— Je suis le châtelain et je vous donne l'autorisation de ramasser ce que vous voulez. Faites comme bon vous semble. Qui s'en plaindra ? ajouta-t-il en désignant d'un geste les arbres qui les entouraient.

— Messire Durand, je suppose.

— Ah. Vous supposez.

Elle rencontra le regard de Luke. Son expression sardonique la troubla. Avait-il lu dans ses pensées ? Savait-il que messire Durand hantait son esprit, s'insinuait dans ses rêves ? Non, c'était impossible. Elle éprouva une bouffée de honte. Ses pensées auraient dû être consacrées uniquement à Simon, en dépit du fait qu'il la négligeait.

— Je vous remercie, messire Luke. Mais mon époux sera furieux si ses ordres ne sont pas promptement exécutés. Les dames du château comptent sur moi.

Ils atteignirent les charrettes qui attendaient le long du chemin. Elle confia Félicité à Luke et accepta l'aide d'un valet pour monter sur un palefroi.

— Dites-moi de quelle façon je puis vous aider, déclara Luke en lui tendant l'enfant.

Elle observa son visage agréable, qui offrait peu de ressemblance avec celui de son frère. Luke la laissait indifférente. Durand l'enflammait.

— Le petit jardin clos qui donne dans la cour me conviendrait admirablement. Les plantes dont j'ai besoin y poussent en abondance, mais messire Durand m'en interdit l'accès.

— Il reviendra sur sa décision. J'ai remarqué qu'il commence souvent par refuser ce qu'on lui demande, mais après réflexion il voit les choses sous un autre angle. Ce jardin serait parfait pour vous. Il y a même un petit verger qui est superbe au moment de la floraison. Et puis, vous n'auriez pas besoin de vous asseoir sur une souche. Il y a des bancs dans les allées. À notre retour, je vous emmènerai le visiter. Je ne peux pas vous donner l'autorisation de *l'utiliser*, mais je peux vous le montrer. Je possède la clé.

Durand gravit l'échelle qui menait au sommet de la tour sud. Endommagée par un incendie du temps de son père, elle n'avait jamais été convenablement rénovée. C'était lors d'une inspection qu'il avait faite pour évaluer le coût de la réparation, qu'il s'était aperçu que depuis la tour, on avait une vue sur une partie du jardin de Marion.

Accoudé au parapet, il contempla ce petit carré de verdure désormais à l'abandon. Le banc de marbre envahi par les plantes grimpantes avait accueilli autrefois deux amoureux. Sa femme et son amant.

Sa colère avait été immense. Mais sa fierté l'avait poussé à garder le silence. Le soir cependant, il avait laissé libre cours à sa fureur. Le jour suivant, Marion l'avait accompagné dans son voyage à Winchester et le jardinier avait été exilé en Normandie.

Il regarda maîtresse Le Gros traverser la cour, la fille de Marion dans les bras.

Christina. Ce nom lui plaisait, il aimait le prononcer. C'était un nom qu'un amant devait adorer murmurer à l'oreille de sa maîtresse. Le terme *amant* lui remit en mémoire la trahison de Marion.

— Non, il faut être honnête, dit-il en suivant des yeux l'épouse du marchand. La trahison de Marion me déçoit moins que celle de son amant. Combien d'hommes sont prêts à me trahir, alors que j'ai besoin par-dessus tout de leur loyauté ?

Tout à coup, il oublia Marion et ses amants. Luke était devant la porte du jardin. Il fit tourner la clé dans la serrure et poussa le battant pour laisser entrer Christina.

— Jésus... murmura-t-il.

Il sentit le sang battre violemment dans ses tempes. Le torque d'or lui parut soudain trop serré autour de son cou.

Seul un petit coin du jardin était visible. Christina et Luke furent dérobés à sa vue dès qu'ils eurent franchi le portail. Mais cela ne dura pas longtemps.

Christina eut tôt fait de découvrir la partie du jardin encore baignée par le soleil de l'après-midi. Qu'avait-elle fait de l'enfant ? Il l'ignorait. Mais il la vit repousser les plantes pour dégager le marbre du banc.

— Ah, maîtresse Le Gros, dit-il d'une voix teintée d'amertume. Vous avez trouvé un endroit charmant. Pour vous reposer au soleil, à l'abri des regards. Avez-vous songé aussi que vous pourriez y retrouver votre amant ?

Elle disparut sur le côté, puis revint avec l'enfant. À cet instant, Durand regretta de ne pas être l'oiseau qui ornait sa bannière. Il aurait pu alors se percher sur les branches du poirier pour la regarder offrir son visage au soleil tout en berçant l'enfant.

L'enfant de Marion. Pas le sien.

Mais, bien qu'il fût si loin, il éprouva une sensation étrange, inconnue, tout en observant la femme de Simon Le Gros.

Il ne fallut à Durand que quelques minutes pour redescendre l'échelle, traverser la tour et la cour intérieure. Il se dirigea à grands pas vers le jardin, ouvrit le portail, et emprunta les allées envahies d'herbes folles.

Le rire de Luke s'éleva au fond du jardin. Celui de Christina y fit écho. Chaque note transperça la poitrine de Durand comme un poignard. Il pencha la tête pour passer sous les branches du poirier et s'immobilisa.

À quelques pas de lui, Luke était assis à côté de Christina. La tête penchée vers elle, il racontait quelque chose d'un ton de conspirateur. Aucun des deux n'avait conscience de sa présence. Luke, ce séducteur que l'on surnommait le « seigneur des jupons », était encore en train de charmer une femme.

Qu'est-ce que je fais ici ?

Lentement, sans bruit, Durand recula. Dès qu'il fut hors de vue, il tourna les talons et s'éloigna à grands pas. En se jurant que plus jamais une femme ne se moquerait de lui. *Plus jamais.*

3

Durand traversa la cour avec le père Odo, pour se rendre à la chapelle. Il fit un effort sur lui-même pour ne pas jeter un regard vers le portail fermé du jardin. Il n'avait pas encore vu son frère et ne lui avait pas parlé de ce qui s'était passé la veille.

Devant les écuries, tenant sa jument par la bride, Simon Le Gros était en grande conversation avec sa femme.

— Messire Durand ! Père Odo ! s'exclama-t-il en les voyant. J'ai installé Owen au château.

— Comment trouvez-vous le cottage ? demanda le père Odo.

— La maison est magnifique, très saine et sans trace d'humidité. Le vieil Owen avait quelques objets intéressants, mais je compte m'en débarrasser rapidement. En fait, dit-il en se tournant vers Durand, je vais recevoir une selle qui vous plaira sûrement.

Il fit un geste vers l'immense porte qui donnait accès à la cour intérieure du château.

— Je pense que ce serait un cadeau idéal pour le roi.

— Quand vous l'aurez reçue, faites-le-moi savoir.

Durand laissa glisser son regard du marchand vers son épouse. Les manières douces et gracieuses de maîtresse Le Gros avaient disparu. Son maintien rigide trahissait son malaise.

Simon tendit les rênes de son cheval à un serviteur.

— Puis-je solliciter votre indulgence, mon seigneur ? Mon épouse prépare une lotion parfumée très appréciée par les dames du château. En particulier par dame Oriel. Mais pour la faire, elle doit...

— Quoi, est-ce une autre demande pour aller vagabonder dans la forêt ? Vous ne pouvez donc pas vous passer de ces fleurs ?

Simon s'inclina.

— Je ne voulais pas décevoir les dames, messire. Mais Christina est pleine d'imagination, elle trouvera d'autres fleurs pour remplacer celles qui lui manquent. N'est-ce pas, Christina?

La jeune femme se tourna non pas vers son mari, mais vers Durand. Elle soutint son regard sans broncher.

— Si c'est ce que souhaite mon seigneur, je m'efforcerai d'obéir.

Durand eut l'impression qu'une main invisible lui serrait le cœur. Tout à coup, il la revit en train de danser dans la clairière. La vision le surprit... et lui enflamma les reins.

Au diable les femmes et leur futilité!

Il tourna les talons et s'éloigna, en quête d'un lieu où trouver la paix.

Une heure plus tard, Durand fut dérangé dans sa lecture par quelques coups timides frappés à la porte de la salle des comptes.

— Encore une femme à la recherche de Luke, marmonna-t-il pour lui-même. Entrez!

Christina Le Gros franchit la porte, son panier sous le bras.

— Messire Durand. Je ne m'attendais pas à vous trouver ici...

Elle plongea dans une profonde révérence et fit mine de ressortir.

Il se leva.

— Mon frère s'est rendu au village, mais il sera de retour d'un instant à l'autre. Que puis-je pour vous?

— Je suis venue répandre du romarin sur le sol, expliqua-t-elle en levant son panier.

Avec un haussement d'épaules, il se rassit et rouvrit son livre, essayant en vain de l'ignorer et d'ignorer son parfum qui se mêlait à celui des plantes. Il la regarda à la dérobée et constata qu'elle l'observait.

— Pardonnez-moi, messire, dit-elle quand son panier fut vide. Que lisez-vous?

Il réprima un rire ironique. Et lui qui pensait qu'elle le regardait!

— Aristophane, dit-il en faisant mine de lui mettre le volume entre les mains.

— Non, mon seigneur, il est trop précieux.

Elle repoussa le livre vers lui, comme s'il lui avait présenté un serpent. Mais il le déposa fermement entre ses mains.

— Ce n'est pas la reliure de cuir ou le parchemin qui sont précieux. Ce sont les mots. Prenez-le.

Elle s'assit sur le banc, ses jupes effleurant presque les genoux de Durand. Des mèches s'étaient échappées de sa tresse et formaient de petites boucles dans son cou. Il regretta de s'être montré si dur un peu plus tôt dans la cour.

— Qui est Aristophane ? demanda-t-elle en levant les yeux vers lui.

— Un Grec qui a vécu il y a plus de mille ans. J'ai beaucoup d'admiration pour son travail.

— Mille ans, répéta-t-elle à voix basse.

Elle effleura le livre des doigts, avec autant de respect que s'il avait contenu la parole de Dieu. Puis elle l'ouvrit et lut :

— « Qu'y a-t-il de pire qu'une femme impudique... à part une autre femme ? »

Une vive couleur envahit ses joues. Il sentit une vague de chaleur se répandre en lui.

— Qui vous a appris à lire ? questionna-t-il, la voix rauque.

— Mon père. Il voulait que ses enfants soient aussi instruits que ceux d'un seigneur. Et le prêtre appréciait les huiles que ma mère préparait pour l'autel, en échange des leçons.

Elle referma doucement le livre et le lui rendit.

— C'est très beau. Merci.

Avant qu'il ait pu trouver quelque chose à dire, ou pensé à lui montrer un autre paragraphe, moins accablant pour les femmes, elle disparut.

— Jésus...

Il se leva, enveloppa le livre dans un tissu fin et le replaça dans le coffre de Luke, où étaient rangés d'autres ouvrages qu'il aimait avoir à portée de main. Ceux de plus grande valeur étaient enfermés dans la tour ouest.

Puis il prit les comptes de la récolte d'hiver.

— Je trouverai peut-être la paix en comptant les ballots d'avoine et d'orge !

Luke traversa la grande salle, s'arrêtant à plusieurs reprises pour saluer ceux qui s'étaient rassemblés pour le premier repas de la journée. Finalement, il se laissa tomber dans un fauteuil à côté de Durand.

— Ça commence, chuchota-t-il à l'oreille de son frère.

Durand coupa une tranche de volaille à l'aide de sa dague.

— Quoi donc ?

— Dame Sabina sera là avant la tombée de la nuit. Tu peux être sûr que John te suggérera de contracter une nouvelle union sitôt que possible.

Durand haussa les épaules.

— Sabina perd son temps. Il lui faut une meilleure alliance que ce que je peux lui offrir. Son père est peut-être un ami intime du roi John, il a peu de richesses. Quant aux autres propositions, si elles se présentent, j'y réfléchirai. Il le faut. Si nous ne parvenons pas à récupérer ce que nous avons perdu en France...

— Tes fils auront toujours Ravenswood.

— Je veux que Ravenswood te revienne.

Luke haussa les épaules avec désinvolture.

— Je ferai mon chemin moi-même, dit-il en laissant son regard errer dans la salle.

— Luke, je reprendrai ce que j'ai perdu, et même plus. J'en fais le serment. Ravenswood doit être à toi. S'il faut que je prenne épouse pour cela, je le ferai au plus vite.

Mais Luke ne l'écoutait plus.

— Je me trompais, Durand, dit-il. Maîtresse Le Gros ne flotte pas sur un nuage.

Christina Le Gros pénétra dans la salle et alla s'asseoir à une table.

— Que veux-tu dire ?

— Qu'elle n'est pas un esprit vivant dans un nuage. C'est une créature de la forêt. Je l'imagine très bien dans une clairière, ses cheveux cascadant sur ses seins pulpeux, s'agenouillant, nue, dans...

— Assez ! Tu damnerais un saint, avec tes divagations !

Luke le quitta en riant. Durand, lui, ne riait pas. Il se dirigea vers l'escalier qui montait dans la tour sud. Une fois dans sa chambre, il ôta son pourpoint bleu, mais garda le torque que tous les de Marle avaient porté avant lui et qui était l'emblème de leur pouvoir. Comme ses ancêtres, il ne l'enlevait jamais.

Il ne lui fallut que quelques instants pour revêtir son costume de guerrier. Il redescendit dans la grande salle et ordonna à ses hommes de le retrouver dans la cour intérieure.

Trois heures plus tard, le corps en sueur et accablé de fatigue, il regagna sa chambre. La pluie avait transpercé ses vêtements, mais il avait réussi à exorciser ses démons, chassant le souvenir de la trahison de son épouse et les images de maîtresse Le Gros dansant nue au milieu de la forêt.

Il poussa la porte... et les images redoutées resurgirent brusquement dans son esprit. Il régnait dans sa chambre l'odeur florale qu'il souhaitait justement oublier. Il eut un instant de vertige.

De la vapeur s'élevait d'une cuve emplie d'eau chaude, devant l'âtre. C'était donc de là que s'échappait le merveilleux parfum. Il fit glisser sa main dans l'eau, puis se déshabilla avec l'aide de son serviteur.

Finalement, il plongea dans l'eau fumante et renversa la tête en arrière pour se détendre. Son valet lui donna un morceau de tissu et un bloc de savon, puis alla ramasser ses vêtements mouillés.

Durand inhala longuement le parfum du savon. Celui-ci évoquait les sous-bois après la pluie, des bouquets de fougères émergeant d'un terreau riche et sombre. Sur le beau bloc de savon était imprimée l'image d'un oiseau.

— Joseph, j'entends ton estomac gargouiller. Va donc te restaurer.

— Il faut d'abord que je mette de l'ordre ici, messire.

— Laisse tout ainsi. Je peux mettre la main sur ce que je veux quand j'en ai besoin.

— Comme vous voudrez, messire, dit Joseph avec un soupir désolé.

Durand se laissa glisser plus profondément dans l'eau. Ses muscles étaient endoloris par l'exercice, mais les senteurs entêtantes l'aidaient à se délasser.

— J'ai besoin d'une femme, marmonna-t-il pour lui-même.

Christina.

Avait-il prononcé ce nom à voix haute, sans s'en rendre compte ? Perplexe, il tint le bloc de savon à hauteur de ses yeux. L'avait-elle préparé elle-même ? Pour lui ?

La porte de la chambre s'ouvrit, laissant pénétrer un courant d'air glacial. Penne entra.

— Que veux-tu ? s'enquit Durand.

— Content de ton bain ? C'est Oriel qui t'a envoyé le savon.

— Oriel ?

— Tu as l'air déçu. Qui d'autre pourrait se soucier de ce genre de chose ? Certainement pas moi. Cette habitude que tu as prise de te laver est dangereuse.

Penne s'installa dans l'un des fauteuils disposés devant l'âtre.

— Oriel voudrait savoir si nous pouvons avoir de la musique ce soir. N'est-il pas trop tôt ?

— Non. Marion aimait la musique. Elle n'aurait pas voulu qu'un silence sinistre règne dans la grande salle.

Durand se leva et s'enveloppa dans un drap de lin pour se sécher. Il fronça les sourcils en voyant le tissu se teinter de sang. Une longue éraflure marquait son bras.

— Tu t'es blessé ?

Penne lui tendit un autre morceau de tissu qu'il plia pour en faire un pansement.

— Je ne m'en étais pas rendu compte, dit-il en épongeant le sang qui coulait de la blessure.

— Comment se fait-il que tu n'aies rien senti ?

— *Mon Dieu*, marmonna Durand en français. J'ai tant de choses en tête. Le roi John me harcèle, mon épouse est morte…

— Tu fais passer le roi avant ta femme ? Intéressant…

Durand ignora la remarque de son ami et enfila des braies et une tunique de lin, dont il releva les manches pour éviter de les tacher de sang.

— Pourrais-tu me trouver d'autres bandes de tissu ? Et peut-être un baume ?

— Me voilà transformé en serviteur...

Penne sortit en souriant. Durand savait qu'il n'avait pas de meilleur ami que lui. Luke lui-même n'était pas aussi proche de lui.

Oriel entra précipitamment. Penne la suivait, un petit sourire aux lèvres. Elle repoussa les pans de sa jupe de laine écarlate et prit le bras de Durand pour l'examiner.

— Cette blessure n'est pas belle. Comment avez-vous fait cela ? dit-elle en replaçant sur la plaie le tissu imprégné de sang.

Il haussa les épaules en signe d'ignorance. Il pouvait difficilement lui avouer que toutes ses pensées étaient occupées par maîtresse Le Gros.

— Je l'ai remarquée en m'habillant.

Oriel se mordilla les lèvres, geste qui était aussi familier à sa sœur Marion.

— Il ne sera pas nécessaire de vous recoudre, mais vous avez tout de même besoin de soins. Le médecin du château est au village. Voulez-vous que j'appelle maîtresse Le Gros, en attendant ? Elle connaît bien les plantes. Elle aura peut-être un baume à appliquer sur la blessure.

Sans attendre de réponse, Oriel se dirigea vers la porte. Sur le seuil, elle se retourna brièvement et lança :

— Vos jambes sont remarquables, Durand, mais je vous suggère de vous vêtir plus décemment avant l'arrivée de maîtresse Le Gros.

Durand suivit le conseil d'Oriel. Il hésita longuement, avant de choisir une longue tunique d'un vert profond. Le ton, qui rappelait celui des feuillages, lui parut parfait pour accueillir un esprit de la forêt. Ignorant la présence de Penne, il mit rapidement de l'ordre dans la chambre, cachant ses armes et quelques parchemins dans un coffre.

— Nous n'allons pas recevoir la visite de la reine Isabelle, fit observer Penne, toujours installé dans son fauteuil.

— Tu as quelque chose d'autre à dire ? grommela Durand en cherchant une cachette pour ses dés à jouer.

Il finit par les recouvrir d'une coupe renversée.

— Je suis sûr que maîtresse Le Gros a déjà vu un jeu de dés.

— Fais-moi penser à demander à Oriel de te coudre les lèvres.

— Et si maîtresse Le Gros te prend pour un rustre débraillé qui passe son temps à jouer aux dés, quelle importance ?

— Son époux va demeurer au village en qualité de marchand. Si le bruit se répand que je perds mon argent à des jeux de hasard, il risque fort de faire monter ses prix.

— Tu veux me faire croire que tes coffres sont vides ?

Penne éclata de rire, mais se reprit prestement en voyant entrer Oriel, accompagnée de Christina Le Gros.

Durand lui montra son bras, l'air un peu gauche. Les gestes de la jeune femme étaient très doux.

— Cela ne me paraît pas grave, mon seigneur.

— Auriez-vous un baume pour le soigner ? demanda Oriel en s'approchant de son époux.

Celui-ci lui prit la main et leurs doigts s'entrelacèrent.

Durand éprouva une pointe d'envie.

— Je ne suis pas guérisseuse, dit Christina en hochant la tête. Mais j'ai ceci. C'est une lotion qui contient de la bétoine et du camphre.

Elle sortit un petit pot de son sac.

— Cela devrait vous soulager.

Elle retourna la coupe qui se trouvait sur la table. Penne rit sous cape en la voyant ranger soigneusement de côté les dés et emplir la coupe d'eau. Durand lança à son ami un regard furieux, mais se ressaisit lorsque Christina lui fit signe d'approcher de la table.

— Je peux le faire, bougonna-t-il.

— Si cela ne vous ennuie pas, messire, je préfère nettoyer la plaie moi-même.

D'un mouvement gracieux, elle déploya sa jupe de laine bleue et s'assit. Il prit place face à elle et tendit le bras. Elle frotta un linge avec du savon, faisant surgir un puissant parfum de plantes de la forêt.

— Est-ce vous qui avez fabriqué ce savon ?

— Oui, messire. Son parfum vous plaît ?

Tout en parlant, elle inspecta attentivement la blessure et fronça les sourcils.

48

— Oui, beaucoup, dit-il.

Quand elle leva la tête et croisa son regard, il ne vit plus qu'elle. Penne et Oriel avaient disparu. Elle essuya le sang qui coulait de nouveau sur son bras.

— Comment vous êtes-vous fait cette plaie ?

— Je ne sais pas.

— Il est parfois utile de savoir ce qui a causé une blessure. Certaines suppurent plus que d'autres.

Elle tâta délicatement les bords de la plaie.

— Vous garderez peut-être une cicatrice.

— Ce ne sera pas la première.

Christina leva de nouveau les yeux et il sentit son regard sur lui comme une caresse.

— Oui, admit-elle. Tous les guerriers sont marqués ainsi. J'ai une préparation contre les cicatrices. Vous voudrez peut-être l'utiliser quand la plaie sera refermée.

Il fut parcouru d'un frisson lorsqu'elle nettoya doucement les bords de la blessure. Son pouls battait à grands coups au creux de son poignet, et elle ne pouvait ne pas le voir.

Durand se racla la gorge.

— Je possède beaucoup de livres, en plus de l'Aristophane. Aimeriez-vous les lire ?

Les joues déjà roses de la jeune femme s'enflammèrent.

— Est-ce que… je… Je ne peux pas, mon seigneur.

— Pourquoi pas ? Vous savez lire.

Elle trempa le linge dans l'eau et lava de nouveau la blessure. Puis elle posa le morceau de tissu sur la table.

— Vous ne m'avez pas répondu, fit-il remarquer quand elle lui sécha le bras et trempa les doigts dans le pot d'onguent.

Il tressaillit et eut un mouvement de recul lorsqu'elle appliqua la préparation sur la blessure.

L'ombre d'un sourire effleura les lèvres de Christina.

— Ne bougez pas, messire.

Elle enroula une bande de tissu propre autour du bras de Durand et l'attacha fermement. Son travail était terminé, mais elle ne fit pas mine de se lever.

— Je ne pense pas qu'il serait correct que je lise vos livres. Mon mari n'approuverait pas que je perde ainsi mon temps.

Ses mains tièdes s'attardèrent sur les bandages.

— Voulez-vous que je revienne voir cette blessure demain matin ?

Il avait un médecin à son service, mais l'homme était loin d'avoir des gestes aussi doux et apaisants que Christina. Il contempla ses joues satinées, ses lèvres pleines et roses. Son souffle sentait la menthe. Et sous le parfum léger et fleuri, il percevait l'odeur spéciale de sa peau. Un séduisant parfum de femme.

— Oui. Venez demain.

Il la désirait. Le corps de son épouse reposait à peine depuis quelques jours dans le tombeau familial, et déjà il désirait une autre femme.

L'épouse d'un autre.

4

Après le repas du soir, lorsque Félicité fut couchée pour la nuit, Christina partit à la recherche de dame Oriel. Elle la trouva dans une alcôve de la grande salle, où elle cousait tout en bavardant avec plusieurs autres dames. Dès qu'elle la vit, dame Oriel se leva et lui fit signe de la suivre. Elles se dirigèrent vers la chapelle.

— Mon amie aurait honte si quelqu'un apprenait ce qu'elle veut, Christina. Vous ne voyez pas d'objection à ce que nous nous retrouvions ici ?

Christina sourit et donna à Oriel une fiole enveloppée d'un fin tissu blanc.

— Il n'y a pas de meilleur endroit.

Avant de se retirer, Christina posa une main sur le bras d'Oriel.

— Je pense, madame, que votre amie a besoin de connaître un moment d'amour total. Un moment de don de soi, un gage d'amour. C'est cela qui l'aidera le plus. Car un enfant conçu pendant un tel moment sera forcément affectueux et généreux.

Oriel effleura les contours du petit flacon.

— Pensez-vous que de tels moments existent ?

Christina n'en avait jamais connu elle-même, mais elle répondit :

— Vous pourriez offrir une prière à Dieu pour votre amie.

Tout à coup, une idée lui traversa l'esprit.

— Madame, Dieu a peut-être choisi votre amie pour qu'elle veille sur un orphelin. Tout comme vous, qui servez de mère à Félicité.

Oriel baissa la tête.

— Je passerai peu de temps auprès d'elle, car je suis certaine que Durand ne tardera pas à prendre une nouvelle épouse.

— Messire Durand... va se marier ?

Cette pensée fit surgir une émotion étrange dans le cœur de Christina.

— Oui, et vite... surtout s'il veut reprendre ce que le roi Philippe a ignominieusement usurpé ! Et sa nouvelle épouse aura l'autorité d'une mère sur Félicité.

La gorge de Christina se noua. Oriel déplia le tissu et contempla la fiole fermée par un bouchon de bois.

— Que dois-je... Que doit faire mon amie ?

— Votre amie versera une cuillère de cette poudre chaque soir dans sa coupe de vin. Si cette potion demeure sans effet, j'en ai d'autres, qu'il faudra verser dans le vin de son mari. Ce qui n'est pas très facile à faire sans son consentement.

Oriel hocha la tête et l'entoura de ses bras.

— Merci, ma chère Christina. Mon amie vous en sera très reconnaissante.

Elle glissa la fiole dans sa poche et mit un objet dans la main de Christina, avec une pièce d'or.

— Le pompon que vous m'aviez donné s'est défait. Voyez ce que vous pouvez faire...

Christina regarda Oriel sortir de la chapelle, après être restée un long moment agenouillée devant l'autel, les mains jointes, en une prière beaucoup trop fervente pour être simplement destinée à aider une amie.

Une fois seule, Christina vérifia les réserves d'huile dans les lampes. Ses doigts effleurèrent le drap posé sur l'autel. Elle ne priait plus pour avoir un enfant, ni pour que Simon vienne la rejoindre dans leur lit. Cependant, elle devrait bientôt se soumettre de nouveau à son devoir d'épouse. *Son devoir.* Pour les hommes, c'était un plaisir. Pour les femmes comme elle et comme Oriel, qui ne pouvaient donner à leur mari ce qu'ils désiraient plus que tout, c'était une corvée.

Elle soupira, le cœur lourd. Si elle voulait avoir un enfant dans sa vie, quelqu'un à aimer et qui l'aimerait en retour, qui veillerait sur elle dans sa vieillesse, elle devait être une épouse. Une épouse docile et soumise...

De retour dans la grande salle, Christina chercha des yeux dame Oriel et le seigneur Penne. La dame n'était visible nulle part, mais Penne jouait aux dés avec trois de ses compagnons.

C'était un bel homme, fort, et de caractère jovial. Christina admira ses cheveux blonds et ses superbes sourcils noirs qui mettaient en valeur ses iris d'un bleu limpide. À en juger par les regards qu'il posait fréquemment sur son épouse, son désir pour elle était toujours vif. Il saisissait toutes les occasions de la toucher. Il ne gardait pas les mains dans ses manches, comme le faisait Simon. Non, elle avait souvent vu messire Penne prendre la main de sa femme, porter affectueusement ses doigts à ses lèvres.

Après tout, peut-être dame Oriel agissait-elle vraiment pour le compte d'une amie. Les dames étaient nombreuses en ce moment, accompagnées par leurs époux qui étaient venus attendre la visite du roi.

Oriel prit une cuillère en argent pour verser la préparation dans son vin.

— Que contient cette poudre ? s'enquit Penne en l'enlaçant.

Il se pencha, posant le menton sur l'épaule de la jeune femme.

— Je n'en ai pas la moindre idée, répondit-elle en fronçant les sourcils.

Penne la fit pivoter sur elle-même. Il posa la main sur la sienne alors qu'elle portait la coupe à ses lèvres.

— Tu n'as pas besoin de boire ce… ce philtre. Comprends-tu ? Il m'importe peu que tu ne portes pas d'enfant. Je t'aime telle que tu es.

Oriel lutta contre les larmes qui lui brûlaient les paupières. Sa gorge se noua douloureusement. Penne lui répétait souvent qu'il l'aimait, en dépit du fait qu'ils n'aient pas d'enfant. Mais elle ne le croyait pas vraiment.

Il s'était confié à Marion un soir, lui disant son désir d'avoir un jour des fils aussi robustes que ceux de Durand. Et ce désir était devenu plus fort depuis qu'il avait perdu ses terres en Normandie. Il avait ajouté qu'il n'avait plus rien à présent. Rien. Penne n'avait même pas pensé à elle quand il avait additionné ses biens.

C'était elle qui n'avait rien, puisqu'elle n'avait pas d'enfant.

Marion considérait qu'Oriel avait de bonnes raisons de s'inquiéter. Elle avait fait remarquer que Penne ne dédaignait pas rire et plaisanter avec les servantes. Elle avait mis sa sœur en garde. Un homme commençait par une plaisanterie, puis il glissait une main sous les jupons…

— Je sais que tu m'aimes, Penne.

Plaquant un sourire sur ses lèvres, elle leva la coupe et but à longues gorgées. Le vin était doux, mais il avait un arrière-goût un peu amer.

— Je t'aime aussi, ajouta-t-elle. Mais quel mal y a-t-il à essayer ? Il y a aussi des potions pour les hommes, tu sais.

Elle reposa la coupe sur la table et repoussa les tentures qui dissimulaient le lit. Une onde de chaleur se répandit dans son corps. Sa peau était en feu.

Debout derrière elle, Penne lui ôta lentement sa robe, traçant sur ses épaules un sillon de baisers brûlants. Était-ce la potion qui la faisait s'embraser ainsi ?

Il la fit tourner sur elle-même et la tint étroitement serrée contre lui.

— J'aime tout chez toi, Oriel, chuchota-t-il. Et spécialement ce petit grain de beauté sur ton sein.

Il se pencha pour effleurer le sein de la jeune femme du bout de la langue.

Était-ce encore cette potion qui l'incita à s'allonger sur le lit et à s'offrir ? Et à le toucher comme elle n'avait jamais osé le faire ?

— Ma douce Oriel, murmura-t-il en la pénétrant d'un puissant coup de reins.

Elle récita en elle-même les paroles d'un chant ancien que lui avait appris la sage-femme au chevet de Marion. Elle les répéta trois fois avec ferveur puis, les yeux embués de larmes, croisa les doigts de sa main gauche.

Christina ôta les pansements du bras de messire Durand, pour la troisième et dernière fois. Elle avait autant de mal à réprimer son trouble que la première fois qu'elle l'avait soigné.

Sa peau avait un parfum unique. Le parfum de la forêt noyée sous la brume. C'étaient les mots qui lui venaient spontanément à l'esprit lorsqu'elle s'approchait de lui.

Durand de Marle avait sur elle un pouvoir extraordinaire, qui n'avait rien à voir avec la différence de rang. Il avait le pouvoir de rendre invisible à ses yeux le roi lui-même, quand il chevauchait à côté de lui dans la forêt.

— Il est inutile de panser la plaie désormais, dit-elle en se levant. La blessure est guérie.

Durand se leva également et regarda son bras en fronçant les sourcils.

— Vous n'aurez pas de cicatrice, mon seigneur. Dans quelques jours, toute trace aura disparu. Pour plus de sûreté, passez cet onguent sur la plaie deux fois par jour.

Elle posa un petit pot sur la table.

Durand sourit.

— Ce n'est pas cela qui m'inquiète. Mais à présent, je n'aurai plus d'excuse pour discuter avec vous d'Aristophane.

Elle sentit ses joues s'enflammer et baissa les yeux. Chaque fois qu'elle était venue le soigner, elle l'avait trouvé absorbé dans la lecture de ce petit livre. Et chaque fois, il lui en avait lu un passage.

— Pardonnez-moi, mon seigneur, si j'ai eu l'audace d'exprimer mon opinion avec trop de force.

— J'aime les femmes qui ont une opinion affirmée, maîtresse Le Gros. Ce sont celles qui n'en ont pas du tout que je trouve ennuyeuses.

— Dans ce cas, si je peux m'autoriser à vous donner une dernière opinion personnelle, j'aimerais être capable d'apprécier comme vous l'humour d'Aristophane.

Il sourit.

— Prenez donc ce livre et lisez-le vous-même.

— Oh, je ne peux pas...

Elle croisa les mains derrière le dos, comme si elle voulait résister à la tentation d'accepter.

— Comme vous voudrez. Mais alors, revenez et laissez-moi vous lire une de ses pièces du début jusqu'à la fin.

— Un jour, peut-être, murmura-t-elle, tout en sachant que c'était impossible.

La main sur la poignée de la porte, elle se retourna pour le regarder. Il souriait toujours. Un rayon de soleil filtrant par la fenêtre fit scintiller son torque.

— La pensée qui me vient au sujet d'Aristophane, mon seigneur, c'est qu'il a dû cruellement manquer d'amour, pour écrire des paroles aussi amères sur les femmes.

Durand se figea. Au même instant, un nuage passa devant le soleil. L'ombre qui tomba sur son visage lui donna l'air aussi dur que s'il avait été sculpté dans la pierre. Christina eut conscience d'avoir parlé trop librement.

— C'est donc ce que vous pensez? s'enquit-il. Un homme est amer s'il n'a pas une femme qui l'aime?

— Non, mon seigneur. Il n'y a pas assez de femmes bonnes et aimantes pour que chaque homme en trouve une, ni assez d'hommes... Je m'embrouille. Je voulais dire simplement que si Aristophane avait eu une femme qui l'aimait, il n'aurait pas écrit de telles choses. Je vous souhaite une agréable journée, mon seigneur.

Elle poussa le loquet et sortit. Il valait mieux s'échapper avant de dire quelque chose qui le mette encore plus en colère. Elle soupira en dévalant l'escalier. Messire Durand n'avait sûrement jamais manqué d'amour. Marion était belle et douce. Son cœur avait dû déborder d'amour pour son époux. Elle parlait souvent d'amour, aimait toucher les étoffes fines, respirer les parfums ambrés et sensuels, et voulait savoir quels étaient ceux qui attiraient le plus les hommes dans le lit d'une femme. De fait, Christina avait souvent été gênée par ses allusions.

Mais elle devait s'avouer qu'elle en savait fort peu sur l'homme à qui la belle Marion avait accordé ses faveurs.

Et pourtant, à sa grande honte, elle convoitait l'attention de cet homme.

Dans l'espoir de détourner ses pensées de l'époux de dame Marion, Christina passa l'après-midi à broder une petite robe pour Félicité. Chaque bouton de rose contenait trois nuances de rose, et les feuilles deux nuances de vert. Elle se concentra sur son travail jusqu'au moment de nourrir le bébé.

Elle venait à peine de reposer l'enfant dans son berceau lorsqu'on frappa à la porte de la chambre.

Messire Durand se tenait dans l'encadrement.

— Pardonnez mon intrusion, maîtresse Le Gros.

Christina fit la révérence et s'écarta, mais il demeura sur le seuil.

— Je suis simplement venu vous offrir un ouvrage au sujet duquel nous ne pourrons nous quereller.

Une lueur malicieuse brillait dans ses yeux. Elle ne put réprimer un sourire en prenant le paquet qu'il lui tendait.

Elle alla le déposer sur sa table, dans l'alcôve, et déplia le vieux tissu qui enveloppait le livre. La couverture de cuir et de bois était couverte de moisissure. Elle essuya timidement les taches de poussière et d'humidité, avant d'ouvrir le volume.

— Messire ! s'exclama-t-elle en posant une main sur son cœur. Ceci... Je ne peux le croire...

Durand vint s'appuyer à la table, à côté d'elle. Il souleva le vieux volume et en tourna délicatement les pages.

— Oui. C'est une copie de l'herbier d'Aelfric. Mon père l'a échangé avec le roi Richard contre son meilleur cheval.

Il leva les yeux et la regarda avec un large sourire.

— Mais je crains que mon père n'ait un peu menti sur les origines de l'animal.

— Le... roi Richard ? Je ne peux pas toucher ce livre, mon seigneur, bredouilla-t-elle en cachant ses mains derrière son dos. C'est un trésor !

Durand s'assombrit. Son intention était de lui faire plaisir, pas de l'effaroucher.

— Bien sûr, que vous pouvez le toucher. Ce vieux grimoire ne m'est d'aucun usage. Pourquoi ne pas le parcourir ? Je suis certain que vous y trouverez des indications utiles. Celui qui l'a recopié avait un don pour reproduire les plantes, vous ne croyez pas ?

Il lui tendit le livre ouvert. Une page s'en échappa et tomba en voletant. Elle atterrit sur les joncs répandus au sol.

Christina se décida à ramasser la feuille en soupirant. Il aurait aimé qu'elle le contemple avec la même admiration qu'elle contemplait ce vieux parchemin. Cette pensée ramena un sourire sur ses lèvres.

— Eh bien ? Qu'est-ce que ça représente ? s'enquit-il.

— Oh, c'est une merveilleuse reproduction d'une prune, tout simplement. Regardez, mon seigneur, malgré les taches d'humidité sur le parchemin, le fruit semble aussi réel que ceux qui mûrissent dans le verger du cuisinier.

Il se rapprocha de la jeune femme. À vrai dire, ce n'était pas le dessin qui l'attirait, c'étaient la douceur et le bonheur qu'exprimait le regard de Christina. Quand avait-il fait autant plaisir à quelqu'un avec quelque chose d'aussi simple ?

Elle retourna la feuille et observa un autre dessin.

— Regardez ces coquelicots, ne dirait-on pas qu'ils sont vrais ? Et là…

Elle passa le bout des doigts sur les lettres tracées avec soin.

— C'est si beau…

Oui, très beau, songea-t-il. Elle aussi était belle. Elle n'avait pas la beauté pâle et blonde de Marion, ni ses attaches délicates. Mais c'était une femme qui attirait irrésistiblement le regard.

— Messire, dit-elle en lui tendant la feuille. Quelqu'un devrait nettoyer ce livre.

— Faites-le vous-même, maîtresse Le Gros. Et gardez-le, avec ma bénédiction. Je n'ai nul besoin de ce volume, les plantes ne m'intéressent pas. Si c'étaient des armes, je pourrais passer des heures à les contempler.

Il fit le tour de la table de travail. Le parfum puissant des plantes aromatiques l'enivrait.

— Laquelle de ces plantes est responsable du parfum que l'on respire depuis quelque temps dans la grande salle du château ?

Il ramassa une baguette sur la table et s'en servit pour remuer des graines dans une coupe. Elle lui prit la baguette des mains et recouvrit la coupe d'un morceau de tissu.

— Oh, j'ai seulement mélangé un peu de sauge et de romarin. Mais je ne peux accepter ce livre, messire…

— Je vous ordonne de le prendre.

Les mots abrupts furent suivis d'un long silence.

— Comme vous voudrez, mon seigneur, mais je ne puis le lire.

— Vous ne connaissez pas le latin ? Seulement le français et l'anglais ?

Il se reprocha de ne pas l'avoir deviné plus tôt.

— Ce sont les deux langues dont se servait mon père pour ses affaires.

— Je reviendrai vous voir et vous le traduirai, suggéra-t-il.

— Vous êtes très bon, mais...

— Vous me le montrerez lorsqu'il sera nettoyé, se hâta-t-il d'ajouter pour dissiper l'embarras de la jeune femme.

Elle acquiesça, sans le regarder.

— Comment se porte l'enfant ?

Il chercha le bébé des yeux et vit un berceau de bois ordinaire. Ses fils avaient dormi dans des lits dorés ornés de têtes d'oiseaux.

— Félicité va très bien. C'est une enfant très douce et...

— Félicité ? Est-ce ainsi que le prêtre l'a baptisée ? Je croyais qu'elle devait s'appeler Margaret Iona, comme ma grand-mère.

— Dame Marion avait changé d'avis, messire. Dame Oriel était furieuse contre le bon père Odo, cependant celui-ci n'a fait qu'obéir à votre épouse. À vrai dire, dans la confusion qui a suivi la maladie de dame Marion, personne n'a songé à aborder le sujet...

— Le nom de l'enfant n'a pas grande importance.

On ne voyait du bébé qu'une touffe de cheveux clairs dépassant des couvertures. C'était une bénédiction que la fillette ressemble à sa mère... À moins que ça ne soit dommage ? La couleur de ses yeux ou de ses cheveux aurait pu lui donner une indication sur l'identité du père. Mais alors, tout le monde aurait su que Marion l'avait trompé. Durand serra les poings.

Marion avait-elle décidé qu'il serait hypocrite de donner à l'enfant le nom de la grand-mère de son époux ?

Christina s'agenouilla près du berceau et passa les doigts dans le fin duvet du bébé.

— Le nom est bien choisi, messire. Félicité signifie bonheur, et elle a assurément bien de la chance d'avoir autour d'elle autant de gens pour l'aimer.

Christina posa ses grands yeux sombres sur lui. Pouvait-elle deviner à quel point il se moquait du nom que portait cette enfant ?

— Elle a de la chance de vous avoir pour veiller sur elle.

Le visage de la jeune femme s'illumina d'un sourire. Il sentit une onde de chaleur se déployer en lui.

Il dut faire un effort surhumain pour se décider à sortir de la chambre…

— Ah, Durand ! lança Luke depuis le pied de l'escalier. Pourquoi te caches-tu ? Aurais-tu peur de devoir passer une autre journée à compulser les comptes du domaine ?

— Je n'ai peur de rien, mon frère, déclara Durand en lui donnant une tape sur l'épaule.

De fait, c'était un mensonge. Il avait peur de beaucoup de choses. Par exemple, de savoir qui l'avait trahi dans un moment où il devait s'appuyer sur la loyauté de tous. Il avait peur de voir l'enfant de Marion ressembler à un homme en qui il avait placé sa confiance. Peur aussi de montrer combien il désirait l'épouse de maître Le Gros.

Ses pensées s'orientèrent vers ce dernier, puis vers le vieil Owen et les paroles qu'il avait prononcées. Il partit donc à la recherche de celui-ci. Mais il ne trouva que le père Odo.

Le vieil Owen était mort.

5

Owen fut enterré à l'aube et le prêtre parla longuement des vertus du vieillard. Durand se maudit intérieurement. Pourquoi n'était-il pas allé voir le marchand plus tôt ? Il avait eu trop de choses en tête. À présent, il était trop tard.

Au milieu du petit groupe qui s'était rassemblé autour de la chapelle, Durand se rappela ce qu'Owen avait dit avant de mourir.

Qui voulait le trahir ?

Quelqu'un l'avait déjà fait, songea-t-il en posant les yeux sur l'enfant que Christina Le Gros tenait dans ses bras. Owen savait-il qui était l'amant de Marion ? Le vieil homme savait tout ce qui se passait au château et au village.

Il avait emporté son secret dans la tombe.

— Tu aurais dû venir à l'enterrement d'Owen, dit Christina.

Simon déambulait dans sa petite alcôve, touchant les pétales de roses séchés et reniflant les préparations.

— Il méritait bien cette marque de respect, ajouta-t-elle.

— Je ne peux pas assister à l'enterrement de tous les vieux qui décident de mourir, répliqua sèchement Simon. Qu'est-ce que c'est que ça, Christina ?

Des flocons de poussière dansaient autour de Simon dans la lumière du matin. Les joues de la jeune femme s'empourprèrent et elle le rejoignit près de la table. Mais ce n'était pas la potion qu'elle était en train de confectionner qui intéressait son époux.

— C'est une copie de l'herbier d'Aelfric, dit-elle en couvrant discrètement d'un linge la coupe qui contenait des pétales de mauves.

Il darda sur elle un regard acéré.

— Mon Dieu! s'exclama-t-il en français. Comment un tel trésor t'est-il tombé entre les mains?

— Messire Durand me l'a confié pour que je le nettoie.

Pourquoi éprouvait-elle une telle réticence à avouer que Sa Seigneurie le lui avait donné? Sans doute par crainte que Simon ne se fasse des idées et la réprimande.

— On pourrait en retirer une assez belle somme...

Il manipula l'ouvrage avec délicatesse, examinant soigneusement la reliure.

— Un ignorant n'en donnerait que cinquante livres. Mais une abbaye en offrirait probablement mille.

Un millier de livres?

— Nous ne pouvons le vendre, il ne nous appartient pas, protesta-t-elle en reprenant le livre. Je le rendrai à messire Durand dès que j'aurai fini de le nettoyer.

Oubliant le livre, Simon se dirigea vers le lit, s'allongea et fit un signe de la main à Christina.

— Viens près de moi.

Elle sentit ses jambes se dérober. Sa gorge se noua.

— Je... ne peux pas. Félicité ne va pas tarder à s'éveiller.

— Elle dort profondément, protesta-t-il en jetant un coup d'œil au berceau. Viens.

Le ton était impérieux, et elle comprit qu'il ne tolérerait pas qu'elle désobéisse. Elle alla s'asseoir au bord du lit. Simon posa une main sur ses seins.

— Il faut que tu me donnes un fils.

Il y eut un bruit à la porte et Christina se leva d'un bond, heureuse de la diversion.

— Alice! Comme c'est gentil! dit-elle en prenant le plateau que lui tendait la servante.

Un appétissant arôme de volaille rôtie se répandit dans la pièce.

Les poings sur les hanches, Alice lança un regard furibond à Simon.

— Que faites-vous avec vos bottes sur le lit?

Il roula sur le côté et s'accouda à un oreiller.

— Tu as la langue bien pendue, pour une servante.

— Je dis les choses comme elles sont. Messire Durand ne sera pas content de vous voir fainéanter alors que le soleil n'est pas encore couché.

Simon se releva lentement et rajusta sa tunique.

— Messire Durand ne serait pas content non plus de savoir qu'une servante empêche un homme de prendre son plaisir.

— Vous êtes tous les mêmes, grommela Alice tandis qu'il se dirigeait nonchalamment vers la porte. Des porcs en rut ! Et messire Durand comme les autres. Vous pouvez bien lui dire ce que vous voulez, je m'en moque !

Le visage de Simon s'empourpra. Il leva la main, l'air menaçant, et Christina s'interposa entre la servante et lui.

— Alice !

Réveillée par ce remue-ménage, Félicité se mit à pleurer bruyamment.

— Pars, Simon, dit doucement Christina. Tu vois bien que le moment est mal choisi.

Son époux lui prit le menton et l'obligea à lever les yeux vers lui.

— Nous reparlerons de tout ça quand celle-là sera partie.

— Simon, c'est inconvenant de me rendre visite ici.

— Ah, vraiment ? Dans ce cas, hâte-toi de me rejoindre au village. Et emmène l'enfant, s'il le faut. Tu reviendras quand nous aurons fini.

— Je ne peux pas emmener...

Les cris de Félicité redoublèrent. Simon crispa les doigts sur le menton de son épouse.

— Tu viendras quand je le déciderai.

Alice prit l'enfant dans le berceau et s'approcha d'eux.

— Sa Seigneurie aura son mot à dire dans tout ça, déclara-t-elle en mettant le bébé dans les bras de Christina. Vous ne pouvez pas sortir cette enfant le soir, au risque de lui faire attraper la fièvre.

— La fièvre ! Tais-toi donc, mégère ! s'écria Simon.

Puis, s'inclinant devant sa femme, il déclara d'une voix dure :

— Ce soir après vêpres, Christina.

— Bâtard, marmonna Alice.

Simon partit et Christina murmura, le front soucieux :

— Il ne faudrait pas...

— Il ne faudrait surtout pas mettre Sa Seigneurie en colère, maîtresse. Restez au château, sinon il vous chassera et prendra une autre nourrice pour le bébé.

— Y a-t-il une autre femme au château qui pourrait la nourrir ? demanda Christina d'une voix blanche.

— Des enfants viennent au monde tous les jours et meurent aussitôt. Il y a au moins trois gueuses au village qui viennent de perdre leur bébé. Mais messire Durand ne laisserait pas ces femmes-là nourrir ce petit ange.

Alice s'affaira dans la chambre, repoussant un banc contre le mur, ajoutant du bois dans le feu.

— Je crois que vous ne pleurerez pas trop si messire Durand envoie celui-là au diable, dit-elle en désignant la porte de son pouce.

— Tu dis des sottises.

Christina s'assit et berça Félicité, qui ne tarda pas à se rendormir. Elle la ramena dans son berceau.

— Des sottises, hein ?

Alice s'installa sur un banc et, quelques secondes après, se mit à ronfler. Christina lui jeta un coup d'œil prudent, et découvrit les pétales de mauves qu'elle était en train de piler quand Simon l'avait interrompue. Elle versa vingt-huit gouttes de rosée dans la mixture, une goutte pour chaque année de sa vie. Puis elle alluma une bougie qu'elle venait de fabriquer avec un mélange de fraises et de toiles d'araignée de la chapelle.

Enfin, elle fit chauffer le sirop de mauve et de rosée à la flamme de la bougie. Lorsque l'arôme puissant lui indiqua que la préparation était à point, elle souleva la coupe, alla se placer dans un rayon de soleil et avala la potion.

Tandis que le liquide chaud s'écoulait dans sa gorge, elle ferma les yeux et pensa de toutes ses forces à Durand de Marle. Elle se représenta chaque trait de son visage, chaque nuance de ses yeux, la petite cicatrice blanche au coin de sa bouche.

— Faites que je puisse lui résister, chuchota-t-elle.

— Messire Durand, j'insiste pour que vous interveniez. Cette Alice est dangereuse.

Durand croisa les chevilles et examina pensivement ses chausses de cuir. La grande salle était presque vide, seuls quelques serviteurs s'affairaient derrière le marchand. Elle se remplirait de nouveau dans la soirée. Oriel avait prévu des chants de troubadours en l'honneur de dame Sabina qui venait d'arriver. Il bâilla avec lassitude.

— *Dangereuse*, Simon ? Le mot est un peu fort.

— Je le maintiens, mon seigneur. C'est une sorcière !

— Je ne peux pas renvoyer Alice. C'était la servante préférée de mon épouse, qui lui a fait une promesse sur son lit de mort.

Durand espéra que Dieu était occupé ailleurs et qu'il n'entendrait pas. Toutefois, il n'était pas autrement gêné par ce mensonge. L'homme l'irritait.

— Mon seigneur, elle m'empêche de voir mon épouse !

— Mmm. Désolé, je ne peux la chasser.

Le marchand se mit à aller et venir devant lui, ce qui laissa à Durand tout loisir de l'observer. L'homme avait belle allure. Aussi bien vêtu qu'un courtisan, alors que son épouse portait des robes rapiécées. L'irritation de Durand vira tout à coup à la colère.

Simon vint se camper devant lui.

— Vous n'ignorez pourtant pas qu'une épouse a certains devoirs à accomplir.

Durand se leva. Simon était de même taille que lui, et il le dévisagea.

— Votre épouse est la nourrice de Félicité. Son devoir de nourrice est le seul qui m'intéresse.

L'espace d'un instant, il crut que le marchand allait protester, mais il n'en fut rien.

— Naturellement, mon seigneur, dit-il d'un ton servile. Pardonnez-moi d'avoir pu laisser croire que les besoins de votre fille venaient après les miens, mais…

— Mais ?

Durand croisa les bras et arqua un sourcil.

Le regard de Simon se posa sur le torque des de Marle.

— Rien, mon seigneur.

— Y a-t-il autre chose que je puisse faire pour vous ?

— Non, non. Tout est bien. La selle est arrivée, si vous souhaitez la voir.

— Je me rendrai au village demain.

Durand congédia le marchand d'un geste de la main. L'homme s'inclina profondément et tourna les talons.

— Par Dieu, mon frère, quelle est cette affaire ? demanda Luke.

— Pourquoi t'avances-tu ainsi, sans prévenir ?

Durand sentit son visage s'enflammer. Luke avait-il surpris son échange avec Le Gros ?

— Je ne pourrais pas connaître tous les ragots du château si je me déplaçais aussi bruyamment qu'un cheval ferré !

— Et quels ragots ce marchand aurait-il à colporter ?

— Il cherche à te faire savoir qu'il a besoin de la belle Christina dans son lit.

Luke eut un sourire carnassier et ajouta :

— Or, je sais qu'il court la gueuse à la taverne du Corbeau. Mais je le plains sincèrement d'avoir perdu les faveurs de la fée Christina. Je suis sûr qu'elle est aussi experte en caresses que dans la préparation de ses parfums.

Durand sentit ses reins s'embraser. Il s'installa dans son fauteuil, devant la table.

— J'ai envie d'aller faire un tour au village. Tu m'accompagnes ?

Luke ne répondit pas. Il venait d'enlacer une servante et lui chuchotait des paroles coquines. Simon et Christina étaient déjà oubliés.

Mais Durand ne pouvait chasser la jeune femme de sa mémoire aussi facilement. Ses pensées étaient fixées sur elle. Là-haut, dans la tour, elle était en train de concocter de nouvelles lotions et des savons parfumés. Combien de temps encore pourrait-il lui résister ?

Les musiciens se promenaient dans la grande salle, en chantant et en grattant leurs instruments. Les serviteurs apportaient sur les tables des plats de perdreaux et de cygnes rôtis.

Christina s'approcha du foyer, autour duquel les dames étaient occupées à broder. Plusieurs hommes les entouraient et messire Durand était parmi eux. Elle s'assit un peu à l'écart.

— Maîtresse Le Gros. Que faites-vous dans l'ombre, perchée sur cette chaise comme un moineau ?

C'était Luke qui l'interpellait ainsi.

— Pourriez-vous rendre cet herbier à messire Durand ? dit-elle en lui tendant l'ouvrage d'Aelfric.

Elle n'avait eu que deux jours pour nettoyer la couverture de ses moisissures et le parcourir. Bien qu'elle eût le cœur serré à la pensée de le rendre, elle savait qu'elle ne pouvait garder un cadeau aussi précieux. Si Simon en connaissait la valeur, Durand devait la connaître aussi. Pourquoi lui faisait-il un tel présent ? Qu'exigerait-il en retour ?

Elle n'avait rien à lui donner.

— Certainement, acquiesça Luke. Venez avec moi, si vous avez du temps. J'ai besoin de vos services.

Luke l'emmena dans la salle des comptes et rangea l'herbier dans un coffre qui contenait déjà des parchemins et plusieurs autres livres. Christina aurait aimé les voir, mais le couvercle retomba sur tous ces trésors.

— Asseyez-vous, dit Luke en désignant un tabouret près du feu. Un ami est venu me voir ce matin et... hum... il semble que... Mon Dieu, c'est difficile...

— Prenez votre temps, mon seigneur.

Christina ramena sa jupe sous ses genoux. Ses seins étaient lourds et douloureux. Félicité avait tété très peu de temps et s'était endormie profondément.

— Donc, un de mes amis est dans un grand embarras, car il ne parvient pas... c'est-à-dire...

Luke se mit à arpenter la pièce de long en large. Il finit par s'arrêter devant le feu, le dos tourné à Christina.

— Cet ami ne se sent pas... à la hauteur dans un lit. Voilà, je l'ai dit !

Il se retourna, rouge comme une pivoine.

Christina déglutit, mal à l'aise.

— Je vois. Pourquoi me dites-vous cela ?

Elle connaissait la réputation de messire Luke. On l'avait surnommé le seigneur des jupons. Le sobriquet était-il usurpé ? Elle ne croyait pas plus à l'existence de cet *ami* qu'à celle de l'amie de dame Oriel.

— J'espérais que vous pourriez lui donner une potion, ou quelque chose...

— Je vois, répéta-t-elle en toussotant. Mais je ne suis pas guérisseuse, mon seigneur.

— Ce n'est pas une affaire pour le guérisseur, répliqua Luke en se passant une main dans les cheveux. Aldwin répandrait l'histoire dans le château en moins d'une heure.

— Je pourrai peut-être préparer quelque chose pour votre ami. Mais...

Son visage était en feu. Comment poser la question essentielle ?

— Que ressent cet homme lorsque...

Luke agita les mains devant lui.

— Non, non, n'allez pas plus loin. Disons qu'il est désolé de ne pas avoir d'enfant.

D'enfant ? Pourquoi messire Luke voudrait-il un enfant ? Il parlait donc vraiment au nom d'un ami ?

— Je comprends. Votre ami voudrait quelque chose pour l'aider à donner un enfant à sa femme.

— C'est cela, approuva Luke en souriant. Quelque chose de puissant. Il veut absolument un héritier.

Christina se leva.

— Je vous apporterai cette potion ici même, messire Luke.

— Vous êtes un ange.

Elle retourna dans la chambre de Félicité. Dans l'alcôve protégée par une tenture, elle vit un homme maigre, aux cheveux gris, renifler les bols sur sa table de travail. Le médecin du château. Sa tunique brodée et poussiéreuse lui battait les chevilles et il marmonnait dans sa barbe, tout en examinant les bouquets de fleurs séchées.

— Puis-je vous aider, maître Aldwin ?

L'homme se retourna en soufflant.

— Je ne tolérerai pas de vous voir empiéter sur mon domaine, maîtresse Le Gros.

Christina alla vers le berceau. Allongée sur le dos, ses petits poings serrés, l'enfant dormait profondément. Maître Aldwin poursuivit d'un ton geignard :

— À quoi vous servent la bétoine et la racine de patience que je vois là ?

— J'en ai un usage personnel, comme toutes les maîtresses de maison. Vous ne pouvez pas me le reprocher. Je ne fais commerce que de mes lotions parfumées.

— Hum. Vous avez préparé une boisson aromatique pour dame Marion, n'est-ce pas ?

— C'était simplement du miel dans du lait tiède. N'importe quelle cuisinière aurait pu faire la même chose.

Maître Aldwin eut un reniflement de mépris.

— Si je découvre que vous donnez des *soins*, je me plaindrai à Sa Seigneurie.

Il contourna la table, balayant comme par inadvertance le plateau de sa manche. Les bols, les flacons et les préparations qu'ils contenaient tombèrent sur le sol avec fracas.

Christina ne put retenir un cri de consternation. Aldwin pressa les mains contre ses joues d'un air hypocrite.

— Oh, quelle maladresse ! Pardonnez-moi, maîtresse.

Un petit cri s'éleva dans le coin de la chambre et Félicité agita les mains en pleurant. Aldwin se tourna vers le berceau qu'il désigna du doigt.

— Faites votre travail et je ferai le mien. Sans quoi, messire Durand vous chassera !

Des semaines de travail et de cueillette étaient anéanties. Les épices précieuses étaient répandues sur le sol, mêlées à la menthe et aux herbes ordinaires. Les yeux brûlants de larmes, Christina prit Félicité et la serra contre elle. Non, il ne fallait pas qu'elle pleure ! Elle avait fait le vœu, des années auparavant, de ne plus jamais verser de larmes. Elle n'avait rompu ce vœu que lorsqu'elle avait perdu ses enfants. Il n'était pas question de recommencer.

La poudre de cannelle, qui lui restait en si petite quantité et qui était si difficile à trouver, était perdue. La lavande et le camphre étaient mélangés sur le sol, dans les bouquets de romarin. Elle se concentra sur l'enfant, s'efforçant de ne plus songer à ce désastre. Grâce au Ciel, Aldwin n'avait pas vu l'herbier d'Aelfric qui se trouvait sur la table une heure auparavant ! Il aurait considéré cela comme la preuve qu'elle voulait préparer des remèdes.

Quand Félicité s'endormit, rassasiée, Christina la remit délicatement dans son berceau. Comme la vie était simple, pour un bébé ! Il suffisait de se nourrir et de dormir.

Une heure plus tard, Alice la trouva à quatre pattes sur le sol, entourée de ses bols et de ses coupes.

— Maîtresse ! Qu'est-il arrivé ?

Christina versa de la teinture dans une large coupe et la renifla.

— Rien de grave, Alice. Juste un petit accident.

— Oh, toutes vos précieuses préparations ! C'est un mauvais présage !

Alice tomba à genoux et se mit à ramasser frénétiquement les graines éparpillées.

— Alice, le soleil ne va pas tarder à se coucher. Pourquoi ne fais-tu pas un tour dans le potager du cuisinier ? Il faut en profiter, car je pense qu'il va pleuvoir demain.

— N'essayez pas de me tromper, maîtresse. Je mélange les graines, n'est-ce pas ?

Christina hocha la tête et entendit Félicité s'agiter dans son berceau.

— Prends Félicité et va t'asseoir au soleil avec elle, dit-elle en tapotant la main de la servante.

— Oui. Et demain, je demanderai au cuisinier de vous donner une partie de son jardin pour y faire pousser vos plantes. Il me doit une petite faveur ou deux.

— Oh, Alice, ce serait merveilleux !

Alice se releva en gémissant.

— J'y vais. Mes genoux sont trop vieux pour ce genre de tâche, conclut-elle en sortant de la chambre.

Christina continua de travailler pendant plusieurs heures, triant les graines et les remettant dans des bocaux. Les épices coûteuses avaient été mélangées aux herbes, et certaines, trempées d'huiles, étaient définitivement perdues.

Alice revint avec Félicité pour la tétée. Tout en allaitant l'enfant, Christina songea au jardin de la cuisine. Combien de temps lui faudrait-il pour obtenir une récolte utile ? Plusieurs rangées de plantations auraient été nécessaires, mais elle se contenterait de peu pour commencer.

Les herbes et les épices mêlées avaient fait surgir des parfums étranges, presque désagréables. Et elle s'était fait un ennemi en la personne de maître Aldwin.

Messire Durand la chasserait-il si Aldwin l'exigeait ?

Félicité dans les bras, elle partit à la recherche de Luke. Mais celui-ci était assis à côté de Durand, au milieu d'un groupe de chevaliers et de nobles dames. Impossible de l'approcher.

Les femmes portaient des robes de couleurs vives, comme les fleurs des champs. Leurs fronts étaient ornés de diadèmes d'or et de pierreries. Chacune d'elle était suivie par une servante. Les chevaliers avaient des valets pour les servir. Elle vit un homme à l'allure importante, probablement un évêque, entouré d'ecclésiastiques en soutane.

Une illustre assemblée attendait la visite du roi John. La dernière fois qu'il était venu à Ravenswood, Christina vivait encore à l'auberge du village et n'avait pas mis les pieds au château.

Messire Durand avait une allure superbe. Il portait une ceinture de cuir ornée d'argent et d'ambre, sur une tunique vert sombre. Le torque d'or brillait à son cou. Christina l'avait déjà observé de près, elle en avait vu les détails ouvragés, les têtes d'oiseaux qui se pressaient contre la gorge du seigneur.

Elle songea au contact doux du vieil or contre la peau, juste à l'endroit où battait le pouls. Pourquoi avait-elle de telles pensées ? Elle passa en revue les ingrédients qu'elle avait versés dans la potion destinée à la faire résister au charme de Durand. Avait-elle commis une erreur ? oublié quelque chose ? Elle n'avait personne à qui poser la question. La recette lui avait été transmise par la mère de sa mère.

Une dame alla se placer à côté de Durand. Christina la vit poser une main sur sa nuque. Elle joua du bout des doigts avec ses boucles brunes, puis se pencha pour lui chuchoter quelques mots à l'oreille. Il sourit.

À cet instant, dame Oriel se leva dans un mouvement plein de grâce et d'élégance.

— Christina. Joignez-vous à nous.

Elle secoua vivement la tête et fit un pas en arrière. Mais dame Oriel prit le bras de Durand.

— Ordonnez-lui de venir, Durand. Dame Sabina, n'aimeriez-vous pas voir l'enfant de Marion ?

La jeune femme penchée sur messire Durand se redressa et se tourna vers Christina.

— Certainement. Amenez l'enfant.

Christina s'avança lentement, consciente des regards fixés sur elle. Les dames l'entourèrent. Dame Sabina avait un teint sans défaut, et des yeux verts soulignés par de longs cils, aussi noirs et épais que ses cheveux. Elle avait aussi un nez pointu et des lèvres trop minces, songea Christina sans indulgence.

— Oh, Durand, elle est adorable ! Elle a les traits des de Marle. Mon père souhaitera sûrement la fiancer à mon frère. Qu'en pensez-vous ? demanda-t-elle par-dessus son épaule.

Messire Durand secoua la tête et se leva.

— Non. Je n'accepterai qu'un prince pour elle.

Dame Sabina fit entendre un rire léger.

— Le roi John connaîtra peut-être un petit prince qui vient de naître et cherche une fiancée. Voulez-vous que je lui pose la question quand il arrivera ?

Comme ils parlaient facilement de princes et de princesses ! songea Christina. Peut-être donnait-elle le sein à une future reine ? Le roi John serait là d'un jour à l'autre. Combien de temps resterait-il, avant de partir en Normandie avec ses hommes ? Plusieurs de ceux qui se trouvaient là mourraient dans les combats. Un frisson d'appréhension lui parcourut le dos.

— Faites ce qui vous plaira, Sabina, dit Durand en s'inclinant. Que cherchez-vous par ici, maîtresse Le Gros ?

Il darda sur elle un regard qui lui donna envie de disparaître sous terre. Maître Aldwin était-il déjà venu se plaindre ?

— Je voulais parler à messire Luke.

Un des chevaliers glissa quelques mots à l'oreille d'une dame. Celle-ci gloussa. L'évêque l'imita.

— Luke ? lança Durand en se tournant vers son frère.

— Ah, maîtresse Le Gros ! M'avez-vous apporté votre délicieux savon parfumé ?

— Non, messire. Mes réserves sont vides et je n'ai pu préparer le savon que vous m'avez demandé. Ce sera pour une autre fois.

Elle fit une profonde révérence et se retira. Elle n'appartenait pas au même monde que ces nobles.

Plusieurs hommes rirent grossièrement dans son dos. Ils se moquaient bien de la mettre dans l'embarras, pensa-t-elle avec une pointe de mépris en quittant la grande salle.

Durand se contint pendant tout le repas, composé de volailles rôties et accompagné de vins délicieux. Mais lorsqu'on arriva au dessert et qu'on posa devant lui une coupe de poires pochées, sa patience était à bout.

— Depuis quand as-tu besoin de savons parfumés ? demanda-t-il à son frère d'un ton brusque.

Luke sourit et haussa les épaules.

— Les belles dames adorent ce genre de babioles.

— Oh, c'est juste pour une de tes conquêtes ? s'exclama Durand avec un immense soulagement.

— Oui. Je compte bien me servir du savon dans mon bain... mais je ne serai pas seul.

Durand fut fasciné par cette idée.

— Bon sang, Luke...

— Je peux faire monter une cuve d'eau chaude dans ta chambre, mon cher frère. Maîtresse Le Gros fournira les savons et dame Sabina te frottera le dos. Qu'en dis-tu ?

— Sois maudit...

Il coupa une tranche de poire.

Luke se leva en s'excusant.

— Je vais essayer de découvrir pourquoi maîtresse Le Gros manque des ingrédients nécessaires à la fabrication de ses savons. Quand je lui ai rendu visite ce matin, sa table était couverte de plantes parfumées.

Il se dirigea vers la tour et monta l'escalier quatre à quatre. Durand le suivit des yeux. Il lui avait rendu visite *ce matin* ? Il attendit quelques secondes avant de se lever et de partir dans la même direction.

Dame Sabina l'arrêta au passage.

— Mon seigneur, vous m'aviez promis de venir admirer mon nouveau palefroi.

Elle glissa un bras sous le sien, et il n'osa protester. Refuser une telle invitation eût été insultant pour la dame.

— Maîtresse Le Gros ?

Luke cogna à la porte de la chambre et entra. Christina était dans l'alcôve.

— Que s'est-il passé, ici ?

Les mains sur les hanches, il contempla la table dévastée.

— Maître Aldwin s'est mis en tête que j'empiétais sur son domaine.

— Mais il n'a pas découvert que vous me prépariez un philtre d'amour? demanda Luke, soudain alarmé.

— Non. Il sait seulement que j'avais donné une boisson à dame Marion. Ce n'était pas une préparation médicinale, mais c'est pourtant ce qu'il croit.

Elle soupira en contemplant les quelques coupes qu'elle avait réussi à sauver du désastre.

— Pouvez-vous aller cueillir les plantes dont vous avez besoin? Mon ami vous récompensera largement pour votre peine.

Christina haussa les épaules, résignée.

— Je sais exactement ce dont j'ai besoin. De la sarriette et de l'oignon… Cela, j'en ai encore, dit-elle en soulevant un bol. Mais les autres ingrédients sont chers.

Luke sourit et lui lança une bourse bien remplie.

— Je vous en prie, ne regardez pas à la dépense.

6

Le lendemain matin, en sortant de la chapelle, Christina et Alice se rendirent au village dans une confortable charrette mise à leur disposition par Durand. Les feuillages étaient humides et de grandes flaques recouvraient le chemin. Il y avait eu un orage au cours de la nuit.

— Avez-vous vu le cottage, depuis que le vieil Owen est mort ? demanda Alice.

— Non, mais je sais déjà ce que je vais trouver. Tout sera parfaitement disposé, afin que chaque article soit à son avantage. C'était toujours ainsi quand nous nous déplacions avec notre carriole. Chaque fois que nous arrivions dans un nouveau village, il fallait tout remettre en ordre. Je détestais ces déplacements incessants.

— Bah… je préférais le bric-à-brac d'Owen.

Moi aussi, songea Christina. Ses quelques incursions dans le cottage d'Owen l'avaient enchantée. Elle avait adoré explorer le fouillis de la boutique et y dénicher toute sorte de trésors.

— Le vieil Owen était un homme bon, il me semble.

— Oui, il nous manquera… Je vous demande pardon, mais quelle mouche vous a piquée d'épouser Simon ?

— C'est assez simple. Il est…

— Agréable à regarder. Vous avez dû vous sentir flattée de ses attentions. Et votre père était content qu'il vous demande en mariage, je suppose ?

— Oui. C'est exactement cela.

Elles arrivèrent devant le cottage. Christina descendit de la carriole et remercia le serviteur que Durand avait mis à leur disposition. L'homme fit un signe de tête et alla s'asseoir à côté d'Alice, qui tenait Félicité sur ses genoux. L'enfant suçait tranquillement son pouce.

Une large porte en bois donnait dans la boutique. Sur la droite, une échelle menait au premier étage, où se trouvait la chambre. C'était là qu'elle viendrait habiter lorsque Félicité n'aurait plus besoin de nourrice. Ou lorsque Simon exigerait qu'elle abandonne cette tâche.

Qu'éprouverait-elle en se séparant du bébé ? Il faudrait bien pourtant que cela arrive, si elle voulait avoir un enfant à elle.

L'enfant de Simon.

Elle regarda autour d'elle. Son mari ne l'avait pas entendue entrer. Penché sur une table, il examinait un rouleau de parchemin.

Christina en profita pour déambuler silencieusement dans la boutique. Elle fronça les sourcils, intriguée. Simon avait dû dépenser une somme importante, pour avoir un tel stock de marchandises. Avait-il encore emprunté ? Il s'était déjà mis en difficulté une fois en commettant ce genre de folie, mais par bonheur, son père avait tout arrangé.

Il y avait là tout ce dont les villageois pouvaient avoir besoin. Mais quelques articles plus raffinés étaient destinés aux habitants du château : des fils de soie enroulés sur de petites cartes, des aiguilles d'argent, des cédrats dignes de la table d'un seigneur.

Derrière un amoncellement de tissus et de merveilleux lainages, se trouvait une selle de cuir. Probablement celle qu'il destinait au roi. Elle passa une main sur le cuir lisse et parfumé. La frise, représentant des cavaliers armés de lances et brandissant des épées, lui remit en tête les batailles qui se préparaient.

Simon leva les yeux et l'aperçut.

— Christina ! Que se passe-t-il ? Pourquoi es-tu venue ?

— Messire Luke m'a donné une bourse pour acheter quelques ingrédients.

Elle lui montra la bourse, mais Simon l'ignora. Ses yeux s'étrécirent. Il se leva brusquement, passa devant elle et alla repousser un volet de bois.

— Vieille harpie ! cria-t-il en se penchant au-dehors. Que fais-tu là ?

— Simon, Alice m'accompagne.

Son mari désigna la porte d'un geste menaçant.

— Si elle met un pied ici, c'est toi que je corrigerai! Cette femme est une plaie. Elle a dit à deux hommes de Guy Wallingford que je…

Son visage s'empourpra violemment et il marmonna:

— Peu importe ce qu'elle a dit. C'est une mégère qui colporte des ragots.

— Qu'a-t-elle dit exactement, Simon? Tu es allé trop loin pour te taire, maintenant. C'est *toi* qui la calomnies si tu ne peux justifier tes accusations.

Christina resserra les pans de son manteau sur sa poitrine. Quel mensonge allait-il inventer? Car, à en juger par son expression fermée, il ne dirait pas la vérité.

— Crois-tu que je ne poserai pas moi-même la question à Alice, quand nous serons reparties? insista-t-elle.

— Un homme n'a pas à se justifier devant son épouse.

Avec un air gonflé d'importance, Simon regagna son bureau et prit une plume.

— Tu me déranges dans mon travail. Messire Durand va envoyer un de ses hommes chercher la selle et je n'ai pas encore rédigé le compte de ce qu'il me doit. Je répète ma question: que veux-tu?

Christina songea que, dans le fond, elle se moquait de ce qu'il avait fait. Elle laissa tomber la bourse sur la table, avec la liste des ingrédients nécessaires non seulement pour l'élixir de messire Luke, mais aussi pour les coussins parfumés de dame Oriel et une crème destinée à l'épouse de Guy Wallingford.

— De la cannelle? Du gingembre? murmura Simon en parcourant la liste. Qu'est devenu le gingembre que je t'ai donné la semaine dernière?

— Maître Aldwin l'a utilisé.

Ce n'était pas tout à fait un mensonge.

— Mmm… Si maître Aldwin a besoin de produits, il doit les payer. Tu n'as pas à les lui fournir.

Il rendit la liste à Christina et lui fit signe de chercher les articles elle-même.

Le cottage du vieil Owen demeurait un enchantement, bien que le désordre ne régnât plus en maître. Christina inspecta le contenu de chaque boîte et de chaque pot, sans plus s'inquiéter des dettes que son époux avait dû contracter.

Elle inhala longuement l'arôme du gingembre et ajouta quelques graines de fenouil à sa liste.

Puis elle ramena ses ingrédients dans la charrette. Félicité dormait paisiblement sur les genoux du valet, qui haussa les épaules avec un petit sourire penaud.

— Je n'en ai plus que pour une minute, dit-elle.

De retour dans la boutique, elle contempla avec envie une plume d'oie bien taillée. Combien de mois de travail avait-il fallu pour recopier l'herbier d'Aelfric ?

Un bruit de cavalcade sur le chemin la tira de ses réflexions. Elle se haussa sur la pointe des pieds pour jeter un coup d'œil par la fenêtre. Messire Durand, accompagné de dame Sabina et de quelques hommes, était venu en personne chercher la selle du roi. Du moins, c'est ce qu'elle l'entendit dire à Simon, dans la cour.

Le cœur de Christina se mit à battre la chamade. Elle porta vivement la main à sa coiffure. Son bonnet était de guingois et des mèches de cheveux s'échappaient sous la dentelle. Elle les remit en ordre à la hâte et rajusta son corsage.

Durand entra dans le cottage, accompagné par une odeur de cuir et de chevaux. Dame Sabina et messire Penne le suivaient. Christina fit la révérence, mais elle ne vit que *lui*.

Ses yeux étaient gris comme un ciel d'hiver. Ses cheveux noirs étaient rejetés en arrière. Il ôta ses gants et les accrocha à sa ceinture, mais demeura dans l'encadrement de la porte, alors que les autres allaient examiner la marchandise de Simon. Son regard s'attarda longuement sur elle, brûlant comme une flamme.

— Christina ! cria Simon depuis l'autre bout du cottage. Va servir dame Sabina.

Elle obéit et, avec des gestes maladroits, déploya devant la jeune femme plusieurs coupons d'étoffes aux couleurs chatoyantes. Durand l'avait suivie. À quelques pas d'elle, le bras nonchalamment appuyé sur une étagère, il écoutait la description qu'elle donnait du tissu comme s'il avait l'intention de l'utiliser lui-même. Cette pensée fit naître chez Christina un petit rire nerveux qu'elle réprima tant bien que mal.

— Achetez-le-moi, Durand, je vous prie, dit dame Sabina en posant avec assurance la main sur son bras. Ma bourse ne contient rien, à part quelques grains de poussière.

Elle l'entraîna un peu à l'écart et demanda sans prendre la peine de baisser la voix :

— J'ai déjà vu l'épouse de ce marchand, mais où ? Son allure a quelque chose de familier.

Gardant humblement la tête baissée, Christina plia le coupon et quelques rubans assortis.

— Au château, Sabina. Elle vous a montré l'enfant de Marion.

— Oh, oui, je m'en souviens. Elle est adorable.

Durand murmura une réponse, et dame Sabina laissa fuser un rire amusé.

— Non, Durand, je voulais parler du bébé ! Cette enfant sera un jour aussi jolie que Marion.

Christina n'entendit pas la réponse de Durand. À ce moment-là, Penne lui cria de se hâter, car il fallait profiter de cette belle journée.

Le tissu qu'elle tenait dans ses mains était doux et satiné, plus beau que tout ce qu'elle posséderait dans sa vie. Mais sa vieille robe de laine lui convenait. Elle était confortable et solide, et ne craignait pas les taches de lait. Elle n'aurait pas pu préparer un onguent, ni allaiter un bébé, vêtue d'une étoffe aussi luxueuse.

Elle se retourna et vit que Durand se tenait face à elle, lui barrant le passage. Une foule de sensations déferla dans son cœur.

— Vous avez rendu l'herbier à mon frère. Pourquoi ?

Elle ne pouvait pas l'ignorer. Ne le souhaitait pas.

— Pardonnez-moi, mon seigneur. Mais Simon a fait allusion à sa valeur, et j'ai compris que je ne pouvais le garder.

Durand plissa le front, son regard s'assombrit.

— Sa vraie valeur n'est-elle pas dans l'usage qu'on en fait ?

— En effet, c'est ce que diraient certains. Aussi serait-il sans doute plus utile à maître Aldwin.

— Aldwin ! Vous ne connaissez pas le latin, mais cet âne bâté ne sait même pas lire. Tout ce qu'il sait faire, c'est saigner les malades. Si l'herbier ne vous intéresse pas, dites-le et n'en parlons plus. Mais s'il contient une seule page qui peut vous aider, alors il faut le garder.

Il tendit la main et lui caressa la joue de son pouce.

— Avez-vous plongé la tête dans un tonneau ? Vous avez des taches sur le nez et...

— Messire ! lança Sabina depuis l'entrée.

Durand retira vivement sa main et ses joues s'enflammèrent. Son expression changea, son regard se fit froid et indifférent. Il recula d'un pas en haussant les épaules.

— Répondez. Y a-t-il une page de cet herbier qui présente un intérêt pour vous ?

Christina se rendit compte que le cottage était vide. Ils se tenaient seuls, dans l'ombre, derrière une caisse de marchandises.

Quand il l'avait touchée, elle s'était figée comme une statue et les mots s'étaient étranglés dans sa gorge. Elle voulait le supplier de lui donner ce livre, de lui en lire des passages. Mais la froideur qu'il affichait, maintenant que ses amis l'avaient rappelé à l'ordre, la découragea.

— Non, mon seigneur, ce livre ne contient rien qui puisse m'être utile.

Le mensonge lui brûla la langue, comme du sel versé sur une plaie. Elle bénit la potion avalée la veille, qui l'aidait à résister au charme de cet homme.

Durand la salua avec raideur et sortit. Elle enveloppa à la hâte le tissu de dame Sabina et alla le donner à une servante qui attendait. La compagnie repartit sur la route de Portsmouth.

Simon les regarda en se frottant les mains.

— Tu as vu ? Messire Durand se sert de la selle. Il la trouvera si agréable qu'il en commandera une autre pour lui, quand le roi sera parti. Prends ce que tu voulais et va-t'en. Je vais me rendre à la taverne et demander à quelqu'un d'aller me chercher une autre selle à Winchester.

Deux jours plus tard, Christina apporta l'élixir de messire Luke dans la salle des comptes. Elle déposa le flacon de pierre sur sa table, à côté d'un morceau de parchemin. Les mots qui y étaient tracés attirèrent son regard.

12, chapelle, S.

L'écriture était celle d'une dame. Chaque lettre était magnifiquement formée. Le S, plus grand que les autres, se terminait par une arabesque.

Messire Luke irait-il faire la cour à dame Sabina dans la chapelle, ce soir ? Christina ne connaissait aucune autre dame dont le nom commençait par S.

Cela pouvait signifier tout autre chose. Par exemple, que douze statues de la chapelle devaient être réparées. Tout à coup, une pensée épouvantable lui traversa l'esprit : Durand se rendait souvent à la chapelle. Elle l'avait elle-même surpris là-bas, en train de lire. Peut-être le message lui était-il destiné ? Sabina et lui se retrouvaient donc en secret, à cause de la mort récente de dame Marion. Christina porta les doigts à sa joue, à l'endroit où Durand l'avait touchée. Le front soucieux, elle déplaça le flacon et le posa sur le bout de parchemin.

Avant de sortir, elle alla soulever le couvercle du coffre dans lequel Luke avait rangé l'herbier. Celui-ci n'était pas visible, et elle n'eut pas le courage de fouiller dans les rouleaux de parchemin. Comme elle aurait aimé pouvoir conserver ce livre ! Il était bien plus précieux qu'une bourse d'or.

— Si j'avais de l'encre et du parchemin, je ferais mon propre herbier, dit-elle à haute voix.

La porte s'ouvrit, et elle eut tout juste le temps de rabattre le couvercle. Messire Penne entra. Son regard se posa sur la table.

— Pardonnez mon intrusion, dit-il.

— Non, pardonnez-moi de me trouver là, protesta-t-elle, avant de s'enfuir.

Était-ce messire Penne qui avait une aventure avec dame Sabina ? Cette pensée l'attrista. Si c'était pour elle-même que dame Oriel avait demandé la potion, elle avait donc de bonnes raisons de craindre les infidélités de son époux.

Les seigneurs et les nobles dames revinrent de la chasse de fort bonne humeur. L'odeur de la forêt imprégnait leurs vêtements. À en juger par les joues enflammées des jeunes

femmes, il y aurait une forte demande de lotions le lendemain, songea Christina. Assise sur un banc, elle écouta
d'une oreille distraite Luke parler avec animation à ses
compagnons des péripéties de la chasse.

— Quand le roi John arrivera avec ses vautours, ils
auront honte d'eux-mêmes, déclara-t-il d'un ton péremptoire.

— Ses chariots seront là dès demain, déclara Durand.
Une si grande compagnie aura épuisé nos réserves de l'hiver en moins de quinze jours. Il nous faudra dépenser jusqu'à notre dernier penny pour les renouveler.

Dame Sabina se pencha sur le dossier de son fauteuil et
lui chuchota quelque chose à l'oreille.

Qui irait retrouver dame Sabina lorsque les douze coups
auraient sonné? Messire Penne? À moins que celui-ci ne
soit qu'un messager? Celui de Luke, ou bien celui de
Durand? Penne n'était-il entré dans la salle que pour
prendre la potion?

Christina mangea rapidement et retourna s'occuper de
Félicité. Mais l'enfant était trop agitée pour téter. La
calant contre son épaule, elle arpenta la petite alcôve et
alla se camper devant sa table de travail. Elle ne pouvait
rien faire pour l'instant: la crème contre les taches de
rousseur perdait son efficacité si on la remuait trop souvent, et l'essence de rose était fin prête. Elle n'aurait plus
qu'à l'ajouter à la lotion déjà versée dans de petits pots de
verre.

Elle tourna l'enfant vers la fenêtre.

— Regarde, Félicité. Les nuages sont si bas qu'ils parais-
sent toucher le sommet de la tour. Il pleuvra pendant la
nuit.

Mais ses paroles ne parvinrent pas à apaiser Félicité, qui
continua de geindre contre sa poitrine.

— Allez la promener, maîtresse, afin qu'une pauvre
vieille femme puisse enfin se reposer, dit Alice d'un ton
plaintif.

Christina sourit.

— Je vais l'emmener dans la cour du château.

Alice lui drapa sa houppelande sur les épaules, et Christina glissa le bébé dans une large écharpe nouée devant
elle.

— Bonne nuit, maîtresse, conclut Alice. Trouvez un coin tranquille pour lui donner le sein quand elle sera calmée. Vous ajouterez ainsi quelques années à ma misérable vie.

Durand se retourna sur le dos et contempla par la fenêtre ouverte le ciel piqueté d'étoiles. Pourquoi ne parvenait-il pas à dormir? Il y avait une bosse dans son matelas, aussi large qu'une meule. Il changea de position, mais ne se sentit pas plus à l'aise. Il s'assit et aplatit la bosse à coups de poing. À peine venait-il de se rallonger qu'il entendit les pleurs d'un enfant. Il n'y avait qu'un seul nourrisson en ce moment au château. Du moins, à sa connaissance. Mais l'enfant et la nourrice résidaient dans la tour est. À moins que d'autres enfants ne soient arrivés aujourd'hui? Il y avait tant d'invités à Ravenswood qu'il en avait perdu le compte.

Il se leva et alla s'accouder à la fenêtre pour observer la cour intérieure. L'air frais de la nuit effleura sa peau nue. La cour était aussi animée qu'en plein jour. Les hommes préparaient le matériel dont le roi aurait besoin pour envahir la Normandie. Il vit la lueur de la forge, entendit les coups de marteau sur l'enclume. Le tonnerre gronda au loin, comme si Dieu s'apprêtait lui aussi à faire la guerre.

Christina Le Gros traversa la cour.

— Que diable fait-elle ici? murmura-t-il.

Il ramassa ses vêtements, les enfila et glissa sa dague dans sa ceinture. Il ne lui fallut que quelques minutes pour descendre à son tour. Il vit Christina passer près de l'écurie, d'un pas nonchalant. Ses jupes se balançaient autour de ses chevilles et Luke aurait sûrement comparé sa démarche à la danse d'une fée. Ce devait être sa façon de bercer l'enfant pour l'endormir.

— Et moi, que diable suis-je venu faire ici? grommela-t-il en se dirigeant à grands pas vers les écuries.

Il ralentit l'allure en la voyant s'installer sur un banc. Elle était presque invisible avec son manteau sombre, dans la faible lumière diffusée par les torches accrochées aux murs de l'écurie. Il s'arrêta dans un coin d'ombre, près de la stalle de Maraudeur, son destrier noir.

Christina délaça son corsage avec des gestes lents, comme une femme cherchant à séduire son amant. Elle dénuda un sein. Durand retint sa respiration, les yeux fixés sur sa peau d'albâtre, sur la rondeur de sa chair, sur le mamelon sombre qu'elle présentait à l'enfant.

L'enfant de Marion.

Le désir lui embrasa les reins. Les sentiments qu'il éprouvait pour le bébé étaient plus confus. Il les écarta.

— Je ne vaux pas plus cher que Luke, murmura-t-il pour lui-même. Si la vue d'une femme en train d'allaiter éveille mon désir, c'est qu'il y a trop longtemps que je n'ai pas eu de maîtresse dans mon lit.

Christina avait des seins magnifiques. Il croyait presque les sentir au creux de sa main. Si elle n'avait été qu'une femme pulpeuse, à la taille bien tournée, il aurait pu lui résister. Comme il résistait sans effort à la vue des seins de dame Sabina, que celle-ci lui mettait pourtant chaque jour sous le nez. Non, ce qui lui faisait perdre la tête chez maîtresse Le Gros, c'étaient ses gestes gracieux et apaisants, et aussi la façon dont elle commentait Aristophane…

Son cheval passa le museau au-dessus de la porte pour quémander une caresse. Durand effleura les naseaux veloutés de l'animal.

— Mon cher Maraudeur, je suis séduit par le théâtre grec.

Elle murmura quelques mots au bébé et le fit passer d'un sein à l'autre. Ses cheveux retombaient en vagues souples sur ses épaules et dans son dos.

— Ah, Maraudeur, je suis perdu, murmura Durand à l'oreille du cheval.

Les cloches de la chapelle se mirent à sonner. Minuit. Il caressa la tête du destrier et continua d'observer Christina avec avidité. Il s'en irait quand elle aurait fini d'allaiter l'enfant. Il ne pouvait détourner les yeux de son visage, de ses épaules nues. Il était comme un homme affamé devant une table chargée de mets appétissants auxquels il ne pouvait toucher.

Christina glissa de nouveau Félicité dans son écharpe.

— Petite gloutonne. Pourquoi n'as-tu pas voulu téter dans la chambre ?

Elle se leva et, cédant à la curiosité, se dirigea non vers la tour est, mais vers l'ouest. Les cloches de la chapelle venaient de sonner douze coups.

Elle croisa plusieurs hommes qui passaient l'air affairé, leurs voix se détachant étrangement dans l'obscurité. Une bourrasque souleva le bas de sa jupe et plaqua le tissu contre ses mollets. Deux autres hommes passèrent près d'elle, et elle reconnut Penne et Luke.

Oh, quelle poisse ! Ils sont ensemble. Je ne saurai donc jamais lequel des deux avait rendez-vous.

Mais les deux hommes se séparèrent. Luke se dirigea vers la chapelle, et Penne obliqua vers la grande salle.

Le mystère était éclairci. Luke allait retrouver Sabina. Penne était venu dans la salle des comptes uniquement pour prendre l'élixir. Soulagée à la pensée que dame Oriel allait dormir dans les bras de son époux, elle fit brusquement demi-tour, se heurta à Durand et tomba à la renverse sur les pavés de la cour.

— Félicité ! cria-t-elle en ramenant vers elle l'écharpe dans laquelle le bébé était calé.

Mais l'enfant ne s'était même pas réveillée. Durand la prit par les bras et l'aida à se relever.

— Vous êtes blessée ? demanda-t-il en se passant la main dans les cheveux.

— Non. Oui... Je ne sais pas.

Ses hanches et ses fesses étaient terriblement endolories, mais elle ne pouvait pas le lui dire !

Tout à coup, l'orage éclata et la pluie s'abattit sur eux. Avec un petit cri, elle se pencha en avant pour protéger Félicité. Durand lui prit le bras et l'attira à l'abri dans la chapelle. La salle était aussi froide et humide qu'un tombeau.

Des lampes brûlaient sur l'autel en répandant un parfum de sauge. Il n'y avait ni prêtre ni pénitents agenouillés pour dire leurs prières. Ils étaient seuls. Où Luke était-il donc passé ?

Durand se mit à rire en secouant ses cheveux trempés.

— Nous sommes pris au piège.

La pluie formait un rideau dense devant la porte et s'écoulait comme une rivière sur les pierres de la cour. Christina contempla la nuit froide et noire devant elle.

— Comment va l'enfant ? demanda-t-il.

— Dieu soit loué, elle dort. Je suis sortie parce qu'elle a été agitée toute la soirée. Et maintenant, alors qu'elle devrait être effrayée, elle dort comme un ange.

— De quoi devrait-elle avoir peur ?

Christina leva les yeux et le regarda. Ses cheveux étaient plaqués par la pluie, des ombres dansaient sur son visage et masquaient ses yeux.

— Je... je ne sais pas. La pluie. La chute.

Tous les sens de la jeune femme étaient en alerte. Le parfum viril de Durand dominait l'odeur des lampes de l'autel et l'attirait irrésistiblement, annihilant l'effet de la potion qu'elle avait bue pour se protéger.

— Mais elle n'est pas blessée ? Vous n'êtes pas blessée ? s'enquit-il en lui soulevant le menton.

Simon avait eu le même geste, le jour précédent. Mais Simon la laissait froide, alors que le contact de cet homme l'ensorcelait. C'était une histoire vieille comme le monde. L'histoire d'un seigneur qui s'adressait à une femme comme si elle était son égale, éveillait ses sens, lui faisait regretter de ne pas être une belle et noble dame. C'était un péché de penser à lui. Un plus grand péché encore de se laisser troubler par son parfum ici, dans la maison de Dieu.

— Où ? questionna-t-il avec douceur.

— Où ? répéta-t-elle, enivrée par la caresse de ses doigts sur son menton.

— Où êtes-vous blessée ?

— Oh, je... je n'ai rien.

— Ce n'est pas possible. Vous avez fait une telle culbute...

Un bruit de pas sur les dalles le fit tressaillir. Il se tut et se retourna en la poussant d'une main derrière lui.

Christina sentit la pression de sa main sur elle et comprit le message muet. Sans attendre, elle recula, s'enfonça sous le déluge de pluie et disparut dans la nuit.

Son cœur battait à toute allure. Elle se mit à courir, maintenant l'enfant à l'abri sous les pans du manteau. Puis elle traversa la grande salle, contournant les paillasses sur lesquelles des hommes et des femmes étaient endormis. Son dos et ses reins la faisaient terriblement souffrir. Le sang lui battait aux tempes et son cœur cognait à grands coups.

La personne qui était entrée dans la chapelle l'avait-elle vue ? Avait-elle vu Durand la toucher ? Était-ce Luke ? Celui-ci ne dirait pas un mot. Mais il se pouvait que dame Sabina soit arrivée sur ses talons et qu'elle ait surpris leur conversation. Christina se crispa en songeant à la langue acérée de la jeune femme.

Elle entra dans la chambre sur la pointe des pieds, puis se déplaça sans trop de précautions, car Alice ronflait bruyamment sur sa paillasse et son haleine empestait la bière. Christina déposa doucement Félicité dans son berceau et la fillette continua de dormir, les doigts dans la bouche.

Les vêtements trempés de Christina se plaquaient sur son dos et sur ses jambes. Elle les ôta et les étendit sur un banc, près du feu. Après avoir enfilé une chemise de lin propre, elle s'agenouilla devant l'âtre pour sécher ses cheveux.

Ses pensées divaguèrent un moment, passant de Penne à Luke, puis à Durand.

Le message d'une dame. Un rendez-vous…

Et soudain, tout devint clair. C'était *Durand* qui devait retrouver la dame à la chapelle.

Tu es idiote, Christina, songea-t-elle. Penne est allé récupérer la lettre pour Durand, pour que personne ne le voie la recevoir. Puis Luke est allé à la chapelle en éclaireur, afin de préparer le chemin pour son frère.

Oui, bien sûr, c'était lui qui allait rejoindre dame Sabina. Dame Marion n'était pas morte depuis assez longtemps pour qu'il puisse lui faire officiellement la cour.

Elle se leva prestement.

— Oh, ces cheveux ! On dirait de la vieille laine !

Christina souleva le couvercle d'une petite boîte qui contenait ses possessions les plus précieuses : des aiguilles, un ruban offert par dame Marion, un peigne en corne qu'elle passa dans ses cheveux emmêlés.

Que m'importe si messire Durand fait l'amour dans la chapelle ?

Elle lança le peigne sur la table et il atterrit dans l'essence de rose. La coupelle se renversa et le liquide se répandit sur la table.

— Oh, qu'ai-je fait ! s'exclama-t-elle, les yeux brûlants de larmes. Des heures de travail perdues ! La lotion est gâchée.

Elle jeta un linge sur le liquide pour l'empêcher de couler sur le sol. Puis, les cheveux encore humides, elle se jeta sur son lit et contempla un accroc dans le ciel de lit, fait sans doute par une souris. Elle roula sur le côté, s'assit, puis descendit du lit et alla reprendre le peigne qu'elle essuya soigneusement. Après quoi, elle éponge a l'essence de rose et nettoya la table. Quand ce fut fini, elle replia le linge imbibé d'huile essentielle et le plaça au centre du plateau de chêne.

Lorsqu'elle eut enfin cessé de s'agiter, elle s'aperçut que le vent était tombé. Un profond silence régnait à l'extérieur. Elle alla ouvrir les volets et contempla la cour. Elle ne vit qu'une épaisse couche de brume qui recouvrait le sol. Alors, elle retourna s'allonger sur la courtepointe. L'air humide du dehors pénétra dans la chambre et la rafraîchit.

Dors à présent, Christina, se dit-elle. Car demain à l'aube, tu devras aller cueillir des roses, pendant que les nobles dames se reposeront de leur nuit dans les bras de leur amoureux.

7

Durand croisa les bras, s'efforçant d'ignorer la pluie qui lui dégoulinait dans le cou.

— Que signifie votre présence ici, Simon ?

— Ah, mon seigneur...

Simon s'humecta les lèvres et reprit :

— Je ne m'attendais pas à vous voir. Je suis censé... c'est-à-dire... je dois retrouver...

Simon baissa la tête et cacha ses mains dans les larges manches de sa tunique.

— Vous feriez aussi bien de me dire qui vous alliez retrouver, car je ne vais pas tarder à le savoir.

— Je suis donc obligé de l'avouer. Je viens retrouver une femme.

— Une femme ? Avec une épouse aussi belle que la vôtre, vous allez chercher ailleurs ?

Durand jeta un rapide coup d'œil derrière lui pour s'assurer que Christina était partie. Il espéra qu'elle n'avait pas entendu Simon.

Ce dernier regarda autour de lui.

— Mon seigneur, nous sommes des hommes et nous avons tous deux beaucoup voyagé. Vous savez qu'il est parfois nécessaire de rechercher un réconfort auprès d'une autre femme que la sienne. Après tout, Christina est très occupée avec votre fille.

— Si ses devoirs de nourrice vous semblent trop pesants, je lui rendrai sa liberté.

— Non ! Je vous en prie. Nous ne demandons qu'à vous servir. Christina aurait le cœur brisé si vous la renvoyiez.

— Le fait que son mari la délaisse n'est-il pas...

Durand s'interrompit. Dame Sabina se tenait à l'entrée de la chapelle. Il la reconnut à son manteau brodé. Des gouttes de pluie glissaient sur le capuchon rouge éclairé par les lampes de la chapelle.

— Pardonnez-moi de vous avoir dérangés, dit Durand.

Il passa devant dame Sabina et sortit. Une pluie glaciale s'abattit sur ses épaules. Il fit rapidement le tour de la cour, mais maîtresse Le Gros avait disparu.

Il prit le chemin de la tour pour aller s'assurer qu'elle s'était remise de sa chute, puis il hésita et changea d'avis, craignant de lui laisser voir ce qu'il venait d'apprendre sur son mari. Mais quelle mouche avait piqué Le Gros ? Et qu'avait-il à offrir à dame Sabina ?

— Je ne suis qu'un hypocrite, chuchota-t-il en lançant un coup d'œil à la lumière qui filtrait sous les volets de Christina. Je serais allé beaucoup plus loin avec maîtresse Le Gros si son époux n'avait pas fait irruption.

Il croyait encore sentir la douceur de sa peau. Et n'était-ce pas son parfum que le vent apportait jusqu'à lui ? Non, son imagination lui jouait des tours.

De retour dans sa chambre, Durand se mit à marcher de long en large. Chaque fois qu'il posait le pied sur les joncs parfumés répandus sur le sol, il songeait à Christina. Le savon posé dans un bol d'argent embaumait. Malgré l'heure avancée, il fut tenté d'appeler ses serviteurs pour faire préparer un bain.

Mais il renonça et se laissa tomber dans un fauteuil.

— Ah, Marion, qui suis-je pour te reprocher tes amants ? Mon comportement est aussi peu honorable que le tien. Si Christina me tendait la main, je la prendrais sans hésiter.

Il demeura plusieurs heures, le regard fixé sur les flammes de l'âtre, en proie à un désir fou.

— Jésus… murmura-t-il en se levant.

Il ouvrit la porte d'un geste brusque, salua brièvement la sentinelle qui montait la garde au pied de l'escalier et traversa silencieusement la grande salle pour gagner la tour est. Il voulait s'assurer que l'enfant n'avait pas été blessée par la chute dans la cour. Parvenu devant la porte de Christina, il eut une brève hésitation et ouvrit, avec l'impression de franchir un cap.

Il fut assailli par un entêtant parfum de rose.

Comme s'il venait de pénétrer dans une roseraie. Au centre du jardin se trouvait Christina. Allongée sur son lit, une main sous la joue, elle dormait comme une enfant, les lèvres légèrement entrouvertes. L'image même de l'innocence. Que deviendrait-elle s'il l'attirait dans son lit ?

Une femme adultère.

Mais viendrait-elle, s'il le lui demandait ? Il y avait quelque chose entre eux, aussi intangible que le parfum qui flottait dans son sillage et qu'il ne pouvait oublier. Il le sentait au plus profond de lui.

Sa chemise blanche était éclairée par les braises mourantes. Il parcourut la chambre, passant le bout des doigts sur le manteau encore mouillé. Le berceau se trouvait dans l'obscurité et il ne put discerner les traits du bébé. Alice ronflait dans un coin, les couvertures ramenées sur son visage.

Durand retourna vers le lit. Il se consumait de désir pour la femme allongée là, ses cheveux répandus sur l'oreiller. Des boucles qui glisseraient sans doute entre ses doigts comme de la soie. Il aurait donné cher pour pouvoir enfouir le visage dans cette somptueuse chevelure.

Cette pensée décupla son désir.

Le souffle court, il la regarda rouler sur le dos en gémissant doucement. Ses seins se pressèrent contre le tissu de sa chemise, et il vit les pointes sombres et tentantes.

Perdant la tête, il alla à la tête du lit.

Dans ses rêves, il lui toucherait la joue. Elle ouvrirait les yeux, tendrait les bras et l'accueillerait dans la chaleur de son lit… et de son corps.

Mais la réalité était toute différente.

Il regagna sa chambre dans la lueur grise et froide de l'aube, et regarda le soleil se lever en répandant ses rayons roses sur la campagne. L'air frais du matin lui effleura le visage. Autrefois, la fenêtre était fermée par du verre. Mais un jour, Marion lui avait lancé un plat à la tête et avait cassé la vitre. Il venait de lui interdire l'accès de son jardin et d'exiler son amant.

Il alla soulever le couvercle de son coffre, et trouva rapidement ce qu'il voulait. Une boîte en bois peint, ornée de têtes d'oiseaux, qui contenait des clés. Il vit tout de suite celle qu'il cherchait. Une lourde clé en fer, qui n'avait pas servi depuis si longtemps qu'elle était rouillée.

Un peu plus tard ce matin-là, il aperçut Christina près des remparts du château, dans le jardin du cuisinier. Le bas de sa robe était trempé par la rosée. Elle cueillait des roses. Sa jupe se balançait au rythme de ses pas. Elle portait chaque fleur à son visage et en respirait longuement le parfum, avant de la déposer dans son couffin d'osier.

Ses traits étaient sereins, ses joues aussi roses que les fleurs qu'elle coupait.

— Maîtresse Le Gros ?

Elle se tourna, fit une profonde révérence et dit, sans lever les yeux :

— Mon seigneur.

Deux garçons s'échappèrent des cuisines en se poursuivant. Une délicieuse odeur de pain frais emplissait l'air, cependant il eut l'impression de ne percevoir que le parfum des roses. Il perçut le trouble de Christina et devina qu'elle n'était pas indifférente à sa présence, et au souvenir du geste qu'il avait eu dans la chapelle.

Plusieurs cavaliers inconnus empruntèrent les allées du jardin pour rejoindre les écuries. Il attendit que ces hommes soient passés, puis s'éclaircit la gorge.

— Vous ne trouverez pas grand-chose dans ce jardin qui puisse vous être utile.

— Cela me suffit, mon seigneur.

— Non, je crois que j'ai pris une décision trop hâtive en vous interdisant d'utiliser le jardin du château. Il est envahi par les herbes, mais si vous parvenez à en faire quelque chose, vous aurez toute mon admiration.

Il lui tendit la clé. Elle la regarda, mais ne fit pas mine de la prendre.

— Qu'est-ce qui vous a fait changer d'avis, messire ?

Elle se mordilla les lèvres. Ses cheveux ne retombaient plus en boucles sur ses épaules. Ils étaient sagement cachés sous une coiffe.

— Messire Durand ? répéta-t-elle.

Il haussa les épaules, incapable de répondre sans avouer le désir qu'elle lui inspirait. Il avait essayé de penser à ce qu'il dirait si quelqu'un lui posait cette question. Mais, après des heures de réflexion, il était toujours incapable d'offrir une réponse logique, ou de citer une phrase d'Aristophane adaptée à la situation. Il garda donc le silence.

Elle finit par tendre la main.

— Prenez-la, dit-il doucement.

Elle posa sur lui ses grands yeux sombres.

— Faites-en ce que vous voudrez, ajouta-t-il, la voix rauque.

Elle prit la clé. Il sentit ses doigts tièdes effleurer sa main et frissonna. Était-ce son imagination, ou les doigts de Christina s'étaient-ils réellement attardés sur les siens ? Non, il prenait ses désirs pour des réalités.

Il pivota sur ses talons et s'éloigna à grands pas.

Dame Sabina attendait Durand dans une des alcôves de la grande salle. Elle vint se planter devant lui et il serra les mâchoires, partagé entre l'épuisement et la colère.

— Ah, messire Durand, je suis enchantée de vous voir enfin seul. Ces barons vous accaparent et vous tiennent loin de moi. Qu'avez-vous tous à ressasser la perte de vos terres ?

Elle passa un bras sous le sien et l'attira habilement pour s'asseoir dans l'alcôve. Durand eut du mal à refréner son impatience.

— N'est-il pas temps de conclure un accord, Durand ?

— Un accord ? répéta-t-il en repoussant la main qu'elle avait posée trop haut sur sa cuisse.

— Oui. Un arrangement dont nous tirerons tous deux bénéfice. Je pourrais superviser l'organisation du château pendant la visite du roi John. Admettez que c'est une occupation très prenante de tenir un château envahi de courtisans.

— J'ai dame Oriel pour m'aider, fit remarquer Durand en cherchant à éviter les doigts qui s'insinuaient sur son épaule.

— Dame Oriel m'a fait part de son inquiétude. Elle craint de ne pas être à la hauteur de la tâche. Elle n'a encore jamais accueilli un roi, alors que j'ai moi-même voyagé avec lui en de nombreuses occasions. John est très exigeant, voyez-vous.

— Dans ce cas je vous en prie, aidez-la, dit Durand en croisant les bras.

Dame Sabina éclata de rire.

— Je n'ai pas l'intention de me dévouer pour rien, mon seigneur. Ce serait folie de ma part d'accorder mon aide sans obtenir de récompense.

— Et quelle récompense souhaiteriez-vous ?

La main de Sabina se plaqua sur sa cuisse. Il posa la sienne par-dessus pour l'immobiliser.

— Il y a trop longtemps que je n'ai pas eu un homme tel que vous pour veiller sur moi.

— Il y a beaucoup de nobles au château, ou à la cour du roi John, qui seraient heureux de vous offrir leur protection. Pour ma part, je ne peux le faire.

— Vous ne pouvez pas ? Ou bien vous ne le voulez pas ?

Elle se leva et se mit à aller et venir devant lui.

— Nous sommes pourtant bien assortis. Vos possessions mettraient les miennes en valeur.

Durand savait cependant que les domaines de son père avaient souffert de mauvaises récoltes.

— Il me reste peu de propriétés, depuis que j'ai perdu mes terres en Normandie.

Sabina balaya cette remarque d'un geste de la main.

— Vous ne tarderez pas à les récupérer. Je n'ai pas de mari et vous n'avez plus d'épouse pour empêcher cette union. Vous avez des désirs que je peux combler. Qu'est-ce qui vous retient ?

Durand se leva vivement.

— Ne comblez-vous pas déjà les désirs d'un marchand ?

— Un marchand ? répéta-t-elle en fronçant les sourcils. Qui pourrait préférer un marchand à un seigneur ?

— En effet, qui ?

Il passa devant elle et s'éloigna rapidement.

Penne roula sur le lit et se leva pour cacher le flacon que Luke avait commandé à maîtresse Le Gros. Il valait mieux que les serviteurs ne le trouvent pas.

— Penne ? murmura Oriel. Où es-tu ?

Elle posa la main sur le matelas et il imagina ces doigts blancs lui effleurant la peau. Aussitôt, il se lova entre les bras de son épouse et l'embrassa.

Oriel s'assit.

— Assez, je suis épuisée. J'ignore ce que contenait cette potion, mais elle t'a fait de l'effet, dit-elle en l'embrassant sur le nez.

— Te sens-tu différente lorsque tu prends ton philtre d'amour ? demanda-t-il.

Oriel repoussa ses cheveux en arrière et prit la main de son mari pour la poser sur son ventre.

— Non. Maîtresse Le Gros m'a dit que je ferais mieux d'attendre un moment plus exquis que les autres pour…

— Un moment plus exquis ? répéta-t-il avec amertume. Les moments que nous passons ensemble ne sont-ils pas tous exquis ? Si ce que nous faisons ne te plaît pas… dit-il en se levant.

Oriel bondit sur ses pieds et attrapa le bord de la tunique qu'il était en train d'enfiler.

— Non, mon amour ! Ce n'est pas ce que je pensais !

— Et que pensais-tu ? Si tous les moments que nous passons ensemble ne sont pas délicieux, dis-le clairement.

Les lèvres d'Oriel se mirent à trembler. Ses yeux se brouillèrent de larmes. Penne l'attira dans ses bras.

— Oh, mon amour… Pardonne-moi.

— Chaque moment avec toi est un délice, chuchota-t-elle. Je t'en prie, oublie ce que j'ai dit. Reviens dans le lit.

Il lui embrassa le front, mais trouva une excuse pour ne pas se recoucher. Et elle sut qu'il n'oublierait pas.

Durand ne put attendre un jour de plus pour entrer dans le jardin du château. Au premier coup d'œil, l'endroit semblait toujours à l'abandon. Mais, en regardant mieux, on s'apercevait que certains coins avaient été désherbés, que la terre avait été binée au pied des arbustes et que ceux-ci avaient été taillés et parfois greffés.

Tout en déambulant dans les allées, il remarqua les rangées de trèfle rose, les primevères, les plantes utiles à Christina. Celle-ci avait sans doute fait faire le travail par ses hommes. Il en était ravi et leur donnerait sa bénédiction s'il les rencontrait au détour d'une allée.

Il entendit la jeune femme avant de la voir. Elle fredonnait doucement. Passant la tête sous quelques branches basses, il arriva dans une clairière d'herbe verte. Agenouillée près d'un massif de fleurs, Christina creusait la terre avec une baguette.

Elle ne leva pas les yeux en percevant son pas.

— Ah, te voilà enfin, Alice. Je commençais à perdre tout espoir de te revoir. Regarde, je crois que ce pied de lavande peut être sauvé. Apporte-moi le bébé. Mes seins sont gonflés et douloureux. Elle dort si longtemps !

Durand sourit. Il se pencha sur le couffin d'osier et, avec des gestes gauches, souleva l'enfant endormie. La tenant à bout de bras, comme s'il craignait qu'elle ne le morde, il la porta jusqu'à Christina. Celle-ci était en train de défaire son corsage. Sans lui laisser le temps de se dénuder, il lança :

— Maîtresse Le Gros…

— Mon seigneur !

Christina se leva précipitamment en agrafant le col de sa robe.

— Je… j'ai cru que c'était Alice.

— Cette enfant est plus lourde que je ne le pensais, dit-il en souriant.

Christina sourit en retour et prit l'enfant dans ses bras.

— En fait, elle est assez menue, mon seigneur.

Elle se détourna et s'assit dans l'herbe. Durand alla s'agenouiller devant le massif de lavande pour l'examiner.

— Mmm. Je pensais qu'un bébé ne pesait pas plus lourd qu'un chapon.

— Un chapon ? s'exclama-t-elle avec un rire cristallin. Oh, non, mon seigneur.

Le bébé était parfaitement calme et il supposa qu'il était en train de téter, mais il n'osa pas se retourner pour s'en assurer.

— Êtes-vous venu inspecter mon travail, mon seigneur ?

— Non. Je voulais voir si quelque chose pouvait être sauvé.

— Oh, beaucoup de plantes sont saines. Les mauvaises herbes ont tout envahi, bien sûr. Mais regardez : il y a du thym, de la lavande, de la sauge.

Il se retourna et elle ramena les pans de sa robe autour de l'enfant. La peau crémeuse de son sein n'éveilla pas en lui un désir insensé, comme la veille près des écuries. Le sentiment qu'il éprouva était de nature différente.

— Je n'ai jamais tenu mes fils dans mes bras, dit-il.

— Jamais ?

Il alla s'asseoir à côté d'elle.

— Non. J'étais auprès du roi Richard au moment de leur naissance. La première fois que j'ai vu Adrien, il avait…

Il renversa la tête en arrière et contempla le ciel.

— Il avait environ trois ans. Robert était plus jeune. Il avait un an, je crois. Je regrette de ne pas les avoir connus bébés.

— Mais vous étiez au service du roi.

— Oui. J'ai beaucoup voyagé, d'abord avec Richard, puis avec John.

— Ce doit être un grand honneur de servir son roi.

— Tout honneur a son prix.

Elle changea l'enfant de sein et il déclara, pensif :

— Il faut que je lui trouve un époux.

— Déjà ? dit-elle avec un brin d'inquiétude.

— C'est nécessaire. Elle peut prétendre à un noble mariage, car le roi a besoin de s'assurer la faveur de ses barons. Ce qui ne sera peut-être plus le cas dans un an ou deux. Et je dois aussi penser à ce que je risque de perdre bientôt.

— Je ne comprends pas.

Durand se leva et alla vers une des allées, où il ramassa une poignée de gravier. Il revint s'asseoir à côté d'elle et jeta dans l'herbe quelques petites pierres blanches.

— Ces pierres représentent mes possessions en Angleterre. Elles sont petites, à l'exception de Ravenswood, et éparpillées dans tout le pays.

— Éparpillées ? répéta Christina en touchant les pierres les unes après les autres.

— Depuis l'époque de Guillaume le Conquérant, les rois ont morcelé les domaines afin qu'aucun baron ne devienne trop puissant.

D'un mouvement du poignet, il projeta les plus grosses pierres un peu plus loin.

— Celles-ci représentent les domaines de Normandie qui me reviennent par mon mariage.

— Ils sont entre les mains du roi Philippe, n'est-ce pas ? C'est la raison pour laquelle il y aura la guerre.

— Oui et non. À cause de ces possessions en Normandie, je dois allégeance à Philippe. Et fidélité à John pour
celles que j'ai ici. Mais, par tradition, il me faudrait combattre aux côtés du souverain qui règne sur la majorité de
mes biens.

Christina observa les deux tas de pierres.

— C'est donc pour Philippe que vous devez combattre?
Comment est-ce possible?

— C'est là tout le problème. Le roi John compte sur ma
loyauté. Dans le passé, je suis parti aux croisades avec
Richard. En revanche, je n'ai jamais combattu aux côtés
du roi Philippe, mais je lui ai toujours rendu hommage en
raison des biens qui m'avaient été transmis par mon union
avec Marion.

Il se leva et arpenta la petite clairière.

— Je suis pris entre deux feux. Si John perd la guerre,
mes fils perdront tout ce que vous voyez là.

Il désigna du bout de son pied le plus gros tas de pierres.

— Si John est victorieux, je garderai tout.

— Vous êtes inquiet pour vos fils. Ce sont eux qui souf-
friront si vous perdez les terres de leur mère. C'est comme
si on vous tirait par les bras dans deux directions opposées.

Durand se laissa retomber dans l'herbe.

— Vous avez parfaitement compris.

Marion, elle, n'avait pas compris le problème que
posait le fait de servir deux maîtres. Tout ce qu'elle voulait, c'était qu'il obtienne la ceinture de comte, qui lui
avait finalement échappé à la mort de Richard.

— Penne pense que nous devrions mener un combat
rapide et brutal pour reprendre ce qui nous appartient.
Mais en faisant la guerre à Philippe, nous nous montrons
déloyaux.

— Et votre frère, qu'en pense-t-il?

— Luke est d'avis de conseiller au roi un arrangement
pacifique. Je devrais lui proposer d'aller moi-même négocier avec Philippe, au cas où le grand William Marshall
échouerait dans sa mission.

— N'a-t-on pas raconté qu'un des messagers du roi John
avait eu les yeux arrachés?

— Non, mais c'est ainsi que le roi Philippe a traité les
prisonniers anglais pendant la guerre contre Richard.

— Comment les hommes peuvent-ils être aussi cruels ?

Elle le regardait, les yeux élargis d'horreur. Devait-il lui révéler que Richard avait agi de même avec ses prisonniers, par représailles ? Ou encore que, lors de son accession au trône, les conseillers de John lui avaient recommandé d'aveugler son rival Arthur, et de le castrer afin qu'aucun héritier ne puisse lui disputer le pouvoir ?

— La vie est cruelle, dit-il d'un ton plat.

Christina secoua la tête et serra l'enfant un peu plus fort.

— Je suppose que je ne pourrai jamais comprendre.

Le ciel était d'un bleu d'azur. La brise était douce. Comme il était facile de rester assis dans ce jardin paisible, et d'oublier le monde qui existait au-delà de ces murs. Mais les chariots de John étaient arrivés avec une partie de son escorte. C'en était fini de la tranquillité. Même du fond du jardin, il entendait l'agitation dans la cour, les cris des hommes qui déchargeaient les bagages du roi.

— À dire vrai, je suis l'un des juges du roi John et c'est lui que je servirai. En espérant qu'il agira avec hardiesse, comme lorsqu'il s'est porté au secours de la reine Éléonore. Peut-être qu'alors, tout ira bien...

Il inspira profondément et ajouta :

— Mais je suis vulnérable et les deux rois ont la possibilité de faire pression sur moi.

Elle posa doucement l'enfant sur ses genoux et referma son corsage. Cette fois, il ne détourna pas les yeux.

— Je ne comprends pas. Si vous avez pris votre décision, pourquoi êtes-vous vulnérable ?

— Les rois prennent des otages pour s'assurer la fidélité de leurs vassaux. Mes fils se trouvent au château de Warre, qui est sous le contrôle de John. Et ma mère est à Paris.

— Donc, le roi Philippe pourrait se servir de votre mère pour vous obliger à le rejoindre ?

Elle enroula autour de son doigt les lacets de son corsage, tout en contemplant pensivement les pierres blanches. Une ombre passa sur son visage.

— Vous devez protéger à la fois vos enfants et votre mère. C'est un casse-tête. Mais vous saurez ce qu'il faut faire, et vous le ferez.

Cela ne paraissait pas faire pour elle l'ombre d'un doute. Comme elle était jeune, et innocente !

Elle était si proche qu'il tendit la main et lui prit le menton. Elle ne résista pas et ne chercha pas à se dérober lorsqu'il approcha les lèvres des siennes. Sa bouche était douce et chaude. Il l'effleura doucement, respirant son souffle.

Christina se tourna vers lui, offrant ses lèvres avec un gémissement. Il caressa sa joue satinée, sentit les battements légers de son pouls. Elle posa une main sur la sienne. Il la prit, la retourna et lui embrassa la paume.

— Christina ! appela quelqu'un à l'entrée du jardin.

Il s'écarta, vit l'expression égarée sur le visage de la jeune femme et se rappela où ils se trouvaient.

— Alice est arrivée, dit-il simplement.

Christina leva vers lui un visage empreint de confusion.

— Mon seigneur ? murmura-t-elle d'une voix tremblante.

Au même instant, Alice surgit de derrière les buissons.

— Ah, Christina... Mon seigneur, ajouta-t-elle en esquissant une courte révérence. Quel merveilleux parfum ! dit-elle en passant la main dans le massif de lavande. Elle a fait du bon travail, n'est-ce pas, messire ?

— Excellent. J'espère récolter le bénéfice de tout ce que maîtresse Le Gros a accompli dans ce jardin.

Christina leva vivement la tête, posant sur lui un regard interrogateur.

— Messire Durand n'avait jamais tenu de bébé dans ses bras, Alice, dit-elle en confiant Félicité à Durand.

L'enfant était toute chaude et une goutte de lait brillait au coin de ses lèvres. Elle gigota un peu.

— Elle est mouillée ! s'exclama-t-il en la tendant brusquement à Christina.

Mais celle-ci se détourna en rajustant son corsage.

— Les bébés sont souvent mouillés. Encore une expérience qui vous manque, mon seigneur.

— J'attache une grande valeur à cette tunique.

Alice eut un large sourire édenté et prit l'enfant.

— Je vais m'en occuper, messire.

La vieille femme se mit à changer les langes du bébé, et Durand s'engagea dans l'allée envahie d'herbes hautes avec Christina.

— Luke veut organiser une grande fête avant notre départ. Il y aura une partie de chasse à Turnbull Hill. Vous viendrez, ajouta-t-il d'un ton péremptoire.

— Comme il vous plaira, mon seigneur.

Ils s'arrêtèrent devant la grille. Le visage de Christina s'était assombri.

— En Normandie, il suffit d'un baiser pour être considérée comme une femme adultère. Je ne me fais aucune illusion sur mon statut ici. Je vous en prie, n'attachez pas à cet écart de conduite plus d'importance qu'il n'en a. Je ne serai pas votre maîtresse.

Il s'adossa au mur du jardin, feignant une nonchalance qu'il était loin d'éprouver. Il brûlait de prendre Christina dans ses bras.

— Qui a dit que je voulais faire de vous ma maîtresse ?

Les yeux de la jeune femme s'élargirent et ses joues se colorèrent. Durand retint sa respiration. C'était la première fois qu'il la voyait en colère, et elle était magnifique. Captivé, il regarda sa poitrine se soulever.

Tout à coup, le vacarme des hommes et des chevaux lui rappela qu'une foule se trouvait à quelques mètres d'eux, derrière les murs. Christina fit volte-face et s'éloigna. Ses sabots claquèrent sur les pierres, ses jupes se balancèrent autour de ses chevilles. Puis elle s'arrêta et revint brusquement vers lui.

— J'ignore ce que vous voulez, messire Durand. Mais je pensais que vous alliez demander la main de dame Sabina. Aussi, la seule explication à votre attitude était que vous vouliez que je sois votre maîtresse.

— Dame Sabina ? répéta-t-il avec un froncement de sourcils. Je…

— Je ne sais qu'une chose de vous. Une chose que chaque habitant de Ravenswood sait également : vous êtes un homme d'honneur. Aussi, je crois que vous vous conduirez honorablement, avec cette dame comme avec moi.

Quelle réprimande ! Ses mots l'atteignirent en plein cœur.

Un homme d'honneur…

Qu'était devenu son sens de l'honneur ?

— Je n'avais pas l'intention de vous déshonorer, dit-il à voix basse.

— Dans ce cas, oublions ce qui vient de se passer, mon seigneur.

Elle fit une profonde révérence et s'éloigna.

— Je vous désire, maîtresse Le Gros, murmura-t-il quand elle eut disparu derrière les feuillages.

Il tendit le visage vers le ciel et observa un couple d'oiseaux de proie qui fendaient l'azur.

— Mais j'avais oublié un instant que vous appartenez à un autre. Et que j'ai des fils à établir en ce monde.

8

Christina se rendit à Turnbull Hill, à la lisière de la forêt, dans un chariot décoré de verdure. Luke avait réuni une foule bigarrée, dans laquelle se mêlaient hommes, femmes et enfants. Les belles dames côtoyaient les servantes des cuisines. En dépit de la menace de guerre qui planait, le groupe était joyeux.

L'évêque Dominique et ses hommes ne s'attardèrent pas. Ils dégustèrent les mets distribués par les serviteurs et enfourchèrent leurs chevaux pour rentrer chez eux.

Les enfants couraient sous les tentes dressées pour abriter les dames du soleil. Christina déambulait entre les groupes, tressant des couronnes de marguerites pour les fillettes. Elle ne voulait pas prêter l'oreille aux commérages qui rapportaient que leur roi, déjà las de sa jeune épouse, avait pris et repoussé plusieurs maîtresses.

Lorsque Félicité eut tété, elle n'eut plus grand-chose à faire, car toutes les petites filles se pressaient autour d'elle pour s'occuper du bébé et jouer à la maman.

Malgré la paisible scène pastorale, une sourde angoisse l'envahit. Elle n'avait pas dormi la nuit précédente. Son inquiétude venait-elle du fait qu'elle avait encore plusieurs lotions à préparer, alors qu'elle devait rester assise là, à paresser?

Non, il ne fallait pas se mentir à soi-même. C'était *lui*, le responsable de son angoisse. Pour la millième fois au moins, elle porta les doigts à ses lèvres, touchant sa bouche là où il l'avait touchée. Elle ferma les yeux et revit son visage penché sur sa main, la couleur de ses cheveux, qui allait de l'auburn au noir le plus profond. Pire encore, elle était parcourue d'un frisson de désir en songeant à la caresse de ses lèvres viriles.

Elle aurait tant voulu connaître l'homme qui se cachait sous le noble guerrier.

Impossible.

Simon l'aurait répudiée sur-le-champ s'il avait su ce qui s'était passé.

Pourtant, elle n'oublierait jamais le goût de ce baiser. Une flamme de désir se répandit dans son ventre. Il fallait qu'elle recueille la rosée du matin, qu'elle fabrique de nouvelles bougies, qu'elle renforce le pouvoir de la potion de résistance.

Car elle était l'épouse de Simon.

Elle observa la troupe des chasseurs, cherchant Durand des yeux. Mais son regard s'arrêta sur un autre. Son mari venait d'apparaître parmi les fauconniers. Il était à cheval, et le bleu profond de son pourpoint se détachait contre le vert des collines.

Alice lui avait révélé avec un regard sournois qu'il se rendait chaque soir à la taverne du village.

L'attirance qu'elle éprouvait pour Durand s'expliquait-elle par son intense solitude ? Était-ce le fait d'une femme qui ignorait tout des élans du corps… et du cœur ?

Il ne devait plus y avoir de baisers volés dans le jardin. D'abord parce que Dieu la punirait sûrement pour ce péché. Et ensuite, parce que si cela devait se reproduire, elle donnerait à messire Durand tout ce qu'il demanderait. *Tout.*

Simon s'approcha, mit pied à terre et vint s'asseoir à côté d'elle. Son visage était brûlé par le soleil, ses cheveux emmêlés par le vent. Il n'avait jamais été aussi beau.

— Simon, j'ai une requête à te présenter, murmura-t-elle en nouant ses doigts.

Son époux eut un sourire chaleureux.

— De quoi s'agit-il ?

— Je veux rentrer chez nous. Tu pourrais peut-être en parler à messire Durand. Il n'est pas rare qu'une nourrice emmène l'enfant chez elle pour…

Le sourire de Simon se figea.

— Tais-toi ! ordonna-t-il durement. Quelle mouche t'a piquée ? Tu ne rentreras pas, tu m'entends ? Tu feras ton devoir ici, au château. Le roi sera là dans quelques jours, avec la reine Isabelle et un grand nombre de dames. Tu dois te trouver sur place pour les servir. Dame Oriel leur recommandera tes lotions, et comment les vendrons-nous si tu es au village?

— Je comprends. Tu veux proposer tes services à la cour.

Le beau visage de Simon se rembrunit. Il tira sur les tiges d'un bouquet qu'elle était en train de composer.

— Quel mal y a-t-il à vouloir améliorer notre situation? Ravenswood est un beau château, mais il y en a d'autres. Si le roi perd la Normandie, de Marle n'aura plus grand-chose en dehors de ce manoir. Il aura du mal à nourrir ses chevaliers, et encore plus à acheter des savons pour les femmes!

Il se pencha et elle perçut l'odeur du vin dans son haleine.

— Tu veux donc passer ta vie à fabriquer des babioles pour des femmes capricieuses? Eh bien moi, je ne veux pas continuer à vendre des selles de cuir. Je veux pouvoir les utiliser moi-même!

— Tu m'avais promis que nous nous installerions quelque part. Un roi et sa cour se déplacent sans arrêt, balbutia-t-elle, intimidée par la colère de son mari.

— Je te l'avais promis, à condition que tu me donnes un fils.

Ces paroles la réduisirent au silence. Simon se leva et jeta le bouquet. D'un mouvement souple, il remonta à cheval et rejoignit le groupe de chasseurs.

Elle ne pouvait lui reprocher de vouloir ce que tous les hommes espéraient posséder: des fils, une femme féconde.

Penne rapprocha sa monture de celle de Durand et arqua un sourcil.

— Simon est en train de parler avec sa femme. Ils semblent être en désaccord.

Durand jeta un coup d'œil en direction des tentes. Il n'eut pas besoin de chercher Christina Le Gros car, sans vraiment le faire exprès, il n'avait pas perdu sa trace depuis leur arrivée sur la colline. Il vit Simon monter à cheval et partir au galop. Christina avait la tête baissée.

— On raconte qu'il voit beaucoup trop souvent la fille de l'aubergiste.

— Agnès ? demanda Durand en fronçant les sourcils.

— Oui. Penses-tu qu'Oriel devrait mettre Christina en garde ? Joseph dit qu'Agnès a la vérole.

Penne laissa son cheval marcher au même rythme que celui de Durand. Ils regardèrent un faucon fondre sur sa proie avec une rapidité impressionnante.

Durand finit par secouer la tête.

— Non. Je m'en occuperai, dit-il en songeant à tous les hommes qui fréquentaient aussi la taverne. Encore une affaire à régler. Je ne peux pas laisser mes hommes perdre leurs forces avec des femmes, alors que j'ai besoin d'eux.

Soudain lassé par la chasse, il replaça le capuchon sur la tête de son faucon et le rendit à son valet, ainsi que le gant qui le protégeait des serres de l'animal. Penne l'imita.

— Je suppose que tu n'as pas besoin des services d'Agnès, maintenant que Sabina est là, dit-il.

— Sabina ?

Durand tira sur les rênes et s'éloigna des chasseurs, craignant que les autres n'entendent son ami. Il vit Christina placer une couronne de pâquerettes sur la tête d'une petite fille.

— Sabina cherche un époux, n'est-ce pas ? Ce doit être une proie facile. Tu vas essayer de l'avoir ?

— Pas question, rétorqua Durand avec un sourire.

Il laissa sa jument brouter l'herbe tendre, tout en regardant Christina. Les enfants se pressaient autour d'elle, comme des abeilles autour d'une ruche.

— Pourquoi pas ? reprit Penne. C'est une belle femme. Si tu la persuades que tu es prêt à l'épouser, tu n'auras plus qu'à la cueillir.

Tout à coup, Christina se leva et se mit à courir dans sa direction, en pointant un doigt vers la forêt. Il perçut l'odeur âcre des flammes et vit qu'un mince filet de fumée noire s'élevait au-dessus des arbres. La jeune femme avait senti le danger avant tout le monde.

— Penne, rassemble tes hommes ! cria-t-il en partant au grand galop.

Les autres femmes ne prêtèrent pas attention au mouvement et ne virent pas les hommes disparaître dans la forêt. Elles continuèrent de broder à l'ombre des tentes et de grignoter des friandises en échangeant des ragots.

Mais quand elles virent messire Penne émerger du bois et revenir vers elles en fouettant son cheval, elles se levèrent d'un seul mouvement. Dame Oriel alla à sa rencontre, mais il passa devant elle sans s'arrêter et fit halte près de Christina.

— Venez, dit-il en lui tendant la main.

Sans hésiter, elle obéit et monta en croupe sur le cheval.

Une large route traversait la forêt et Christina se rappela l'avoir empruntée avec Simon quand ils étaient arrivés de Winchester.

— L'évêque Dominique et ses hommes ont été attaqués par une troupe de brigands, expliqua Penne.

Il n'eut pas le temps d'en dire davantage. Déjà, la fumée s'épaississait et emplissait les poumons de Christina.

Alors, elle contempla le carnage. Un des chariots était en feu. Des corps gisaient sur le sol. Les chevaux avaient été abattus et baignaient dans leur sang, à côté de leurs maîtres.

Durand l'aida à descendre de cheval.

— Venez. Nous n'avons que vous pour soigner les survivants. Je suis désolé de vous imposer cette épreuve…

— Je vous en prie, messire. Certains de ces hommes sont encore vivants, ne perdons pas de temps.

Il acquiesça d'un signe de tête, mais glissa tout de même un bras sur ses épaules pour lui masquer la vue des cadavres. Elle essaya de garder son sang-froid, mais son cœur cognait à grands coups. Elle eut un haut-le-cœur lorsqu'ils passèrent devant un cheval vidé de ses entrailles.

— Là, dit Durand. L'évêque.

Il s'agenouilla auprès d'un homme corpulent, qui avait dîné quelques jours auparavant à la grande table du château, en compagnie des barons. Ses pieds dépassaient du manteau que Durand avait jeté sur lui. L'homme avait été dépouillé de tous ses vêtements.

Christina posa les doigts sur sa gorge et sentit le pouls battre faiblement. Sa peau très pâle était barbouillée de sang. Elle l'examina rapidement.

— Messire, ce sang n'est pas le sien. Il a dû recevoir un coup et tomber de cheval, mais je ne vois aucune plaie.

Elle leva les yeux et ajouta :

— Je ne peux rien faire. Sa vie est entre les mains de Dieu.

Durand hocha la tête et appela son frère, qui essayait d'éteindre le feu avec quelques serviteurs.

— Luke, fais transporter l'évêque et les deux hommes encore vivants au château.

Il reprit Christina par le bras et l'emmena vers deux hommes allongés côte à côte. L'un d'eux portait une soutane de laine brune, et l'autre un habit de soldat.

— Je suis désolée, messire, cet homme est mort, dit-elle en montrant celui qui était revêtu de la soutane. Mais celui-ci survivra peut-être.

— Ce n'est qu'un enfant, remarqua Durand en touchant la joue du blessé. Le bruit s'est répandu que le roi allait arriver, et cela attire les oiseaux de proie.

Il se releva et lui tendit la main pour l'aider à faire de même. Au même instant, un cri sauvage déchira l'air.

Christina se figea. Des douzaines d'hommes armés d'épées et de haches qu'ils faisaient tournoyer au-dessus de leur tête surgirent de la forêt et fondirent sur le groupe de chasseurs.

Durand tira son épée et enjamba le corps du blessé. Christina eut un haut-le-cœur en le voyant transpercer la gorge d'un brigand. Elle se recroquevilla contre un arbre, incapable de bouger. Elle ne voyait plus que les bottes de Durand, qui fendait l'air de son épée, empêchant les bandits de s'approcher.

Pendant un long moment, elle ne fut consciente que du bruit des armes qui s'entrechoquaient et des lourdes bottes qui piétinaient le sol. Un des brigands portait des éperons ornés d'émail bleu. Ceux-ci laissèrent une trace sanguinolente sur la main d'un mort, lorsque l'homme la piétina pour échapper à l'épée de Durand.

Où était Simon ? Elle le chercha des yeux, mais ne le vit nulle part. Alors, son regard se fixa sur Durand. Il économisait ses mouvements, ne maniant son épée que pour atteindre son but et faire jaillir le sang. Bientôt, la robe, les mains et le visage de Christina furent éclaboussés et trempés par le liquide rouge et visqueux.

Enfin, le chef des brigands poussa un hurlement et les hommes tournèrent les talons pour s'enfuir. Leur groupe avait diminué de moitié dans l'échauffourée.

— Poursuivez-les! cria Durand. Ils se dirigent vers notre camp.

Puis il se retourna et saisit Christina par le bras. Avant d'avoir compris ce qui se passait, celle-ci se retrouva à cheval derrière lui, les bras autour de sa taille. Elle sentit la chaleur de son corps, les muscles tendus de son dos. Il lança sa monture au galop.

Elle se cramponna de toutes ses forces. Enfin, le cheval fit un bond et émergea dans la prairie inondée de soleil. Les brigands approchaient des tentes. Les femmes s'enfuirent en poussant des hurlements et se réfugièrent dans les pavillons de toile, entourées par les serviteurs. Mais ces derniers étaient trop peu nombreux pour les protéger.

En voyant arriver Durand et ses hommes, la troupe de bandits rebroussa chemin et repartit se mettre à couvert dans les bois. Durand ne se lança pas aussitôt à leur poursuite. Il se dirigea vers les pavillons de toile et saisit le bras de Christina pour l'aider à descendre de cheval.

— Restez là, ordonna-t-il.

Le cœur battant à toute allure, elle le regarda filer à travers champ. Ses hommes se regroupèrent derrière lui. En un instant, ils eurent plongé dans la forêt.

Elle garda les yeux fixés à l'endroit où ils avaient disparu. Allait-il être blessé? Tué?

Plus d'une demi-heure s'écoula dans l'incertitude. De loin en loin, on percevait un cri, un hurlement à glacer le sang. Les femmes restèrent groupées, silencieuses, les enfants serrés contre leurs jupes. Dame Sabina et dame Oriel allaient et venaient sous la tente en se réconfortant mutuellement. Au fur et à mesure que le temps passait, dame Oriel devenait plus pâle.

Christina retint un cri en voyant une silhouette surgir de la forêt. Penne. Il avançait lentement, mais fit un signe de la main. Même à cette distance, on distinguait un sourire sur son visage. Dame Oriel saisit ses jupes à pleines mains et courut vers lui.

De loin, Christina le vit avec une pointe d'envie descendre de cheval et prendre son épouse dans ses bras.

Le reste du groupe revint, dépassant le couple enlacé. Durand apparut enfin, Simon à son côté. Ils se dirigèrent droit vers elle.

Son époux. Et son seigneur.

Traîtresse, songea-t-elle. Tu n'as pas eu une seule pensée pour Simon. Elle s'obligea à fixer son regard sur lui, comme il convenait à une épouse dévouée.

— Tu vas bien ? demanda-t-elle.

— Nous n'avons pas perdu un seul homme. Mais je n'avais jamais vu un tel carnage...

— Maîtresse Le Gros ? dit Durand, interrompant Simon. Mes hommes vont ramener l'évêque et son escorte. Voulez-vous vous occuper d'eux ? J'espère que cette fois nous ne serons pas interrompus.

Simon acquiesça, pâle comme un mort.

— Elle soignera tous les blessés, messire. As-tu emporté ton sac de remèdes, Christina ?

— Non. Je n'avais pris que mon ouvrage.

— Femme stupide. Tu devras donc faire de ton mieux.

Durand parut sur le point de dire quelque chose, mais Luke l'appela et il fit faire demi-tour à son cheval pour rejoindre son frère.

Simon était en proie à une extrême tension. Il se mit à faire les cent pas tandis que son cheval piétinait nerveusement le sol derrière lui.

— Tu aurais dû voir ça. Luke est vif... très vif. Mais Durand... il a été magnifique. Je l'ai vu couper un homme en deux d'un seul coup d'épée.

— Simon, je t'en prie... murmura Christina.

Mais il ne prêta aucune attention à ses paroles.

— Tu dois faire tout ce que tu peux pour les blessés. L'évêque, naturellement. Mais aussi ce jeune garçon qui faisait partie de son escorte. Tu entends ? ajouta-t-il en lui agrippant le bras. Rends-toi utile !

Elle serra les lèvres, ravalant une réplique cinglante.

— Comment as-tu pu être assez stupide pour partir sans ta besace ? Tu ne vas jamais nulle part sans l'emporter. Et aujourd'hui, alors que tu avais l'occasion d'impressionner le seigneur Durand avec tes...

— Avec quoi ? coupa-t-elle. Je ne suis pas guérisseuse...

— Tu ne sers donc à rien ? Et si ces hommes meurent ?

Christina baissa la tête. Le chariot transportant les blessés apparut dans le champ.

— Cela suffit, Simon. Je soignerai ces hommes de mon mieux.

Elle accepta son aide pour grimper dans le chariot et s'agenouilla près de l'évêque. Son visage avait pris un ton grisâtre. Il avait la bouche ouverte et respirait avec difficulté. Une odeur de vin aigre s'échappait de ses lèvres. Durand chevaucha à côté du chariot qui prit en cahotant le chemin du château.

— Maîtresse Le Gros, vous n'êtes pas blessée ? Ce n'est pas votre sang, n'est-ce pas ? demanda-t-il.

Elle secoua la tête et essuya une goutte de sueur sur le front de l'évêque.

— Non, messire.

— Comment va-t-il ?

— Je suis désolée, messire, mais je crois que son état est en train d'empirer. Je ne pense pas que les quelques remèdes que je possède...

— Ne vous tourmentez pas, Christina. Si j'avais pu prévoir que nous allions essuyer une telle attaque, j'aurais emmené le médecin.

— Vous n'avez rien à vous reprocher, messire. Vous n'êtes pas responsable de ce qui s'est passé.

— Je suis responsable de tout ce qui survient sur mes terres.

Durand fit passer son cheval derrière le chariot. Christina partagea alors son attention entre l'évêque et le jeune blessé. Elle ne pouvait pas faire grand-chose pour eux. Le garçon, qui avait à peine plus de quinze ans, avait perdu beaucoup de sang. Mais ses blessures ne saignaient plus. De fait, l'évêque semblait beaucoup plus mal en point. Sa respiration était de plus en plus faible.

Quand ils arrivèrent dans l'enceinte du château, des serviteurs vinrent à leur rencontre. Aldwin était parmi eux. Il ne dit rien, mais le regard noir qu'il jeta à Christina était éloquent. Il considérait qu'une fois de plus, elle avait empiété sur son territoire. Il donna quelques ordres secs pour faire transporter l'évêque et le jeune homme dans son cabinet.

Christina prit Félicité, regagna sa chambre et se lava les mains et la figure. Après quoi, elle voulut donner le sein à l'enfant, mais celle-ci refusa de téter. Elle s'exhorta à la patience. Sa peau la brûlait et elle avait hâte de retirer ses vêtements souillés. Lorsque Félicité eut enfin consenti à téter, la jeune femme exténuée s'endormit dans son fauteuil.

Simon la réveilla en la secouant par l'épaule.

— Je suis venu t'avertir que l'évêque est mort. Le médecin prétend que tu as dû commettre une faute en soignant ses blessures.

Elle se dressa d'un bond et se mit à trembler, bouleversée par les horreurs dont elle avait été témoin.

— Simon ! Tu as pris ma défense, bien sûr ?

Il eut une hésitation. Christina serra l'enfant dans ses bras et affronta son époux du regard.

— Pourquoi ne m'as-tu pas défendue ? Une critique dirigée contre moi l'est aussi contre toi, il me semble ?

Le visage de Simon s'empourpra.

— Je n'ai rien trouvé à dire. Il...

À cet instant, Luke pénétra dans la chambre.

— Christina. J'ai besoin d'un autre flacon de potion...

Il se tut brusquement en voyant Simon. Puis il avança et posa les mains sur les épaules de la jeune femme.

— Qu'est-ce que c'est ? Du sang ?

— Oui, messire, mais ce n'est pas le mien.

— On la demande dans la grande salle, messire, déclara Simon. Maître Aldwin est...

— Maître Aldwin se plaint, acquiesça Luke en pressant les doigts sur les épaules de Christina.

Celle-ci frissonna.

— N'ayez crainte, maîtresse Le Gros. Je saurai calmer la colère de ce vieux vautour. Il est jaloux, et il a trouvé dans la mort de l'évêque un prétexte pour exprimer ses griefs.

— Je n'ai rien fait pour hâter la mort de l'évêque, messire.

— C'est la vérité ! renchérit Simon d'une voix stridente.

— Je n'en doute pas, rétorqua Luke en retournant à la porte. Mais ce vieux fou tient à dire son mot.

Simon agrippa le bras de son épouse et lui dit à l'oreille d'une voix sifflante :

— Comme oses-tu le laisser te toucher ainsi ? Si quelqu'un vous avait vus…

— Je ne comprends pas ce que tu veux dire, répliqua-
t-elle en tentant de se dégager.

Luke se tenait dans l'encadrement.

— Vous venez ? lança-t-il en tenant la porte ouverte.

Simon relâcha le bras de la jeune femme et conclut à
voix basse :

— Nous en reparlerons.

L'estomac noué et les joues brûlantes, elle emboîta le pas
à Luke. Simon les suivit à quelque distance. Durand les
attendait dans la grande salle, en compagnie de maître
Aldwin. Luke prit l'enfant des bras de Christina.

— Cette femme prend trop d'initiatives ! attaqua Aldwin.

Simon voulut répondre, mais Durand l'arrêta d'un geste
de la main.

— Je vous ai écouté, Aldwin. Mais j'ai vu maîtresse Le
Gros prendre soin des blessés. Elle a fait ce que toute mère
de famille aurait fait, rien de plus. Maintenant, allons voir
ce jeune garçon qui a besoin de soins. Aldwin, vous devriez
donner quelques conseils à maîtresse Le Gros, pour le cas
où vous ne seriez pas disponible le jour où nous aurons
besoin de vous, comme aujourd'hui.

Le guérisseur eut une moue de dépit.

— Comme vous voudrez, messire.

Il salua avec raideur et les emmena tous vers un escalier
qui descendait dans les profondeurs du château. Les pièces,
utilisées pour entreposer les provisions, étaient fraîches.
Mais le front de Christina était trempé de sueur. La des-
cente lui parut durer des heures. Enfin, le médecin fit tourner une clé et entra dans une salle éclairée par des torches
accrochées à la muraille. Le plafond était noirci de fumée.

Le jeune homme, d'une pâleur mortelle, était allongé,
nu, sur une table. On avait placé plusieurs sangsues sur
sa poitrine, près de la plaie qui avait été cautérisée à
la flamme. Une odeur de chair brûlée flottait dans la salle.
Ils s'approchèrent.

Simon poussa un cri étranglé et ressortit précipitamment.

— Mauviette, marmonna Aldwin, en ôtant une sangsue
pour la replacer dans une petite coupelle.

Christina prit la main du garçon. Elle était glacée, et ses ongles étaient bleus.

— Ne faudrait-il pas le tenir au chaud ?

Sa nudité la choquait. Toute personne avait droit à un peu de dignité, même dans la mort. Et la mort, pensait-elle, n'était pas loin pour ce jeune homme. Luke et Durand se rapprochèrent et considérèrent le garçon étendu.

D'un geste doux, défiant Aldwin du regard, elle étala une couverture sur la table et la rabattit autour du corps frêle. Aldwin la regarda faire avec un reniflement de mépris.

— Vous fait-il penser à quelqu'un ? demanda-t-elle aux hommes qui l'entouraient.

Durand opina de la tête.

— Oui. Aux amis de mon fils Adrien. Que pouvez-vous dire à maîtresse Le Gros sur les soins que vous lui avez administrés, Aldwin ?

L'homme sembla se hérisser. Mais finalement, sa vanité l'emporta sur l'agacement et il se fit un plaisir d'étaler ses connaissances médicales.

— J'ai une pâte très spéciale, un mélange de graisse d'oie et de poix qu'il faut conserver dans un pot de pierre. Surtout pas de céramique. Il faut de la pierre.

Il tapota la poitrine du garçon et poursuivit :

— Je vais l'étaler sur la plaie. Ensuite, j'appliquerai des sangsues. Et j'adresserai des prières à Dieu, bien entendu.

Christina lança un bref regard à Durand et demanda timidement :

— Vous n'essaierez pas de le nourrir ? De le réchauffer ?

— Certainement pas ! La nourriture pourrait le purger et salir mon atelier.

L'atelier était déjà crasseux, les branches répandues sur le sol sèches et anciennes.

— Vous pourriez lui donner de l'eau et du miel…

— De l'eau ? Vous ne connaissez rien à la médecine !

Aldwin secoua la tête, excédé. Christina esquissa une révérence et sortit. Les autres la suivirent et le médecin resta seul auprès du blessé.

Luke, qui portait Félicité, rattrapa la jeune femme.

— Vous pensez qu'il faudrait nourrir ce garçon ?

— Oui, mais je ne suis pas médecin, dit-elle, consciente que derrière eux, Durand prêtait l'oreille.

— Nul besoin d'être médecin pour savoir cela, répliqua Luke. Moi-même, je sais par mon expérience sur le champ de bataille qu'un homme affaibli par le manque de nourriture mourra plus vite qu'un autre.

— Dans ce cas, il faut le dire vous-même à maître Aldwin.

— Venez, ordonna Durand en lui prenant le bras. Je veillerai à ce que le garçon soit nourri et tenu au chaud. Vous allez prendre un bain.

Ils atteignirent la grande salle, où ils retrouvèrent Simon.

— Pardonnez-moi, mon seigneur, bredouilla ce dernier, blanc comme un linge. Cette odeur de chair brûlée... je n'ai pas l'habitude...

Durand lui posa une main sur l'épaule.

— N'en dites pas plus. Vous êtes marchand, pas soldat. Emmenez votre femme et prenez soin d'elle.

Simon prit le bras de la jeune femme et l'escorta jusqu'à la tour. Les observant de loin, Durand songea à ce qu'il aurait éprouvé si le sang qui tachait la robe de Christina avait été le sien.

Il aurait pu tuer celui qui l'avait blessée.

— Luke, va chercher Penne, dit-il en se retournant.

— Pourquoi ? s'enquit Luke, en se penchant pour embrasser la joue ronde de Félicité.

Durand le contempla avec stupeur.

Luke. *Le seigneur des jupons*.

Il songea à l'affection que Marion témoignait à son frère. Un homme qui aimait rire, qui s'enthousiasmait pour tout. Un homme qui faisait l'amour sans accorder une pensée aux conséquences de ses actes.

Une flèche douloureuse transperça le cœur de Durand. Luke était-il le père de Félicité ?

9

Durand alla directement dans la salle des comptes. Ignorant Oriel qui cousait près du feu, il ouvrit le coffre et fouilla l'intérieur.

Une pluie douce s'était mise à tomber. Mais en lui, c'était une tempête qui faisait rage.

Pourquoi tenait-il tant à savoir qui était le père de l'enfant? *Pour le punir,* bien sûr.

Mais pouvait-il punir son frère?

Il jeta une dizaine de rouleaux de parchemin sur la table. Ils remontaient aux premières années où Luke avait assumé la charge de régisseur de Ravenswood. Durand trouvait que la position était en dessous du rang de son frère, mais Luke l'avait supplié de la lui accorder puisque Ravenswood devait lui revenir un jour. À présent, Durand cherchait dans les parchemins une indication prouvant que Luke s'était approprié non seulement le château, mais aussi son épouse.

Oriel abandonna son ouvrage, vint s'asseoir près de lui et lui prit la main.

— Que cherchez-vous?

Il haussa les épaules. Elle lui caressa doucement les doigts.

— Ces ampoules risquent de s'infecter. D'où viennent-elles?

— Je n'avais pas mes gants pendant le combat.

— Les hommes sont idiots. Je vais appeler maîtresse Le Gros pour vous soigner.

— Non! dit-il en retirant brusquement sa main.

— Pourquoi non?

Elle se leva et alla ouvrir la porte avant qu'il ait pu l'en empêcher.

— Oriel…

— Allez chercher maîtresse Le Gros et demandez-lui d'apporter un onguent pour les mains de messire Durand, ordonna-t-elle à la sentinelle qui montait la garde.

— Je n'ai pas besoin de…

— C'est absurde. Marion avait raison, vous êtes un entêté.

Elle regagna son siège et reprit son ouvrage.

— Que disait-elle d'autre ? demanda-t-il en pliant et dépliant sa main.

— Que vous faisiez l'amour comme un guerrier assiège une forteresse et que mon cher Penne, qui est si doux, lui aurait mieux convenu.

Stupéfait, Durand considéra ses cheveux blonds, et ses doigts fins qui maniaient l'aiguille avec habileté.

— Penne lui aurait mieux convenu ?

À peine les mots avaient-ils franchi ses lèvres qu'il eut envie de les ravaler. Oriel leva la tête. Ses yeux étaient noyés de larmes.

— Vous savez comme moi que Penne aurait aimé épouser Marion, mais qu'il a dû se contenter de moi. Et elle aimait être flattée.

— Oriel… Penne n'a jamais flatté personne. Et il est plus souvent avec moi qu'au château.

— Cela n'a pas été le cas l'année passée. Nous avons été là la plupart du temps, grâce au roi Philippe. Et vous n'avez séjourné que deux fois à Ravenswood en douze mois.

Durand déglutit, mal à l'aise.

— Penne est très bien avec vous. Il n'a aucune raison de se plaindre.

— Si ce n'est que je suis stérile. Avec Marion, il aurait eu deux fils et une fille.

Une larme roula sur sa joue et s'écrasa sur le corsage rouge de sa robe.

Une fille ? Penne ? Mon Dieu. Devait-il aussi soupçonner son meilleur ami ?

— Messire Durand ? dit la sentinelle sur le seuil.

— Oui ?

Durand lança le dernier rouleau de parchemin sur le sol, avec les autres, et résista à grand-peine à l'envie de tous les jeter dans les flammes.

— Maîtresse Le Gros est là, messire, annonça la sentinelle en s'écartant pour livrer passage à Christina.

— Excusez-moi, Christina, balbutia Oriel en sortant précipitamment.

Durand faillit lui courir après pour exiger qu'elle lui en révèle davantage.

Il se leva et jeta un bref coup d'œil aux parchemins répandus sur le sol.

— Entrez. Entrez, répéta-t-il en voyant Christina hésiter dans l'encadrement de la porte.

— La sentinelle m'a dit que vous étiez blessé et que vous aviez besoin de soins.

Durand dissimula son agitation de son mieux.

— Dame Oriel s'inquiète pour peu de chose.

— Dans ce cas, je m'en vais, dit Christina en tournant les talons.

— Non, restez.

Les mots lui échappèrent sans qu'il s'en rendît compte. Elle avait tressé ses cheveux avec un ruban ivoire assorti à son corsage. Sa jupe avait la couleur des blés mûrs et ne comportait ni dentelle ni broderie. Il avait besoin de sa présence, de la sérénité qui semblait toujours flotter autour d'elle comme une auréole.

— Vous êtes-vous encore blessé au bras ?

— Non. C'est ma main cette fois, dit-il en tournant la paume vers la lumière.

Elle traversa la salle d'un pas vif, avec un bref signe de tête à l'intention de la sentinelle.

— Les ampoules risquent de s'infecter, mon seigneur. Vous devriez porter des gants.

Elle ne le toucha pas.

— Je pense que vous devriez faire appel à maître Aldwin, ajouta-t-elle.

— Aldwin s'occupe du jeune blessé.

— Je ne peux vous soigner, messire. Maître Aldwin tient à ses privilèges, dit-elle en secouant la tête.

Elle posa rapidement un pot d'onguent sur la table, comme si c'était un serpent venimeux.

— Il désapprouve toute incursion dans son domaine.

— La position de maître Aldwin à Ravenswood dépend de mon bon plaisir. Il n'a pas votre talent.

Elle garda les yeux baissés, sans prononcer un mot.

— Asseyez-vous, ordonna-t-il.

Elle obéit, et il eut l'impression que quelque chose se dénouait à l'intérieur de sa poitrine. Il souleva le couvercle du petit pot d'onguent.

— Que contient ce baume, en dehors de la menthe ? demanda-t-il en la voyant plonger les doigts dans la préparation verte et odorante.

— De la patience et de l'huile d'amande douce.

Elle eut une brève hésitation avant de le toucher. Un frisson de désir parcourut le corps de Durand lorsqu'elle étala le baume sur la paume de sa main. Ses doigts légers l'effleuraient à peine, mais faisaient naître en lui des sensations étourdissantes.

Il se dit qu'il ne porterait plus jamais de gants.

Était-ce ce genre de sentiment qui avait poussé Marion à fauter ? Un désir incontrôlable pour un homme ? Feignant l'indifférence, il regarda les parchemins éparpillés sur le sol. Cela lui remit en mémoire l'inquiétude qui l'avait mené jusqu'ici.

Luke. Penne. Il fallait qu'il sache qui avait engendré Félicité. L'un d'eux l'avait peut-être trahi. Pouvait-il partir à la guerre avec un traître à ses côtés ? Était-ce là l'avertissement que le vieil Owen avait voulu lui lancer ?

Christina serra sa main plus fermement, lui massant la paume de son pouce. Il oublia sur-le-champ Luke, Penne, et la trahison de Marion. Il n'y avait plus que le contact de ses doigts, son parfum, son visage lumineux...

Il fronça les sourcils.

— D'où vient ce bleu ? demanda-t-il.

— Un bleu ? Je... j'ignorais que j'avais un bleu.

Il posa un doigt sur sa joue, juste sous l'œil.

— Avez-vous été frappée par un des brigands ?

Il comprit à son expression qu'elle était sur le point de dire un mensonge. Elle détourna les yeux, fixant le torque qu'il portait au cou.

— C'est probablement cela, messire.

— Je tuerais celui qui vous a fait ça, s'il n'était déjà mort.

Elle pâlit mais ne dit rien et pencha la tête, se concentrant sur son travail. Elle massa longuement pour faire pénétrer le baume dans la peau. Mais il savait qu'elle n'allait pas tarder à s'arrêter.

Il plaça son autre main sur la table. Sans lever les yeux, ni dire un seul mot, elle trempa de nouveau les doigts dans le pot et passa l'onguent sur sa main droite.

C'était Simon, bien sûr, qui l'avait frappée au visage. Pourquoi ? Parce qu'elle avait oublié sa besace et ses remèdes ? Ou parce qu'elle avait irrité Aldwin ? Quelle que soit la raison, Simon saurait avant le coucher du soleil que, s'il osait encore une fois brutaliser son épouse, il s'en repentirait amèrement.

Mais toute pensée concernant Simon s'évanouit lorsque Christina laissa glisser ses doigts le long de sa main, très lentement, en partant du creux du poignet. Il imagina la même caresse sur d'autres parties de son corps. Son cœur se mit à battre à tout rompre, son sexe se gonfla de désir.

Elle fit rouler la manche de sa chemise jusqu'à son coude.

— Votre blessure est parfaitement guérie, dit-elle.

Elle effleura du bout des doigts l'estafilade, encore un peu sensible. Puis elle s'intéressa de nouveau à sa main. Il n'y avait plus grand-chose à faire, mais elle étala encore une noisette de baume sur ses paumes et recommença de le masser. Il eut l'impression que tous ses nerfs étaient à vif.

— Christina…

Elle se leva d'un bond, frémissante.

— Sortez, ordonna-t-il à la sentinelle.

La porte se referma sur le garde et elle balbutia, égarée :

— Mon seigneur… je vous en prie. Renvoyez-moi… chez moi.

Il se leva et repoussa la table de côté.

— Vous renvoyer chez vous ? Je ne pourrais plus dormir si je vous savais dans *son* lit.

Le visage blême de la jeune femme s'empourpra tout à coup.

— Je vous en supplie ! Je n'ai jamais brisé mon vœu de fidélité. Ne me demandez pas une chose pareille.

— Je ne vous le demanderai jamais. Vous vous méprenez. J'ai passé ma vie à respecter les vœux que j'avais prononcés. Qu'il s'agisse de mon suzerain, de ma femme, de Dieu. Mais je ne veux pas que Simon vous touche.

Il tourna son visage vers la lumière et demanda :

— C'est lui qui vous a fait cela, n'est-ce pas ?

Elle soutint son regard en silence.

— Il n'est pas le seul mari à battre sa femme, mais... je ne vous renverrai pas chez lui. Je veux que vous restiez. Félicité a besoin de vous, et Marion n'aurait pas voulu que son enfant soit élevé hors de l'enceinte du château.

Pourquoi avait-il pris l'enfant comme excuse ? Pourquoi ne pas dire la vérité ? Au diable les conséquences...

Elle gardait les yeux fixés sur lui.

— Je vous désire, dit-il. Mais n'ayez crainte, je ne vous demanderai jamais de rompre vos vœux.

Il se rendit compte, alors qu'il prononçait ces mots, qu'il était sincère. Il y avait une douceur chez elle que la moindre tromperie détruirait sans l'ombre d'un doute.

Il lui tendit la main. Elle la regarda un instant, puis la prit en tremblant.

— Puis-je avoir votre parole, mon seigneur ?

— Oui, vous l'avez.

10

Christina retourna à pas lents dans la tour est. Elle ne savait plus où elle en était. Elle était destinée à vivre avec Simon, à porter ses enfants. Pourtant, ses pensées revenaient sans cesse à Durand. Il lui avait donné sa parole. Aurait-elle pu en faire autant, à sa place ?

Alice l'arrêta dans la grande salle.

— Maîtresse, puis-je aller au village ? La sage-femme dit que Rose va accoucher cette nuit. On aura peut-être besoin de moi.

— Naturellement, vas-y. Je prierai pour Rose.

La sage-femme qui l'avait assistée pendant son accouchement avait aussi assisté dame Marion. Et ses larmes à la mort de sa maîtresse avaient été sincères.

Seule dans sa chambre avec Félicité endormie, Christina déposa sa robe sur un banc et vaqua à ses occupations vêtue uniquement de sa chemise. Elle examina les bouquets de fleurs séchées sur la table, dans l'alcôve.

L'air était trop humide. Si le temps ne changeait pas, les fleurs risquaient de pourrir.

Elle entrouvrit les rideaux du lit et s'allongea sur les fourrures. Après avoir dit ses prières, elle se tourna sur le côté, ferma les yeux et ramena ses genoux devant elle. Elle avait toujours devant les yeux les mains de Durand, posées à plat sur la table. Elles n'étaient pas douces et soignées, comme celles de Simon. Non, les mains de Durand étaient rudes et calleuses…

Les battements de son cœur s'accélérèrent lorsqu'elle pensa à la façon dont elle l'avait touché. Elle l'avait massé trop longtemps. Trop familièrement. Elle changea de position, en proie à une intense nervosité.

Des hommes ivres passèrent devant sa porte en riant et parlant trop fort. La pluie battait contre les murailles et le bruit régulier était apaisant.

Le loquet se souleva avec un bruit métallique. Alice était déjà rentrée. Christina ne broncha pas, espérant que la vieille femme allait s'allonger sur sa paillasse sans chercher à engager la conversation.

Une volute de brouillard blanc, poussée par la brise, pénétra par les volets entrouverts. Les yeux mi-clos, Christina vit la brume s'approcher d'elle comme un esprit de la lande. Elle transportait le parfum de la forêt. *Son* parfum.

Quelqu'un traversa silencieusement la chambre. Ce n'était pas Alice.

Le cœur de Christina se mit à cogner à tout rompre.

Une main se posa sur son épaule nue. Une main rude et calleuse. Il la laissa glisser le long de son bras, et leurs doigts s'entrelacèrent.

— Je n'ai pas pu m'empêcher de venir, murmura-t-il en s'asseyant près d'elle.

Elle sentit son souffle tiède sur sa joue endolorie. Son corps viril irradiait de chaleur. Oubliant ses scrupules et sa honte, elle ramena leurs doigts entrecroisés vers ses lèvres.

Ses vœux de fidélité n'avaient aucune importance.

Plus rien n'avait d'importance.

Il lui prit le visage à deux mains et elle roula sur le dos pour mieux s'offrir. Sa bouche virile était chaude, ses baisers avides. Elle noua les bras sur sa nuque et arqua son corps vers lui. Il était nu sous sa chemise de lin. Il la fit glisser le long de ses hanches et par-dessus sa tête. Elle se souleva pour le sentir se presser contre sa peau nue.

Il était brûlant de désir. D'un geste, il jeta la chemise sur le sol. Christina laissa échapper un soupir qu'il avala dans un baiser. Un baiser d'une exquise douceur.

Tous les scrupules de la jeune femme s'envolèrent.

Ils demeurèrent immobiles. Son corps viril couvrait le sien. Chaque caresse de sa langue ou de ses lèvres faisait naître en elle un brasier. Elle ne se contrôlait plus.

Elle laissa ses mains s'aventurer le long de son dos, se plaquer sur ses reins. Il se pressa intimement contre elle.

L'orage grondait. La pluie ruisselait le long des murs de pierre. Une lave en fusion se répandait au plus secret d'elle-même.

Les lèvres viriles glissèrent sur sa gorge, sur son épaule, s'arrêtèrent sur la pointe gonflée et sensible de ses seins. Il les taquina du bout de la langue.

Elle cria son nom lorsqu'il s'insinua plus bas, lui prodiguant une délicieuse torture.

Ses doigts caressèrent l'intérieur de ses cuisses. Elle enfouit les doigts dans ses cheveux sombres, le pressant d'apaiser l'incendie qu'il provoquait. Mais il ne céda pas. Il embrassa ses cuisses, puis revint capturer ses lèvres.

Il avait le goût du fruit défendu. Le goût des lieux interdits au plus profond de la forêt.

Elle le connaîtrait entièrement avant la fin de la nuit. Ce serait peut-être la seule fois, mais elle le connaîtrait. Elle le repoussa sur le côté, explora ses hanches, ses cuisses, son torse, du bout des doigts, puis de ses lèvres.

Elle souleva docilement les hanches quand il glissa une main entre ses cuisses. La pluie battait contre l'appui de la fenêtre et le brouillard les enveloppait, mais rien ne pouvait apaiser la fièvre qui enflammait son corps. Il pencha vers elle sa tête brune, et elle enfouit les doigts dans sa chevelure. Lorsqu'il lui souleva les hanches pour attirer à ses lèvres le secret de sa féminité, elle sentit une onde de chaleur déferler dans ses veines. Il la taquina de la langue, mordilla le bouton qui détenait la clé de son plaisir. Une vague de jouissance enfla et se répandit dans tout son être.

Un éclair déchira le ciel, illuminant la chambre. Il leva les yeux et sourit. Ses dents blanches luisaient dans l'ombre.

Simon.

Ce n'était pas *lui*.

Elle hurla et se débattit. Un autre hurlement, puis elle roula sur le lit et tomba à genoux sur le sol...

— Christina !

Quelqu'un frappait à la porte. Elle demeura prostrée, haletante. Félicité cria.

Une main contre sa poitrine, elle s'assit sur le sol et regarda autour d'elle. Elle portait toujours sa chemise, trempée de sueur. Les coups à la porte redoublèrent. Les cris de Félicité étaient bien réels.

Elle se traîna à genoux jusqu'au berceau, prit l'enfant dans ses bras et enfouit le visage dans la couverture de laine qui l'enveloppait.

La chambre ne sentait pas la forêt ni le brouillard. Les seules odeurs étaient celles de la pluie et des pierres mouillées. Glacée jusqu'aux os, Christina tremblait de tous ses membres.

— Christina! Ouvrez!

La sentinelle. Elle se leva, les jambes flageolantes, et entrouvrit la porte.

— Vous êtes malade? Blessée?

— Non, répondit-elle d'une voix rauque. J'ai fait un rêve.

Son visage s'embrasa et elle rectifia:

— Un cauchemar. Pardonnez-moi de vous avoir dérangé.

— Voulez-vous que j'appelle Aldwin?

— Non, non. Retournez à votre poste. Je me sens bien, à présent.

Elle referma la porte et serra le loquet si fort que le métal lui entama la chair. La douleur était bien réelle. Félicité, qui tétait avec avidité, était bien réelle. Les gouttes de lait tiède qui roulaient sur sa poitrine étaient bien réelles.

Elle déposa Félicité sur le lit et ôta sa chemise qui lui collait à la peau. Elle se sécha vivement, puis inspecta ses cuisses à la lueur d'une bougie. Sa peau était lisse et ne portait aucune trace.

Elle se recoucha, en tenant l'enfant serrée contre sa poitrine. Félicité tétait toujours, et elle ramena douillettement les couvertures autour d'elles. Son corps tremblait encore et les battements de son pouls faisaient écho aux roulements du tonnerre.

Comment avait-elle pu faire un tel rêve? Ses vœux de mariage avaient-ils donc si peu d'importance?

La pluie cessa enfin et le silence enveloppa le château. Mais elle ne trouva pas le sommeil.

Durand dormit peu. Il se leva bien avant l'aube, décidé à régler au moins l'un de ses problèmes. Un garçon d'écurie l'accueillit en bâillant et se mit à bavarder joyeusement en préparant Maraudeur. Durand ne put s'empêcher de sourire tandis que le gamin continuait ses commentaires, s'extasiant sur l'épée de son maître, sur la taille de ses bottes, ou sur la tête de corbeau qui ornait la poignée de sa dague. Grâce à lui, sa mauvaise humeur se dissipa et son envie de meurtre disparut.

Il entra dans la boutique de Simon sans prendre la peine de frapper. Après tout, toutes les maisons du village lui appartenaient, même si les occupants lui payaient un loyer.

Il grimpa l'échelle qui menait à l'étage. La pièce était remplie de caisses et d'étagères. Une chandelle de suif éclairait faiblement l'espace. Mais Durand put apercevoir une paillasse contre un mur, à côté d'un coffre. Il régnait dans la chambre la même odeur que dans la boutique, mêlée à quelque chose d'autre. Une odeur de sueur...

De la pointe de sa botte, il poussa le bras nu d'une femme qui dépassait des couvertures. La fille de l'aubergiste se dressa et s'assit sans prendre la peine de couvrir sa poitrine nue. Elle rejeta son abondante chevelure blonde derrière son épaule.

— Mon seigneur, dit-elle avec un petit sourire.

— Dehors.

Le sourire d'Agnès s'évanouit. Il lui lança sa robe. Elle se leva pour l'enfiler, saisit ses sabots et gagna l'échelle.

— Oui, mon seigneur, marmonna-t-elle en descendant rapidement dans la boutique.

Simon s'éveilla en sursaut et s'agenouilla sur la paillasse. Durand tira sa dague de sa ceinture et la projeta d'un coup sec vers le marchand. La dague transperça la manche de la chemise, plaquant Simon contre le mur.

— Messire ! hurla le marchand.

Il passa la main derrière lui pour se libérer et cria de nouveau lorsque ses doigts rencontrèrent la lame tranchante du poignard.

— Sainte Marie, mère de Dieu ! s'écria-t-il.

Durand s'approcha de l'homme agenouillé.

— Mon seigneur, que se passe-t-il ? Quel mal vous ai-je fait ?

Durand se baissa. Il posa une main sur la poignée de la dague et, de l'autre, serra la gorge de Simon.

— Quel mal tu as fait ? À part briser tes vœux de mariage et battre ta femme ? Je ne vois rien d'autre, Simon.

— Je vous en prie, mon seigneur. Je vous en prie, laissez-moi vous expliquer…

Son visage était tordu de frayeur, il était aussi terrifié que si un ours sauvage l'avait attaqué. Durand sentit son pouls battre à grands coups sous ses doigts.

— Je peux tout expliquer. Je le jure !

Mais Durand resserra les doigts sur sa gorge, le réduisant au silence.

— Non, Simon, il est inutile de t'expliquer. Tu es simplement mon marchand et tu viens d'obtenir une licence très lucrative. Elle peut te rapporter une fortune, à condition que tu te comportes correctement avec moi et avec les miens.

Simon hocha vigoureusement la tête.

— Ah, je vois que tu comprends. Laisse-moi juste te dire une chose : l'aubergiste est mon locataire et j'imagine qu'il tient à rester dans mes bonnes grâces.

Simon hocha de nouveau la tête et s'humecta les lèvres.

— Ne touche plus jamais à ta femme. Tu m'entends ? On dit qu'Agnès a la vérole. Si c'est la première fois que tu couches avec elle, tu auras peut-être de la chance. Mais si tu l'emmènes chaque soir dans ton lit, tu découvriras bientôt que ce que je dis est vrai. Il n'est pas question que tu passes cette maladie à ton épouse. Elle ne pourra pas servir les dames de mon château si elle est malade.

Durand reprit sa dague et se releva. Il passa le doigt sur la lame, l'air songeur.

— Si tu maltraites ce qui m'appartient, tu peux dire adieu à ta licence.

Simon demeura figé, comme s'il était encore cloué au mur.

— Oui, mon seigneur, oui. Mais il faut que vous sachiez que Christina n'est pas un ange. Elle a laissé messire Luke la toucher…

Durand eut un haut-le-corps.

— Luke ?

Son frère avait peut-être séduit Marion. Avait-il aussi séduit Christina ? Non, c'était impossible.

Simon insista :

— C'est la vérité, mon seigneur. Je ne pouvais rien dire à messire Luke. C'est à une femme de préserver sa vertu, n'est-ce pas ? Ils se sont presque embrassés sous mes yeux, mon seigneur.

Durand descendit le long de l'échelle et regagna l'air frais. Il ne regarda pas si Simon l'avait suivi et ne répéta pas ses avertissements. Il prendrait plaisir à le tuer s'il désobéissait.

Durand évita de traverser la grande salle où il risquait de rencontrer Luke, ou Penne. Il se rendit directement dans le repaire d'Aldwin. Son esprit était fixé sur les trahisons qu'il avait à redouter. Luke, peut-être. Penne, bien que ce soit moins vraisemblable. Et Simon.

Glacé par ces pensées, il s'obligea à réfléchir à l'attaque des brigands. Que cherchaient-ils ? Étaient-ils uniquement attirés par l'espoir de voler les vêtements luxueux et les bijoux de l'évêque ?

Le garçon était à la même place que la veille. Sa tête roulait de droite à gauche et il marmonnait des mots sans suite.

— Qu'as-tu fait de ses vêtements ? demanda-t-il à Aldwin.

— Je les ai mis dans le cellier vide, avec ceux des morts.

— Demande au père Odo de faire enterrer les victimes.

Fuyant l'air vicié de la pièce, il s'enfonça dans les profondeurs du château. De l'eau suintait sur les parois du cellier. Il vit tout de suite l'amoncellement de vêtements et de sacs contre un mur.

Il les examina un à un, plus dans le but de s'occuper l'esprit que dans l'espoir de découvrir quelque chose. Tout ce qui avait quelque valeur avait été dérobé par les brigands. Il ne restait que les uniformes des soldats de l'escorte et les soutanes en tissu grossier des moines qui accompagnaient l'évêque. Les sacs ne contenaient que quelques quignons de pain et les restes d'un repas frugal.

Un objet assez lourd s'échappa d'une tunique et tomba sur le sol avec un bruit mat. Durand souleva la tunique de laine et aperçut un paquet enveloppé dans un linge taché de sang. La tunique devait appartenir au jeune homme.

Il y avait une large tache de sang au niveau du cœur, à l'endroit où une lame avait fendu le tissu.

Avec des gestes lents, il défit le paquet. Celui-ci contenait l'herbier d'Aelfric qu'il avait donné à Christina.

— Qu'as-tu trouvé ? demanda Penne en faisant irruption dans la pièce.

— Mon herbier, dit-il, abasourdi. Je suis sûr que c'est le mien. Regarde, cette page était détachée.

Il la revit s'échappant du volume et atterrissant sur le sol, dans la chambre de Christina.

— Et là, je reconnais cette petite coupure dans le cuir de la reliure.

— Que fait-il ici ?

— Suis-moi, ordonna Durand en retournant dans la pièce où se trouvait le garçon.

Il rabattit la couverture pour s'assurer que la blessure était au même niveau que la déchirure dans la tunique. Le garçon passa la langue sur ses lèvres et ouvrit les yeux.

— Mon père ?

— Je vais envoyer chercher le prêtre, lui dit Durand d'un ton rassurant.

Il remplit un gobelet d'eau et, avec l'aide de Penne, souleva le garçon pour le faire boire. Celui-ci avala une gorgée, puis retomba en arrière. Son visage était gris, sa respiration haletante.

La lame était passée à côté du cœur et n'avait pas touché les poumons, sans quoi le garçon serait mort sur le coup.

Durand entendit Aldwin s'agiter derrière lui.

— Combien de chances a-t-il de s'en sortir ? demanda-t-il.

Aldwin haussa les épaules en signe d'ignorance.

— Il dort et se réveille, dort et se réveille... Sa plaie s'est infectée.

Durand tapota la joue du jeune homme, qui ouvrit les yeux. Ses iris étaient bleus, mais le blanc était jaunâtre et injecté de sang. Il s'humecta les lèvres et Durand vit une petite traînée de sang au coin de sa bouche.

— Connais-tu ceci ? questionna-t-il en tenant l'herbier à hauteur de son visage.

— C'est... c'est à l'évêque.

— À l'évêque? répéta Durand en regardant Penne.

Le garçon frissonna, leva une main tremblante et se mit à pleurer.

— Il m'a ordonné de le lui apporter. Il me l'a ordonné...

Durand prit sa main glacée et songea aux recommandations de Christina. Celles-ci n'avaient pas été suivies.

— L'évêque t'a demandé de lui apporter l'herbier d'Aelfric? Je ne comprends pas.

Le guérisseur poussa une exclamation et se rapprocha de la table.

Le garçon agrippa la tunique de Durand et se mit à pleurer. Ses sanglots secouèrent son corps frêle.

— Non. Mon père. Il m'a ordonné d'apporter le livre... à l'évêque. Y a-t-il un prêtre? Il... il dit que je vais mourir. Pouvez-vous aller chercher mon père?

Aldwin voulut protester, mais Durand lui lança un regard qui le réduisit au silence.

— Va chercher le père Odo.

Aldwin détala sans discuter. Durand glissa la main du mourant sous la couverture.

— Le prêtre va venir. Tu dois tout lui dire. Soulage ta conscience avant de comparaître devant Dieu.

Le père Odo ne tarda pas à arriver. Durand et Penne se tinrent un peu à l'écart, écoutant la confession du garçon.

Celui-ci ne faisait pas partie, comme ils l'avaient cru, de l'escorte de l'évêque. Il avait revêtu l'uniforme des gardes afin de l'approcher pour lui donner le livre d'Aelfric. Le garçon expliqua entre deux sanglots que l'évêque en avait offert à son père trois bagues serties de pierres précieuses, salaire digne de la rançon d'un roi.

— Je ne comprends pas, dit Durand lorsque le prêtre eut donné sa bénédiction au garçon. Ton père a vendu mon livre à l'évêque?

Les lèvres du garçon étaient d'une pâleur mortelle. Il tremblait de fièvre.

— Oui.

— Dis-moi qui est ton père, demanda doucement Durand.

Le père Odo s'avança, ajoutant d'une voix menaçante:

— Tu dois nous le dire, car ton père est un voleur.

Durand lança au prêtre un regard noir, mais il était trop tard. Le garçon se mit à pleurer et balbutia :

— Je... je ne vous le dirai pas.

Durand ramena la couverture autour de lui, comme l'avait fait Christina. L'enfant semblait sur le point de mourir. Sa tête roula de droite à gauche et il lança des regards égarés autour de lui.

— Bénissez-moi, mon père, car j'ai péché, murmura-t-il.

Le père Odo fit un signe de croix au-dessus de sa tête. Durand croisa son regard et le prêtre secoua brièvement la tête. Penne s'approcha et lui murmura à l'oreille :

— Tu ne trouves pas que ce pauvre garçon ressemble à notre marchand ?

Le garçon mourut dans l'heure suivante. Durand et Penne gagnèrent la salle des comptes.

— Penne, n'as-tu pas trouvé que ces brigands étaient trop bien habillés, pour des hommes vivant dans la forêt et habitués à détrousser les voyageurs ?

Penne hocha la tête, pensif.

— En effet. Leurs armes étaient fort belles et leurs chevaux bien nourris.

— Je me dis qu'ils n'ont pas choisi leurs victimes au hasard. Je regrette que nous n'ayons pas capturé un de ces hommes pour l'interroger.

— L'évêque était-il un personnage assez influent pour que quelqu'un veuille le tuer ?

— L'Église n'est pas concernée par la guerre que se livrent en ce moment John et Philippe.

Reportant ses pensées sur le livre qu'il tenait à la main, il alla ouvrir le coffre et contempla les parchemins et les volumes disposés à l'intérieur. Il déposa l'herbier au sommet de la pile et prit le livre d'Aristophane. Celui qui avait pris l'herbier connaissait sa valeur. Car l'Aristophane, avec ses dorures, semblait plus précieux que ce vieux volume usé.

— Tu trouves que le garçon ressemblait à Simon ?

— Oui, dit Penne en se servant un verre de vin. Mais je me fais peut-être des idées. Le marchand n'a pas d'enfant, à ma connaissance.

— Un bâtard, peut-être ? suggéra Durand. Mais comment Simon aurait-il pu mettre la main sur ce livre ? Ou même connaître son existence ?

— Quelqu'un a dû le lui donner.

Christina.

Elle connaissait la valeur de l'objet. Mais elle l'avait rendu à Luke.

Il s'assit sur le banc et s'absorba dans la contemplation des flammes. La pensée qu'elle ait joué un rôle dans le vol de ce livre le peinait autant que ses soupçons au sujet de Luke.

Durand n'alla pas interroger Simon sur l'identité du garçon. Quelques instants plus tard, il s'agenouillait dans la grande salle pour accueillir son suzerain.

— Tous les présages sont favorables, déclara le roi John quand Durand se releva. Il fait un temps idéal et nos navires sont prêts. Mais nous attendrons l'arrivée de William Marshall pour décider comment lancer notre offensive.

Le roi se tourna et tendit la main à une petite femme mince qui se trouvait derrière lui.

— Je tiens à vous présenter dame Nona, la fille aînée du seigneur Jean de Braisie et veuve de lord Merlainy.

Durand salua. La fille de Jean de Braisie... Ses domaines, situés dans le sud de l'Angleterre, étaient immenses. Il possédait également des terres en Aquitaine.

— Madame, murmura-t-il en lui baisant la main.

Elle n'avait pas plus d'une vingtaine d'années. Un teint rose et éclatant de santé, des yeux verts comme du péridot. Les mèches qui dépassaient de sa coiffe étaient d'un brun fauve.

— Vous pouvez aller, ma chère, dit le roi lorsque Oriel vint chercher la jeune veuve pour l'emmener dans le salon des dames.

Il désigna un siège à Durand et continua :

— Recevez nos condoléances pour la perte de votre chère Marion. Nous l'aimions beaucoup.

Durand inclina la tête. Le roi lui tendit un anneau d'or serti de pierres bleues.

— Vous donnerez ceci à votre fils Adrien.

— Je vous remercie, sire, répondit Durand en glissant l'anneau à son doigt. Dame Nona est-elle sous votre protection ?

— Oui, jusqu'à ce qu'elle ait trouvé un nouvel époux.

Durand avait donc bien deviné les intentions du roi : dame Nona lui était destinée.

— Ah ! s'exclama le roi en se levant vivement. Un de nos petits oiseaux préférés !

Il tendit la main et dame Sabina s'agenouilla pour l'embrasser.

— Que fait ici ce charmant rossignol ? Non, non, mon enfant, ne dites rien. Vous êtes à la recherche d'un époux.

Dame Sabina rougit légèrement et regarda Durand, qui se contenta d'arquer un sourcil. Le roi prit la main de Sabina, et un serviteur se hâta de placer un tabouret pour elle à côté de son fauteuil.

— Vous ferez une épouse charmante, Sabina, mais nous ne pensons pas que ce baron soit un mari pour vous, expliqua le roi avec un geste en direction de Durand. Lord Luke n'est pas marié, et à son âge ce n'est plus tolérable.

Il fallut ensuite endurer un interminable repas, puis une soirée de chansons et de musique. Les musiciens du roi étaient les meilleurs du royaume, et dame Nona avait une très jolie voix. Pas aussi jolie toutefois que celle de la jeune reine Isabelle.

Durand écouta les conversations sans y prendre part, se contentant d'opiner du chef quand le roi émettait une opinion. Il avait trop de préoccupations en tête. Le jeune garçon mort, le vol de son herbier, la trahison de Marion, les deux femmes qui se disputaient sa main, et enfin un désir obsédant pour Christina Le Gros.

Y avait-il une ressemblance entre Simon et le garçon, comme le prétendait Penne ? À vrai dire, Durand n'en savait rien. Il ne voyait de similitude que dans la couleur des yeux et des cheveux.

Son regard se posa sur Nona, qu'il salua d'une inclination de tête. La possibilité d'une union avec elle fit surgir un terrible conflit dans son cœur. Ses possessions compenseraient largement la perte de ses domaines en Normandie, si le roi échouait là-bas. Mais cela placerait également un immense pouvoir entre ses mains.

Le choix que John avait fait pour lui soulevait une myriade de questions. Pourquoi lui destinait-il une épouse aussi puissante, s'il doutait de sa loyauté ? Car si John ne lui accordait pas la ceinture de comte, cela signifiait qu'il nourrissait toujours des soupçons à son égard.

11

Penne proposa une partie de dés. Durand saisit ce prétexte pour s'échapper et discuter avec lui de la ressemblance entre Simon et le garçon. Mais Penne orienta la conversation dans une autre direction.

— Nous avons donc deux prétendantes pour toi. Tu dois être flatté. Dame Nona est un excellent parti.

— Oui. Mais pourquoi elle ? J'ai l'impression que le roi agite un hochet devant mes yeux. Quand je tendrai la main pour l'attraper, il le retirera.

— Tendras-tu la main ?

Durand observa le roi de loin. Petit, les lèvres minces, il était entouré de ses favoris. Des hommes qui n'étaient pas de sang royal, mais en qui il plaçait sa confiance.

— Il est changeant comme une girouette, mais je ne suis pas idiot.

— Nona est séduisante, insista Penne.

Il retourna le gobelet à dés et le balança d'une manière suggestive, imitant le mouvement d'une jupe de femme.

— Il m'importe peu qu'une épouse soit séduisante, rétorqua Durand en fronçant les sourcils.

Que cachait l'attitude de Penne ? Cette union lui fournirait un prétexte pour éviter de prendre les armes contre Philippe. Mais Penne ne voulait-il pas qu'ils récupèrent leurs possessions en France ? S'il restait en Angleterre avec une épouse bien dotée, il ne pourrait rendre ce service à son ami.

Penne tapota la table pour ramener son attention vers lui.

— Si tu es malin, tu pourras négocier la présence de maîtresse Le Gros à tes côtés, dans ton contrat de mariage.

Cela s'est déjà vu. Une épouse peut tolérer l'existence d'une maîtresse officielle.

— Je te demande pardon?

— Allons. Tu regardes la femme du marchand comme si tu allais la dévorer. Si Marion était encore vivante, elle chasserait cette femme sur-le-champ. Le désir transparaît dans ton regard. Tu ferais mieux de ne pas le montrer devant Nona.

Les dés roulèrent bruyamment sur la table. Durand eut soudain la gorge sèche. Était-il aussi transparent que le verre?

— Je n'ai pas l'intention de...

— Ne mens pas, répliqua Penne en se penchant en avant.

Durand se rembrunit. Si c'était Penne qui l'avait trahi, il n'avait pas le droit de se moquer de lui de cette façon.

— J'admets qu'elle est agréable à regarder.

— Eh bien, prends-la si elle te plaît. Je la soupçonne d'éprouver le même désir que toi. Mais regarde...

Il eut un geste vers l'assemblée.

— Elle est assise près de Luke. C'est lui qui la mettra dans son lit si tu ne le fais pas.

Durand fit passer son regard de Penne à Luke. Puis de Luke à Penne. Marion lui avait souvent reproché de ne pas avoir les qualités de son frère... ou de son ami.

L'humour. La patience.

Il songea aux accusations que Le Gros avait formulées contre Luke et Christina. Y avait-il quelque chose entre eux?

— Tu penses que Luke a des vues sur elle? demanda-t-il avec une feinte indifférence.

Penne haussa les épaules.

— Elle n'encourage pas les hommes à lui faire des avances. C'est l'image même de la modestie. Mais elle est bien tournée et, si tu veux mon avis, son mari ne partage pas souvent sa couche. Tu devrais offrir à Le Gros une somme d'argent pour la lui reprendre.

Durand secoua la tête.

— Comment Oriel peut-elle te supporter?

— Comment puis-je faire quoi? demanda Oriel en approchant de la table.

Elle ramassa les dés et les embrassa avant de les rendre à Penne.

— Comment pouvez-vous supporter cet homme ? dit Durand d'un ton faussement léger.

— Toutes les femmes le trouvent *supportable*, Durand. À cause de ses yeux bleus, je présume. Ne disais-je pas justement aujourd'hui que c'était lui que Marion aurait choisi ?

Oriel se percha sur les genoux de son époux.

— Je pense qu'elle m'enviait. Je ne dis pas cela pour diminuer votre valeur, Durand.

— C'est moi qui n'avais pas la valeur de Durand, rectifia Penne en souriant.

— Ce qui par chance te rendait parfait pour moi, la fille la plus jeune et donc la moins importante des deux.

— Vous êtes très importante à mes yeux, déclara Durand. C'est une bénédiction de vous avoir ici.

— Vous êtes bon. Mais j'ai toujours éprouvé le besoin de surveiller Penne à chaque seconde, de crainte que Marion ne me le prenne.

— Ou bien que je la prenne, moi, dit Penne en embrassant Oriel dans le cou.

Durand se leva si brusquement qu'il renversa son fauteuil.

— Excusez-moi. Il faut que je demande à Joseph où il a installé mon matelas pour la nuit.

Le lendemain matin, tout le monde se pressa dans la grande salle pour voir le roi. Ce dernier ne resta pas au lit avec sa jeune épouse, négligeant ses devoirs de souverain, comme il l'avait fait l'automne précédent. Non, il arriva le premier dans la salle, juste après Durand. Très vite, les barons les rejoignirent et s'installèrent de part et d'autre de la longue table.

Christina prit place au milieu des femmes de moindre rang et se mit à coudre avec application, s'arrêtant parfois pour donner le sein à Félicité. Elle aurait dû se sentir reposée, car l'enfant avait dormi à poings fermés toute la nuit. Mais elle était épuisée. Elle essaya, sans succès, d'ignorer les bavardages des suivantes qui entouraient la très jeune et très jolie reine Isabelle.

— Maîtresse ? demanda Luke en s'asseyant à ses pieds. Pourquoi votre joli visage est-il si sombre, aujourd'hui ?

Elle ne put s'empêcher de lui sourire.

— Parce que cet ouvrage est difficile.

— Je ne suis pas une dame et je ne connais rien aux travaux d'aiguille, mais il me paraît assez simple. Pourquoi me cachez-vous la vérité ?

— Pardonnez-moi, dit-elle doucement. La perspective de la guerre me rend soucieuse.

— Oui. Nous attendons l'arrivée de William Marshall et d'une nouvelle galère. Ensuite, nous partirons.

— Si vite ? Vous serez…

Elle s'interrompit en voyant l'une des dames de compagnie de la reine s'approcher.

— Je vous présente dame Nona, dit Luke.

Christina se leva et salua d'une profonde révérence.

— Dame Nona, voici une personne qui répand sur nous de délicieux parfums… Christina Le Gros.

— Est-ce la fille de messire Durand ? s'enquit dame Nona en se penchant sur le couffin de Félicité.

— Oui, madame.

— Elle est ravissante.

Luke sortit Félicité du couffin et la déposa dans les bras de Nona.

— Elle est ronde comme une caille et aussi belle que l'était sa maman. Grâce à Dieu, elle ne ressemble pas à Durand !

Il s'interrompit et examina Félicité.

— Est-ce qu'elle perd ses cheveux ? Elle est presque chauve.

Dame Nona éclata de rire.

— Dans quelques années, vous serez content si vous en avez autant qu'elle !

Luke se toucha le crâne et fronça les sourcils d'un air inquiet.

Dame Nona serra le bébé dans ses bras. Ses cheveux d'un blond foncé étaient retenus en arrière par un diadème d'or et d'argent orné de petits carrés d'émail bleu. Sa robe couleur bronze recouvrait une fine tunique de lin bleu ornée de riches broderies. Sa ceinture était la réplique du diadème.

— Avez-vous des enfants ? demanda Luke en croisant les bras.

Christina songea qu'il n'avait jamais été aussi beau. Ses cheveux dorés, si épais qu'il les garderait encore au moins vingt ans, resplendissaient dans les rayons de soleil qui filtraient par la fenêtre. Sa tunique et sa lourde ceinture de cuir mettaient en valeur la finesse de sa taille.

— Non, à mon grand regret, messire, répondit dame Nona. Puis-je aller promener celle-ci dans les jardins du château ?

La question s'adressait à Christina. Comment refuser quoi que ce soit à la dame de compagnie de la reine ?

— Certainement, madame.

Nona sourit et s'éloigna avec l'enfant. Luke la suivit des yeux.

— Le roi souhaite qu'elle devienne l'épouse de Durand.

L'épouse de Durand ? La gorge de Christina se serra douloureusement. Elle posa les yeux sur le couffin vide, à ses pieds. La future épouse de Durand devait prendre sa place au château... Ses yeux s'emplirent de larmes brûlantes.

Messire Durand ne pouvait être qu'un rêve pour elle.

— Christina ? Auriez-vous une lotion pour mes cheveux ?

— Vos cheveux ? répéta-t-elle en contemplant le visage inquiet de Luke.

— Oui. Y a-t-il quelque chose pour les faire pousser, ou les empêcher de tomber ?

— Les empêcher de tomber ? Je crois que dame Nona voulait seulement vous taquiner.

Rien ne pourrait l'empêcher, elle, de perdre Félicité, songea-t-elle en regardant le bébé s'éloigner dans les bras de la future épouse de Durand.

— J'ai remarqué un changement, là, dit Luke en se tapotant les tempes.

Il fallait qu'elle s'échappe de ce château, dans lequel elle ne serait jamais qu'une servante.

— Je peux préparer une lotion, mais elle sent si mauvais que vous devrez choisir entre vos cheveux et vos amoureuses.

Sur ce, elle le planta là et partit à la recherche d'Alice. Celle-ci était occupée à trier des coupons de soie avec

139

dame Sabina. Elle avertit Alice qu'elle allait travailler au jardin.

Mais ce n'est pas vers le jardin de dame Marion que ses pas la menèrent. Cet espace ne lui appartenait pas, pas plus que Félicité et cette vie au château. Elle se retrouva sur le chemin qui menait au village. Arrivée à l'endroit où la route formait une fourche, elle hésita un moment, contemplant les diverses directions possibles. Portsmouth, d'où les hommes embarqueraient pour aller en France. Le village et Winchester. Et enfin, la forêt. Elle opta pour la forêt.

En quelques minutes, elle quitta le royaume des hommes pour se retrouver dans celui de Dieu. Un air frais l'enveloppa, elle se sentit accueillie dans l'écrin de verdure comme si elle arrivait enfin chez elle. Félicité n'aurait pas besoin de téter avant plusieurs heures, et elle s'enfonça entre les arbres avec bonheur.

Elle parvint dans la clairière où Luke et les hommes l'avaient accompagnée. Elle s'assit sur la souche et offrit son visage aux maigres rayons de soleil qui transperçaient les branchages. On n'entendait que le bruit cristallin de la rivière et les cris des animaux qui habitaient la forêt. Christina ôta son serre-tête de cuir et sa coiffe, laissa ses cheveux retomber dans son dos et les peigna à l'aide de ses doigts.

Des nuages obscurcirent le ciel, le vent se leva et fit voleter les bords de sa jupe. La brume s'éleva en volutes au-dessus de la rivière et flotta vers elle en tourbillonnant lentement. Elle accueillit avec plaisir la caresse de ce voile blanc qui assourdissait tous les bruits.

Le cliquetis d'un harnais résonna derrière elle. Elle se tourna et découvrit Durand sur son cheval noir, tel un esprit surgi du brouillard.

— Êtes-vous réel? demanda-t-elle en se levant. Ou bien ai-je fait apparaître votre image sans le vouloir?

Il passa une jambe devant lui et se laissa glisser sur le sol, puis accrocha les rênes à une branche basse.

— Je suis réel. Mais puis-je espérer que vous me feriez apparaître, si je ne l'étais pas?

Elle se rassit, en songeant avec confusion à ses cheveux épars sur ses épaules. Mais sa coiffe était froissée et elle n'avait plus le temps de la remettre.

Il fit le tour de la clairière, chassant le brouillard de ses bottes. Elle l'observa en silence. Avec son pourpoint vert foncé, il ressemblait à une créature de la forêt, se confondant avec les ombres et les feuillages.

Puis il vint se camper devant elle.

— Les forêts grouillent de brigands, l'avez-vous oublié ?

— Oui, mon seigneur. Je dois avouer que j'avais autre chose en tête.

— Et quelles sont ces choses qui vous font négliger le danger ?

Ses joues étaient ombrées de barbe. Son front était plissé – de colère ou d'inquiétude, elle n'aurait su le dire. Mal à l'aise, Christina se détourna.

— Des choses qui n'ont guère d'intérêt pour un homme comme vous, messire.

À son grand étonnement, il n'insista pas. Il portait un anneau à la main gauche, un bijou trop fragile pour un guerrier comme lui, mais qui ferait sans doute un joli cadeau pour sa fiancée.

— J'ai une question difficile à vous poser, Christina.

— Une question, messire ? Je vous écoute.

Sa gorge se serra. Allait-il lui demander d'être sa maîtresse ? Ou bien respecterait-il la promesse qu'il lui avait faite ? Et s'il lui demandait tout de même... que dirait-elle ?

Grâce au Ciel, elle avait pris ce matin deux doses de potion, dans laquelle elle avait rajouté des épines d'aubépine pilées pour rendre son caractère moins aimable et décourager les avances.

Durand continua d'arpenter la clairière en silence, le bruit de ses pas étouffé par un épais tapis d'aiguilles de pin.

Finalement, il vint s'accroupir devant elle et posa une main sur son genou.

— Votre époux a-t-il un fils ?

Les joues de Christina s'enflammèrent.

— Je ne comprends pas ce que vous voulez dire. Nous n'avons pas d'enfant.

— Je voulais dire, a-t-il eu un fils d'une autre femme ?

Christina baissa la tête et acquiesça.

— Oui, il a un fils qui doit avoir quatorze ou quinze ans.

— Je vois, murmura-t-il en posant légèrement sa main sur celle de la jeune femme. Je pense que le jeune garçon qui a été tué par les brigands était le fils de Simon.

— Non, non! Ce n'est pas possible. Il vit à Winchester…

— Ne ressemblait-il pas à votre époux?

Elle secoua énergiquement la tête.

— Non, messire.

— Vous nous avez pourtant demandé s'il ne nous rappelait personne.

— En effet. Il vous faisait penser aux amis de votre fils et moi, à un enfant innocent. En le voyant, j'ai songé à Félicité, mon seigneur, tout simplement.

L'expression de Durand s'adoucit.

— En effet, il avait les joues imberbes d'un enfant innocent. Mais il ressemblait à votre mari.

— Vous vous trompez, messire. C'est impossible, protesta-t-elle en froissant sa coiffe sous ses doigts. Oh, si vous aviez raison, quel malheur… Simon…

Elle ne put finir sa phrase. Ce garçon était si important pour Simon. Il était aussi la preuve que son époux n'était pas stérile et que la faute lui revenait.

Le cœur au bord des lèvres, elle se leva.

— Je dois… je ne sais pas quoi faire… Félicité a besoin…

— Nous nous occuperons d'elle plus tard. Asseyez-vous. J'ai des questions à vous poser.

Un frisson glacé lui parcourut le dos. Les doigts crispés sur sa coiffe, elle se rassit.

Non, le fils de Simon ne pouvait pas être mort…

Les yeux gris de Durand s'assombrirent. Son visage se ferma. Il demeura près d'elle, un genou en terre, mais sans la toucher.

— Quelles questions, messire?

— Connaissiez-vous le fils de Simon?

Elle secoua vivement la tête et regarda ses mains.

— Non.

Durand savait qu'il allait lui causer de la peine, une peine immense. Bien qu'il ait prévu d'être direct, il ne pouvait lui poser tout de suite la question la plus importante. Elle était trop pâle.

— Supposons un moment que j'aie raison et que le garçon ait bien été le fils de Simon. Savez-vous pourquoi il accompagnait l'évêque ?

— Non, encore une fois, je n'ai jamais rencontré son fils. Je sais seulement qu'il s'appelle Hugues, chuchota-t-elle. C'était aussi le nom du père de Simon. Il vivait... il vit à Winchester avec sa mère. Mais je n'ai pas... Simon l'a toujours tenu à l'écart.

— Comment connaissez-vous son existence ?

Son visage très pâle s'empourpra et elle continua dans un chuchotement :

— C'est Simon qui me l'a révélée. Après la mort de notre première fille. Le garçon avait dix ans, je crois, à cette époque. Je ne suis mariée avec Simon que depuis neuf ans, aussi je n'avais pas à poser de questions sur ce qu'il...

— Sur ce qu'il préférait garder dans l'ombre ?

Durand se leva et traversa la clairière d'un pas vif, balayant la nappe de brouillard.

— Oui, messire. Ne le condamnez pas. Auriez-vous parlé de vos bâtards à dame Marion ?

Il fit brusquement volte-face.

— Je n'ai pas de bâtards, maîtresse Le Gros. Voyons, savez-vous comment Hugues s'est retrouvé dans l'escorte de l'évêque ?

Elle leva la tête vers lui.

— Cela prouve bien qu'il ne s'agit pas du fils de Simon, messire. Hugues travaille chez un boulanger à Winchester, je crois. Comment un garçon comme lui aurait-il pu obtenir une position chez l'évêque ?

— S'il ne faisait pas partie de la suite de l'évêque, quelqu'un a pu soudoyer les gardes pour lui permettre de se glisser parmi eux.

Christina se leva et alla vers lui. Ses cheveux tombèrent sur son épaule.

— Que voulez-vous dire ?

— Le garçon a dit que son père avait vendu l'herbier à l'évêque. Il était là pour le lui transmettre.

— L'herbier d'Aelfric ?

Elle le regarda un moment, l'air éberlué. Durand ressentit une vague de soulagement. Si Simon avait volé le livre, elle ne l'avait pas aidé.

— Oui, dit-il en lui posant légèrement la main sur l'épaule. Simon savait-il que j'en possédais une copie ?

— Il n'aurait pas pris votre livre ! protesta-t-elle. Non, messire, non. Pourquoi aurait-il fait cela ? Vous vous trompez.

— Il aurait pu en retirer une somme rondelette. Savait-il que je possédais ce livre ?

— Il l'a vu dans ma chambre, avoua-t-elle dans un murmure.

— Allons questionner Simon au sujet de son fils.

Durand se reprocha intérieurement de ne pas livrer le fond de sa pensée. Pourquoi n'était-il pas plus direct ? Parce qu'elle était sur le point de s'évanouir... Elle vacilla sur ses jambes et il lui prit les épaules pour l'aider à garder son équilibre. Elle lui parut très frêle.

— Venez. Je vous emmène chez votre époux.

Durand l'aida à monter sur Maraudeur et prit place derrière elle. Il l'encercla de ses bras, mais elle demeura très droite, ne cherchant aucun réconfort contre lui.

Oubliant le désir qui le torturait, il lui passa un bras autour de la taille et l'attira contre sa poitrine. Elle frissonna, puis s'abandonna. Sa chevelure soyeuse lui effleura la joue et il garda un bras autour d'elle pour l'empêcher de tomber. Elle ne paraissait pas consciente de ce qui les entourait. Accompagnés par le cliquetis des sabots du cheval, ils traversèrent le vieux pont de bois qui menait au cottage du marchand.

Il descendit de cheval dans la cour et prit Christina par la taille. Elle accepta son aide, posant les mains sur ses bras pour mettre pied à terre. Elle avait perdu sa coiffe quelque part en chemin. Pendant un bref instant ils demeurèrent immobiles, face à face.

— Je vous aiderai, promit-il.

Il ne savait pas très bien ce que ces paroles signifiaient. Mais il savait qu'elle avait besoin d'être soutenue, car il était sur le point de faire basculer sa vie.

Et demain, elle le haïrait sans doute.

12

Christina précéda Durand dans le cottage. Devant l'âtre, Simon parlait avec une jeune femme vêtue d'une simple robe de laine grise. Christina reconnut la fille de l'aubergiste. Durand se raidit en la voyant.

Simon devint cramoisi.

— Ah, mon seigneur ! Vous êtes très bon d'avoir escorté mon épouse jusqu'ici. Voici Agnès, ajouta-t-il en se raclant la gorge. À partir de maintenant, elle s'occupera de la cuisine et du ménage.

— C'est bien, Simon, dit Christina.

Elle n'osa regarder Durand, qui était resté près de la porte. Une tension presque palpable irradiait de sa personne.

— Agnès, demandez à un garçon d'écurie de s'occuper de mon cheval et restez dans la cour jusqu'à ce qu'on vous appelle, ordonna-t-il d'un ton abrupt.

La fille salua rapidement et sortit.

— Maintenant que nous sommes seuls, Le Gros, je veux avoir une discussion importante avec vous.

Sa voix était dure, mais il posa la main sur l'épaule de Christina avec douceur.

— Voulez-vous attendre dehors ?

La jeune femme s'écarta.

— Non, messire. Je ne me laisserai pas renvoyer comme une enfant.

Elle était rouge de honte, mais bien décidée à entendre chaque mot prononcé par Simon, à voir son expression quand Durand le questionnerait. Et à s'assurer que celui-ci se trompait.

— De quoi s'agit-il, mon seigneur ? s'enquit Simon en glissant les mains dans ses manches.

— Connaissez-vous le jeune garçon qui vient de mourir malgré les soins de maître Aldwin ? Celui qui faisait partie de l'escorte de l'évêque ?

Durand posa la main sur le pommeau de sa dague, dans une attitude vaguement menaçante.

— Je ne vois pas ce que vous voulez dire, mon seigneur. Je n'avais jamais vu ce garçon.

— Votre épouse a trouvé qu'il y avait quelque chose de familier chez lui, et je suis de son avis. Il vous ressemblait.

Christina regarda son mari faire quelques pas devant l'âtre. Ses lèvres étaient aussi pâles que son visage. Il évita son regard.

— Je ne le connais pas. Et si ce garçon ressemble à une connaissance de Christina, cela signifie qu'elle fréquente des gens sans que je le sache et qu'elle doit s'expliquer.

— Simon !

Elle voulut aller vers lui, mais Durand l'en empêcha d'un signe de tête impérieux.

— Osez-vous nier que vous avez été grandement affecté par la vue du garçon blessé ? questionna-t-il en croisant les bras.

— Non, messire. Je n'avais jamais vu pareille blessure, ni senti une telle puanteur. J'ai eu la nausée. C'était une faiblesse, messire, rien de plus.

Durand se tourna vers Christina.

— N'avez-vous pas trouvé le visage du garçon familier ?

— Oui, car il m'a fait penser à Félicité, mon seigneur.

Elle perçut l'agitation et la colère de Simon, aussi clairement que s'il avait levé son bâton pour la battre.

— Félicité ! Tu fais perdre son temps à messire Durand, avec tes idées stupides. Vas-tu te taire, à la fin ?

— Je réclame votre indulgence, Le Gros, dit Durand en levant la main en signe d'apaisement. Penne a vu une ressemblance également, mais avec vous. Ce garçon était-il votre fils Hugues ?

— Hugues est avec sa mère, à Winchester. Christina ne le connaît pas. Ce n'est pas sa mère et elle ne l'a jamais vu. Elle ne sait rien.

La jeune femme baissa la tête. Combien de fois Simon lui avait-il répété qu'elle n'était qu'une ignorante ? Mais Durand faisait fausse route. Le garçon ne pouvait être le fils de Simon. Celui-ci ne mentirait pas sur un sujet aussi grave. Elle leva les yeux et croisa le regard de Durand, qui la considéra d'un air apitoyé. Son mari lui tourna le dos.

— Il sera facile de vérifier, déclara Durand avec un haussement d'épaules. Allez chercher votre fils à Winchester.

— Mon seigneur, protesta Simon, des clients doivent venir demain pour une meule et...

— Ils attendront, décréta Durand en sortant de la boutique. Rentrez au château avec moi, maîtresse. Félicité doit vous attendre avec impatience.

Dans la cour, le petit valet d'écurie de Simon caressait l'encolure du destrier. Assise sur un banc sous la fenêtre, le dos contre le mur, Agnès avait vraisemblablement saisi des bribes de leur conversation.

Durand remercia le garçon, enfourcha son cheval et tendit la main à Christina. Celle-ci se tourna vers son époux, mais le visage de Simon demeura fermé.

— Selle mon cheval, dit-il au garçon. Je dois me rendre à Winchester.

Cette fois, elle ne monta pas devant Durand, mais derrière lui, les bras passés autour de sa taille. Son corps était dur, rigide, comme dans son rêve.

Une peur insensée l'envahit. Cet homme détenait trop de pouvoir sur elle...

Dès que le cheval s'arrêta devant l'entrée du château, elle se laissa glisser à terre et gravit les marches deux à deux, sans se soucier de ce que Durand penserait d'elle.

Au lieu de regagner sa chambre pour retrouver Félicité, elle se rendit dans le repaire d'Aldwin. Celui-ci remuait un mélange noir et répugnant dans un pot.

— Que voulez-vous ? demanda-t-il en levant à peine les yeux de son travail.

— Le garde de l'évêque. Où est-il ?

Aldwin fit un geste vague vers le plafond noirci de suie.

— À la chapelle. On le prépare pour l'enterrer.

— Merci.

Elle fit une courte révérence et regagna l'escalier en courant, traversa la cour du château et pénétra dans la chapelle. Le père Odo était agenouillé à côté du corps du garçon, enfermé dans un cercueil.

Trop tard. Elle ne pourrait plus observer les traits du garçon et serait obligée de se fier à son souvenir.

— Maîtresse Le Gros ! s'exclama le père Odo en se relevant péniblement. Que puis-je pour vous ?

— Oh, je... je voulais prier pour ce pauvre enfant.

Le père Odo lui prit le bras et elle s'approcha du cercueil en songeant à celui de dame Marion, recouvert de fleurs.

— Il a besoin de vos prières. Personne n'est venu pour le pleurer et l'abbaye n'a pas réclamé son corps.

Christina s'agenouilla sur un coussin et joignit les mains. Le bon père s'éloigna, et elle essaya de prier pour l'âme du défunt. Mais les soupçons de Durand lui revinrent en esprit de manière obsédante. Il devait se tromper. Simon allait rentrer de Winchester avec son fils.

L'abbaye n'a pas réclamé son corps...

Durand donna une petite bourse à Joseph.

— Ne regarde pas à la dépense. L'homme essayera peut-être de disparaître, et je serais furieux s'il nous filait entre les doigts.

— N'ayez crainte, il ne m'échappera pas, messire. Vous me connaissez assez bien pour le savoir.

— Oui, et c'est pour cette raison que je t'ai choisi. Prends un bon cheval et sois discret.

Durand accompagna Joseph à l'écurie. Quand le valet fut parti pour prendre Le Gros en filature, il se promena au hasard dans le château. Il n'avait pas de lieu où se réfugier. Sa chambre avait été transformée en suite royale pour John et son épouse. Les autres chambres étaient occupées par les barons et les chevaliers. Il dirigea ses pas vers la chapelle. Il voulait prier Dieu et lui demander de prouver qu'il s'était trompé. Simon allait réapparaître avec son fils. Christina n'était pas mariée à un voleur...

Elle avait pris la défense de Simon, pâle et anxieuse. L'aimait-elle ?

Le garçon était allongé dans son cercueil. Une odorante guirlande de fleurs séchées était posée dessus. Durand reconnut le travail de Christina.

Sentait-il vraiment son parfum, ou bien était-il trompé par son imagination ? Il eut la gorge serrée en songeant qu'elle s'était occupée du défunt, et porta une main à son cou. Si Simon tentait de fuir, ou s'il était incapable de montrer son fils, il serait jugé pour le vol de l'herbier. Durand avait déjà condamné des hommes pour des forfaits similaires, puisqu'il avait la fonction de juge. Et les peines qu'il avait prononcées étaient très lourdes.

Si Christina aimait Simon, lui pardonnerait-elle ce qu'il était sur le point de faire ?

13

Assise sur un des bancs de la grande salle, Christina patientait. Une des dames d'honneur de la reine occupait la chambre de Félicité avec un beau chevalier, et elle devait attendre qu'ils aient fini de faire l'amour pour aller dormir. À vrai dire, elle appréhendait l'heure du coucher. Que lui réserveraient ses rêves ?

Sa gorge était sèche et le sang lui battait aux tempes. Félicité s'était agitée toute la soirée et avait fini par s'endormir dans ses bras. Chaque fois qu'elle essayait de la mettre dans son couffin, la fillette se réveillait et se mettait à hurler. Impossible de préparer la lotion que Luke lui avait commandée pour ses cheveux, avec le bébé qui hurlait et la dame d'honneur qui faisait l'amour dans son lit.

Elle embrassa la petite fille et ferma les yeux, écoutant d'une oreille distraite le bourdonnement des conversations dans la salle.

— Qui est l'homme magnifique qui vient d'entrer ? chuchota dame Sabina à Oriel.

— Gilles d'Argent, répondit Oriel en posant son ouvrage.

Sabina lissa sa jupe.

— J'ai beaucoup entendu parler de lui.

— Oui. Nous savions qu'il arriverait après les autres invités. On dit que sa femme vient de mettre au monde leur cinquième fils.

— Je mettrais volontiers dix garçons au monde pour un homme pareil.

— Son visage est dur, il me fait peur.

Un groupe d'hommes s'approcha du roi et Christina vit de qui elles parlaient. Le baron était grand, il avait des cheveux noirs, une expression dure et implacable. Le roi lui-même perdait de sa prestance en sa présence. Le baron était entouré de sept chevaliers. L'un d'eux était son fils, Nicholas d'Argent. C'était un très bel homme.

Oriel donna une légère bourrade à Christina.

— Le fils n'a pas la rudesse de son père. Je lui trouve plus de charme.

— Vous allez pouvoir en juger, fit observer Sabina. Votre époux l'amène par ici.

Les dames se levèrent pour accueillir messire Penne et le nouveau venu. Nicholas d'Argent les salua, traitant Christina avec les mêmes égards que les autres.

Sabina s'empressa d'attirer son attention sur elle.

— Votre père et vous arrivez tard à la cour du roi, commenta-t-elle en posant une main sur son bras.

— L'épouse de mon père était en train d'accoucher, et il n'a pas voulu quitter son chevet avant que la naissance ait eu lieu.

— Nous le comprenons. Les troubadours font grand cas de l'amour de votre père pour son épouse *tisserande*, dit Sabina avec un petit ricanement narquois.

Christina prêta une oreille plus attentive à la conversation. Gilles d'Argent avait donc épousé une tisserande ? Cela semblait ridicule. Les hommes de haut rang n'épousaient pas des femmes au-dessous de leur condition.

— Oui, répondit Nicholas en s'inclinant légèrement. L'épouse de mon père est belle et talentueuse. Il donnerait sa vie pour elle. Les autres femmes ne peuvent qu'envier le dévouement et l'amour qu'il lui porte.

Oriel se tourna vers Christina et lui adressa un clin d'œil complice. Nicholas avait su moucher dame Sabina.

— Avez-vous une épouse ? s'enquit Oriel.

Nicholas sourit.

— Oui. C'est une femme médecin, et seule sa promesse de soigner l'épouse de mon père a décidé ce dernier à obéir au roi et à le rejoindre ici.

— Il aurait défié les ordres du roi ?

À peine les mots eurent-ils passé ses lèvres que Christina regretta de les avoir prononcés. Les dames se tournèrent vers elle. Elle vit Oriel se rembrunir, les autres la considérer avec mépris. Mais Nicholas sourit aimablement.

— Oh, certainement. C'est la raison de ma présence ici. Je tiens à m'assurer qu'il ne se retrouvera pas jeté aux oubliettes, ou qu'il ne dira rien susceptible de déclencher une guerre entre les barons. Qui êtes-vous, madame?

Avant que Christina ait pu répondre, dame Sabina lança avec un geste vague de la main:

— Ce n'est qu'une nourrice.

Dame Nona s'avança alors et prit la parole.

— Nicholas, cette dame est Christina Le Gros. C'est une herboriste de talent, comme votre épouse Catherine. Mais elle n'utilise pas les plantes pour soigner. Elle fabrique des savons parfumés et des lotions qui donnent l'impression de se baigner dans une rivière du jardin d'Éden.

Christina sentit ses joues s'enflammer.

— Dame Nona! s'exclama Nicholas.

Il ne lui baisa pas la main, comme il l'avait fait avec les autres femmes, mais la serra dans ses bras et l'embrassa sur les joues.

— Vous êtes plus ravissante que jamais.

— Et vous, vous êtes un incorrigible flatteur. Nicholas, Oriel, Penne, venez vous asseoir avec moi. Christina, approchez avec le bébé.

Elle se dirigea vers une alcôve et s'installa sur un banc garni de coussins.

Bien qu'elle appréciât l'intervention de Nona, Christina ne pouvait se mêler plus longtemps à leur conversation. Elle s'excusa et traversa la grande salle. Le roi et les nouveaux arrivants buvaient du vin et de la bière, tout en discutant d'un air grave.

Elle n'avait nulle part où aller. Il lui était impossible de quitter le château, et elle ne pouvait regagner la chambre de Félicité.

Elle se retrouva sans le vouloir devant le portail du jardin. La clé était dans sa poche, elle l'ouvrit et s'aventura dans les allées, Félicité dans ses bras. Mais elle ne se sentait pas plus chez elle que dans le reste du château. La personne qui avait conçu le jardin avait le souci de la beauté, mais ne connaissait rien aux plantes. Des fleurs avides de lumière s'étiolaient à l'ombre, d'autres plus délicates se desséchaient au soleil. Elle n'éprouva aucun réconfort à cette promenade. C'était le lieu où *il* l'avait embrassée, faisant vaciller son univers, à tel point que ses rêves la trahissaient.

Des étoiles piquetaient le ciel d'un noir d'encre, lui rappelant les pierreries qui ornaient la coiffe de dame Nona et le corsage de la reine Isabelle.

Elle referma le jardin et se dirigea vers les écuries. Beaucoup d'hommes et de chevaux étaient arrivés avec d'Argent. Attirés par la chaleur de la forge, ils s'étaient regroupés pour discuter entre eux de l'offensive contre le roi Philippe.

Elle se retrouva près d'une poterne, destinée à permettre une sortie discrète en cas de siège. C'était du moins ce que Christina avait appris par Alice. Un homme semblait flâner devant la porte, mais elle devina qu'il s'agissait d'un garde.

Elle était sur le point de regagner la cour intérieure, quand elle vit la sentinelle s'éloigner de quelques pas afin de soulager un besoin naturel. Elle se détourna, un peu gênée, et fit un pas dans l'ombre. Une main lui agrippa le bras.

Sans un mot, le garde personnel du roi l'entraîna dans l'un des souterrains du château et l'enferma dans une cellule humide. Elle resta là, à contempler la mèche d'une lampe à huile qui brûlait en grésillant, pendant plus d'une heure. Enfin, elle entendit des pas, et une clé tourna dans la serrure.

Ce fut un messire Durand très différent de celui qui l'avait embrassée, qui vint la délivrer. Il n'y avait aucune douceur dans son regard.

— Maîtresse Le Gros, par ici, ordonna-t-il en lui faisant signe de sortir.

— Je ne peux pas, messire, répondit-elle en posant une main sur la tête du bébé qui tétait avidement.

Les mâchoires crispées, il se tourna vers le garde.

— Quand maîtresse Le Gros aura fini, vous la conduirez à moi.

La porte se referma lourdement derrière lui. Christina entendit sa voix pleine de colère alors qu'il s'adressait au garde :

— Êtes-vous fou ? Emprisonner un enfant ?

— Je suis tenu de protéger le roi, rétorqua l'homme.

— Le protéger d'un bébé?

Le garde bredouilla une excuse.

— Si j'entends cet enfant tousser ne fût-ce qu'une seule fois, vous serez tenu pour responsable, conclut Durand sèchement.

Les deux hommes s'éloignèrent et le silence retomba.

Christina prit tout son temps pour allaiter Félicité, repoussant le moment d'affronter la colère de Durand. Quelle malchance d'avoir été repérée par l'un des gardes du roi! Les hommes de Ravenswood se seraient contentés d'échanger quelques mots avec elle sur le temps.

Finalement, Félicité parut avoir son content de lait et nicha la tête contre son sein en fermant ses petits poings. Le cœur lourd, Christina suivit la sentinelle qui vint lui ouvrir la porte.

Durand se trouvait dans la salle des comptes, le dos à la cheminée dans laquelle ronflait un grand feu. Il ordonna à la sentinelle de se retirer et se tourna vers Christina d'un air accusateur.

— Vous vouliez vous enfuir!

— M'enfuir? Non, mon seigneur. Pourquoi voudrais-je m'enfuir? Et où irais-je?

— Comment connaissiez-vous l'emplacement de la poterne?

— Par Alice. Mais je vous en prie, messire, ne la punissez pas. Elle parle trop parfois, mais ses bavardages sont sans conséquence.

— Vous saviez donc que vous étiez à la poterne. Expliquez-moi ce que vous faisiez là-bas.

Ses yeux étaient gris et sombres comme un ciel d'orage. Christina baissa le menton et contempla ses bottes de cuir. Elles étaient tachées de boue, ainsi que le bas de son pourpoint noir.

— J'avais besoin de solitude, messire.

— Pourquoi ne pas aller dans votre chambre?

— Parce que je n'en ai pas, messire, répondit-elle avec vivacité.

— Dans la chambre de Félicité, alors.

— Elle était occupée par un couple d'amoureux.

— Le jardin? suggéra-t-il.

— Je n'y suis pas chez moi.

Impossible de lui avouer que c'était le souvenir de son baiser qui l'avait chassée de ce lieu.

— Vous aviez l'intention d'aller retrouver votre époux.

Cette affirmation la réduisit au silence. Une expression passa fugacement dans son regard. De la compassion ? Mais celle-ci disparut et il reprit d'une voix dure :

— Oui, vous vouliez vous enfuir pour le rejoindre.

— Simon est parti pour Winchester, mon seigneur. Pourquoi irais-je là-bas ? Je ne comprends pas.

Il jeta sur la table un morceau de parchemin qu'il tenait dans son dos.

— Vous comprenez très bien, en voici la preuve.

Les doigts tremblants, elle prit le parchemin froissé et déchiffra les mots qui y étaient tracés.

— Cela dit que Simon est parti par la route de l'est... Je ne comprends pas...

— Moi, si. J'ai demandé à Simon d'aller chercher son fils. Et comme celui-ci est mort, il n'avait d'autre choix que de prendre la fuite.

Christina se laissa tomber sur un tabouret, le cœur battant.

— Non, chuchota-t-elle. Non...

— Il a menti. Sinon, pourquoi serait-il parti vers l'est, au lieu de prendre la route du nord vers Winchester ?

Christina l'observa. C'était un guerrier impitoyable, qui avait le pouvoir d'écraser les autres entre ses mains.

— Je n'ai aucune explication, avoua-t-elle.

— J'ai envoyé mes hommes à sa poursuite. Que faisiez-vous à la poterne ?

— Je cherchais un peu de solitude et je me suis dirigée vers cette partie de la cour. Comme le garde est allé se soulager, je me suis écartée par discrétion.

— Je pense plutôt que vous vouliez fuir pendant qu'il était occupé.

— Non, ce n'est pas vrai !

Elle se leva d'un bond. Elle aurait voulu aller vers lui, le toucher.

— Vous pensiez qu'il n'y avait qu'une seule sentinelle pour garder cette issue ? L'autre vous a vue vous approcher de la porte.

— Je me suis simplement dirigée vers l'ombre de la muraille pour laisser le garde tranquille.

Durand ne répondit pas. Son visage semblait sculpté dans le marbre. Il n'avait rien du tendre amant qu'elle avait vu en rêve.

— Soupçonneriez-vous dame Sabina ou dame Nona d'avoir voulu accomplir un acte perfide, si elles avaient été à ma place ? Le garde les aurait-il emprisonnées ?

— Ni l'une ni l'autre n'a un époux voleur !

Il allait la faire enfermer de nouveau dans cette cellule humide. Mais cette fois, Félicité ne serait plus avec elle. La gorge lui brûlait, tout son être souffrait.

— Que voulez-vous que je fasse, mon seigneur ?

— Retournez à vos occupations.

— Mon seigneur ? chuchota-t-elle en serrant Félicité contre sa poitrine.

Il lui tournait le dos. Elle demeura un moment immobile, n'osant esquisser un mouvement. Il continua d'ignorer sa présence.

Sans ajouter un mot, elle sortit et regagna la tour est. La porte de la chambre n'était plus fermée. Elle songea que cette nuit, son sommeil ne serait pas troublé par des rêves sensuels…

Les braises dans l'âtre lui permirent de gagner le lit à tâtons. Les mains tremblantes, elle s'allongea sans ôter son manteau ni ses chaussures, et garda Félicité contre elle. Simon ne s'était pas rendu à Winchester. Durand le soupçonnait de vol. Pire, il la soupçonnait aussi.

Non, elle ne pleurerait pas ! Mais ses paupières étaient brûlantes. Elle sentit les larmes rouler malgré elle sur ses joues.

Avec un reniflement de mépris, Luke jeta le morceau de parchemin sur la table.

— Tu crois qu'elle a quelque chose à voir avec ça ?

— Que dois-je penser ? s'exclama Durand en abattant son poing sur la table. Elle allait *s'enfuir*.

— Pas étonnant, si elle a perçu ce côté de ta personnalité. Je ne t'ai jamais vu aussi en colère. Cette femme est comme une plaie au creux de ta main, et la blessure s'infecte.

— Elle était à la poterne !

— Et comment a-t-elle expliqué sa présence là-bas ?

— Elle prétend qu'elle voulait être seule.

— Pourquoi n'est-elle pas allée dans sa chambre ?

— Occupée par un couple d'amoureux.

— Tu as vérifié ?

Durand hocha la tête.

— Une des dames d'honneur s'y trouvait avec son amant. Mais ce n'est pas une excuse ! Elle aurait pu aller dans le jardin, puisqu'elle avait la clé sur elle.

— Tu l'as fouillée ?

Luke eut un sourire narquois et Durand sentit sa patience l'abandonner. Il se pencha par-dessus la table et attrapa son frère par le col de sa tunique.

— Et toi, combien de fois l'as-tu fouillée ?

Luke se dégagea.

— Durand ! Un peu de sang-froid. Tu sais bien que je ne m'amuse jamais avec les femmes mariées. Je pense que Christina n'avait pas d'idée derrière la tête, ajouta-t-il en rajustant sa tunique.

Durand desserra les poings.

— Si tu veux, je lui parlerai, continua Luke. Si je ne lui fais pas peur, elle parviendra peut-être à rassembler ses idées.

— Fais ce que tu veux.

Durand passa devant son frère et retourna dans la grande salle. C'était une erreur. Le roi le vit passer et l'appela.

— Sire ? dit-il en s'inclinant.

— Les gardes nous ont parlé d'une femme surprise près de la poterne. Y a-t-il lieu de s'inquiéter ?

— Non, cette jeune femme cherchait seulement un peu de tranquillité.

Le roi John se caressa pensivement la barbe.

— Mmm. Nous aimerions en savoir davantage. Nous ne voulons pas d'espion parmi nous.

Durand se sentit soudain oppressé.

— Ce n'est pas une espionne, sire. Les femmes ont des sautes d'humeur, comme vous le savez...

Le roi renversa la tête en arrière et éclata de rire.

— Oh, certes ! Nous connaissons bien cela. Si vous êtes sûr d'elle, nous en resterons là. Une querelle d'amoureux, sans doute. Un moment de dépit.

Les hommes qui entouraient le roi rirent avec lui. Durand respira un peu mieux.

— Allons, de Marle. Dites à d'Argent combien d'hommes vous engagez dans notre noble cause.

Durand ne pouvait refuser. Il se tourna vers le seul homme qui ne riait pas. Gilles d'Argent. Le baron n'avait pas les mêmes problèmes que lui, car toutes ses possessions se trouvaient en Angleterre et il était immensément riche.

Luke secoua doucement Christina pour la réveiller. Elle le considéra un bref instant, avant de se lever et de sortir de la chambre avec lui.

— Vous avez pleuré ? s'enquit-il en lui prenant Félicité pour la caler contre son épaule.

— Non, je ne pleure jamais, répliqua-t-elle, bien que ses yeux soient gonflés et douloureux.

— Venez.

Il la guida le long d'un escalier qu'elle n'avait jamais emprunté et ouvrit une porte. Une sentinelle le salua et ils se retrouvèrent en plein air, sur le chemin de ronde. Loin au-dessous d'eux, elle vit la cohue habituelle dans l'enceinte du château. Au loin, la rivière sinuait dans la campagne comme un ruban d'argent.

— Que faisiez-vous près de la poterne ?

— Vous n'y allez pas par quatre chemins, fit-elle remarquer en s'appuyant au parapet.

— Durand est hors de lui. Il n'a pas besoin d'une telle affaire en ce moment.

— Je ne sais pas quoi dire. J'avais besoin d'être seule. La chambre de Félicité...

— Votre chambre, corrigea Luke.

— Messire, je n'ai rien à moi ici. Je nourris Félicité. C'est mon devoir. Je ne suis qu'une servante. Les servantes n'ont pas de chambre.

Luke siffla doucement.

— Je suis désolé, maîtresse Le Gros, je n'avais pas vu les choses sous cet angle. Pourquoi ne vous êtes-vous pas retirée dans la chambre de Félicité ?

— Parce qu'elle était occupée par un couple d'amants.

Pourquoi s'expliquer ? Les hommes de Durand allaient ramener Simon et ce dernier s'expliquerait lui-même. À son retour, elle saurait la vérité sur le garçon de la chapelle.

Si Simon avait menti, Durand la renverrait. Elle se retrouverait seule, à la rue. Quant à Simon... Elle préférait ne pas penser au sort qui lui serait réservé.

— Il y a beaucoup de place au château, si vous avez besoin de tranquillité. Le jardin de Marion, par exemple ?

Christina le regarda. La lueur de la lune l'enveloppait d'un halo argenté. Ses cheveux, sa peau, le col de la chemise en lin qui dépassait de sa tunique... Il était beau, mais il n'était pas stupide.

— Comme vous l'avez dit, messire, c'est le jardin de dame Marion.

— Je vois. Son ombre hante-t-elle les lieux ? demanda-t-il en tournant le petit visage de Félicité vers lui.

— D'une certaine façon, oui. Je m'occupe des plantes, mais c'est tout de même son jardin.

— Mon frère vous a-t-il fait comprendre que vous n'y étiez pas la bienvenue ?

— Non, répondit-elle en contemplant le ciel d'un noir velouté. Non.

Durand l'avait charmée, embrassée. Il lui avait fait désirer ce qu'elle ne pourrait jamais avoir... ses bras autour d'elle, son corps pressé contre le sien. Un frisson de désir mêlé de peur lui parcourut le dos.

Il pensait qu'elle voulait le trahir. Cette idée la faisait autant souffrir qu'un coup de poignard.

Durand s'éveilla en sursaut, encore en proie à son rêve. Son corps était trempé de sueur, enflammé de désir, prêt à posséder une femme. Mais son matelas se trouvait dans la salle des comptes, et seul son frère ronflait près de la cheminée.

Il s'assit, rejeta les couvertures de fourrure et noua les bras autour de ses genoux. Dans son rêve, il suivait Christina sous la poterne, dépassait les limites du village et pénétrait dans la forêt. Des ombres pourpres et grises emplissaient la clairière. La jeune femme n'était couverte que par sa chevelure et il avait envie d'enfouir le visage dans ses boucles parfumées.

Elle était allée chercher une coupe d'eau dans la rivière qui semblait respirer comme un être vivant. Sans un mot, il s'était allongé dans l'herbe, nu également. Elle avait répandu sur lui une eau tiède et parfumée, tandis qu'il admirait ses seins et ses jambes éclairés par les pâles rayons de lune.

Il s'était arqué sous les caresses de la jeune femme et, au moment où le plaisir déferlait en lui, elle avait déversé sur son corps une eau aux reflets argentés.

Tout à fait réveillé à présent, il se sentait à la fois épuisé et en proie à un désir persistant.

Pourquoi avait-il rêvé d'elle maintenant, alors qu'il mettait en doute chaque mot qu'elle prononçait ? Alors qu'il voulait absolument croire qu'elle ne savait rien des machinations de Simon ? Pourtant, elle avait menti sur la raison de sa présence près de la poterne. Son visage innocent et expressif l'avait trahie.

Il avait l'impression d'avoir du sable sous les paupières. Il se leva, versa de l'eau dans une bassine et se rinça le visage. À sa main droite se trouvait un pot de savon liquide qui appartenait à son frère. Mais son parfum n'était pas celui de la clairière de son rêve. Il le reposa sans l'utiliser et descendit dans la grande salle.

Il ne toucha presque pas aux mets disposés devant lui. La graisse figée sur la lame des couteaux lui coupa l'appétit. Il inspecta les autres tables, en vain. Christina n'était nulle part.

Si ses hommes n'étaient pas retardés par des bandits de grand chemin, ou quelque autre événement, Simon serait ramené au château avant la tombée de la nuit. Tout en réfléchissant, il remarqua l'arrivée du roi dans la salle. Il se leva et salua, comme les autres. Grâce au Ciel, John n'avait pas la détestable manie de son père de manger debout, en déambulant entre les tables. Durand embrassa la main de la reine Isabelle et lui offrit un fauteuil près du sien.

— Que me dit-on ? demanda le roi. Vous allez faire arrêter un voleur ?

— Je n'ai pas encore la preuve que c'est un voleur. L'homme pourra parler pour sa défense.

Durand leva son gobelet de vin, mais le reposa aussitôt en voyant Christina entrer dans la grande salle. Elle portait la robe blanche dans laquelle il l'avait vue pour la première fois, mais ses cheveux n'étaient pas retenus par des rubans. Était-ce l'effet de son imagination, ou bien ses yeux étaient-ils soulignés de cernes mauves ? Elle ne dirigea pas son regard vers lui et ne fit pas mine de s'asseoir. Elle prit un quignon de pain qu'elle enveloppa dans un linge fin, puis retourna dans la tour.

Le roi se pencha vers Durand et murmura :

— Charmante.

— Sire ?

— Cette femme. Elle est très séduisante.

Durand s'humecta les lèvres.

— En effet, sire.

— Elle a préparé un savon divinement parfumé pour notre très chère reine. Cette personne a beaucoup de talent.

— Oui, sire.

Il ne voulait pas penser au parfum envoûtant de Christina. Celui-ci emplissait ses rêves et troublait son sommeil.

14

Christina craignait de s'aventurer dans le château, pourtant elle ne pouvait pas davantage rester dans la chambre de Félicité. Enfermée là, elle ne saurait pas si Simon était arrivé. Elle était sortie une seule fois, pour aller chercher un morceau de pain, mais chaque pas dans la salle, sous le regard perçant de Durand, avait été une vraie torture.

Elle allaita Félicité, mangea son pain, puis se mit à coudre des coussins parfumés pour les dames d'honneur de la reine. Mais rien ne parvint à calmer la peur qui lui nouait la gorge. La sentinelle habituellement postée au pied de l'escalier montait à présent la garde devant sa porte, comme pour lui rappeler à chaque instant que Durand ne lui faisait plus confiance.

Elle toucha du bout des doigts la lotion capillaire de messire Luke, et jugea qu'elle avait suffisamment refroidi pour être versée dans son pot de pierre. Elle était en train de sceller le pot lorsqu'on frappa.

— Entrez! lança-t-elle, le cœur battant.

Le loquet se souleva et dame Nona apparut sur le seuil.

— Maîtresse Le Gros, j'espère que je ne vous dérange pas?

Christina fit la révérence et repoussa les mèches de cheveux qui tombaient sur son front. Ses boucles étaient simplement retenues sur sa nuque par un lien. Dame Nona était si parfaitement apprêtée qu'elle eut honte de son apparence négligée.

— Entrez, madame. Vous ne me dérangez pas le moins du monde.

Dame Nona portait une robe d'un vert très pâle, brodée de perles et garnie de rubans ivoire. Ses cheveux étaient tressés de rubans de satin, et plusieurs rangs de perles ornaient son cou.

— Je désirais voir le bébé, dit-elle d'un ton doux, suggérant qu'elle n'insisterait pas si Christina s'y opposait.

— Comme il vous plaira, madame, répondit Christina en regagnant sa table de travail pour emplir un deuxième pot d'onguent.

Nona prit Félicité et la serra contre elle.

— Cette potion sent mauvais, constata-t-elle en fronçant le nez.

— Oh, oui, admit Christina en enfonçant un bouchon dans le pot. Mais ce n'est pas dangereux pour l'enfant.

Nona contempla le visage du bébé et passa un doigt sur ses petites lèvres roses.

— Ce n'est pas à cela que je pensais. Mais il n'est pas bon que vous restiez à jeun. Dame Oriel m'a dit que vous n'aviez pas assisté au repas ce matin, et que vous vous êtes contentée d'un peu de lait hier soir.

— J'ai mangé du pain.

La tranche de pain posée sur la table était à peine entamée.

— Faites-moi plaisir, maîtresse Le Gros, et mangez. Sinon, vous tomberez malade.

Dame Nona alla à la porte et donna des instructions à la sentinelle avec autant d'aplomb que si elle avait dirigé Ravenswood toute sa vie. Pendant qu'elles attendaient, elle regarda Christina placer des fleurs séchées dans de petites bourses de tissu et les fermer par un ruban serré. Elles n'échangèrent pas un mot jusqu'à l'arrivée du serviteur qui déposa un plateau sur la table. Celui-ci contenait du fromage, des perdrix rôties et du vin.

Christina n'avait aucune envie de manger. Elle savait que la nourriture aurait un goût de cendres. Mais pour faire plaisir à Nona, elle s'assit sur un tabouret et coupa une tranche de fromage.

— Qu'allez-vous faire ? demanda dame Nona.

Elle chatouilla Félicité dans le cou, et Christina ne put réprimer une bouffée de jalousie en voyant l'enfant agiter les jambes et gargouiller de plaisir.

— Faire, madame ? s'étonna-t-elle en émiettant un morceau de fromage sur le plateau. À quel sujet ?

— Pour votre mari. On dit qu'il a volé quelque chose appartenant à Durand.

Christina plaqua les mains sur ses genoux.

— Mon mari n'est pas un voleur. Il vient juste d'obtenir une licence très avantageuse. Pourquoi volerait-il?

Si elle répétait ces mots assez souvent, peut-être parviendrait-elle à se persuader que c'était la vérité.

— En effet. Mais pourrez-vous rester ici, s'il est reconnu coupable?

— Je ne le pourrai pas, admit-elle d'une voix étranglée.

Dame Nona se leva et annonça tranquillement:

— Je vous enverrai dans mon manoir de Bordeaux, en France. Mais bien sûr, nous devrons d'abord trouver une nourrice pour vous remplacer. Il ne faut pas que Félicité souffre de votre départ.

Tout en berçant l'enfant contre sa poitrine, Nona se dirigea vers la porte. L'instant d'après, elle disparut dans l'escalier.

La gorge de Christina se noua. Comment avait-elle pu oublier que dame Nona allait épouser Durand? Elle se leva d'un bond, passa devant la sentinelle et se précipita dans l'escalier. Là, elle manqua trébucher contre Oriel, assise sur la première marche. Sa robe bleu pâle brodée de noir était froissée.

— Madame, que puis-je faire pour vous? demanda-t-elle en lui posant une main sur le bras.

Oriel s'humecta les lèvres et essuya ses larmes.

— Je suis inquiète pour Penne. Il n'arrive pas à s'entendre avec le roi aujourd'hui. Il veut se conduire honorablement, mais c'est difficile avec John. Le roi n'a confiance en personne, et Guy Wallingford presse Penne de se désengager de cette offensive en Normandie. Cela se terminera en désastre et les morts seront innombrables.

— Ses possessions ont-elles été confisquées par le roi Philippe?

Elle songea à l'attaque des brigands et à tout le sang qui avait été versé ce jour-là. Elle ne pourrait supporter d'imaginer Durand sur un champ de bataille, sans son fidèle compagnon à ses côtés.

Que lui réservait le destin? Que réservait-il à Félicité?

— Oui, répondit Oriel. Les terres lui avaient été offertes par le roi Richard, afin de briser le pouvoir de Philippe en Normandie. C'était une des raisons pour lesquelles Richard approuvait aussi le mariage de Marion avec Durand. Mais l'un des barons rappelle chaque jour à Penne que, s'il se contentait d'aller jurer fidélité au roi Philippe, il récupérerait ses domaines sans mettre sa vie en danger. Il faut qu'il le fasse avant que Philippe ne redistribue ses possessions à un autre.

— Et donc, Penne risque d'abandonner John pour servir Philippe ?

— Quoi ?

Durand apparut dans l'escalier, le visage sombre. Oriel se releva vivement et vacilla sur ses jambes. Il lui prit le bras pour l'empêcher de tomber.

— Oh, Durand, je ne vous avais pas vu…

— En effet. Que disiez-vous, au sujet de Penne ? Il abandonnerait notre roi John pour Philippe ?

— Je n'ai rien dit de tel. Christina m'a posé la question et j'étais sur le point d'affirmer que Penne avait juré fidélité à John et qu'il ne changerait pas de camp.

— Je vois, dit-il d'un air de doute.

— Pardonnez-moi, mon seigneur, puis-je vous parler en tête à tête ? demanda Christina.

— Faites vite, car votre époux devrait arriver d'un moment à l'autre.

— Il éclaircira toute l'affaire, j'en suis sûre.

— Tout me paraît très clair, répliqua-t-il d'un ton abrupt.

Oriel s'excusa et se retira. Christina se retrouva seule avec lui.

— Vous êtes un homme méfiant, commenta-t-elle avec un brin de défi dans la voix.

— Oui. Je ne crois que ce que je vois.

Il posa sur elle un regard aussi acéré qu'une dague.

— Vous manquez de confiance.

Elle regarda la tête de corbeau qui ornait sa dague. Cet oiseau symbolisait le pouvoir qu'il exercerait bientôt, en bien ou en mal.

— Vous avez confiance en votre époux ?

— Je n'ai que lui, dit-elle, incapable de répondre directement à sa question.

— Si vous en savez plus sur ses affaires, il faut me le dire.

— Il y a des moments où le silence est préférable, mon seigneur.

Comment lui expliquer que renier son époux, c'était aussi renier la vie que son père et la destinée avaient choisie pour elle ?

— Donnez-moi un exemple, rétorqua-t-il sèchement.

— Dame Marion m'a dit qu'elle ne vous avait pas annoncé sa grossesse jusqu'au printemps dernier. Car elle se sentait si malade qu'elle craignait de perdre l'enfant et de vous décevoir.

Une expression très dure se peignit sur le visage de Durand. Son regard devint glacial.

— C'est ce qu'elle vous a dit ? articula-t-il d'un ton froid.

— Oui, mon seigneur.

Elle esquissa une révérence et poursuivit :

— Pardonnez-moi, mon seigneur, si j'ai... dévoilé un secret. Dame Marion se sentait très seule pendant que vous accompagniez le roi dans ses voyages. Et comme j'étais sur le point d'avoir un enfant aussi, nous passions beaucoup de temps ensemble, à parler de bébés et...

— Et de vos maris ?

Il cracha le mot plutôt qu'il ne le prononça. Tout à coup, alors qu'il la regardait de toute sa hauteur, il parut plus grand et massif que jamais à Christina.

— Parfois. Je lui préparais une boisson qui l'aidait à se détendre, et elle me parlait tout en buvant.

— Et que disiez-vous de vos époux ?

Christina baissa la tête. Elle avait fait de son mieux pour ne pas se plaindre. Mais Marion était comme un oiseau cherchant sans relâche des graines sur le sol. Elle revenait à la charge, encore et encore, lui soutirant des détails sur sa vie avec Simon.

— En vérité, mon seigneur, dame Marion me questionnait beaucoup sur ma vie. Elle parlait de vous avec affection.

— Et le bébé ? Comment en parlait-elle ?

Christina releva les yeux et l'observa. Des plis profonds encadraient sa bouche. Il semblait souffrir.

— Ne reprochez pas à l'enfant la mort de sa mère, mon seigneur.

166

La souffrance fit place à la surprise.

— Je n'en veux pas à Félicité. Pourquoi pensez-vous une chose pareille ?

— Dame Marion a dû avoir un pressentiment, se hâta-t-elle de poursuivre, car elle appréhendait le moment de la naissance. Elle demandait souvent à messire Luke s'il avait de vos nouvelles et si vous aviez annoncé votre retour.

— Je n'en veux pas à l'enfant de la mort de Marion. Non. Non, jamais, dit-il en se mettant à arpenter le couloir. Où est Félicité ?

Christina fit un geste en direction de l'escalier.

— Dame Nona l'a emmenée avec elle, mon seigneur.

— Dame Nona ! Pour quelle raison ?

Deux hommes passèrent devant eux. Il fit signe à Christina de le suivre. Le passage qu'il emprunta menait à la tour ouest. Elle n'était encore jamais passée par là. Il gravit les marches à la hâte et s'arrêta devant une lourde porte de chêne munie de barres de fer. L'un des gardes de Ravenswood en défendait l'entrée. Durand tira une petite clé ouvragée de sa poche, la fit tourner dans la serrure et ouvrit le battant.

Christina étouffa une exclamation de stupeur. La pièce était garnie de hautes étagères portant des livres et des rouleaux de parchemin.

— Mon seigneur… chuchota-t-elle.

Il pénétra dans la salle après elle et alla repousser un volet.

— Personne ne nous dérangera ici.

Il avait choisi cette salle car la sentinelle était au-dessus de tout soupçon. En outre, elle ne contenait pas de lit ou d'endroit confortable qui incitât à une tentative de séduction.

Christina demeura plantée sur le seuil, comme en équilibre. Elle lui évoqua un oiseau suspendu au-dessus de l'eau, qu'un rien risquait d'effrayer.

— Entrez, dit-il d'un ton radouci.

Il n'éprouvait plus de colère. Elle n'était en rien responsable de la perfidie de Marion. Comment avait-il pu la soupçonner ? Il ne l'imaginait pas volant quoi que ce soit… hormis le cœur d'un homme.

Elle finit par faire quelques pas à l'intérieur.

— Comment se fait-il que personne ne parle jamais de cette salle ?

Durand haussa les épaules.

— Elle est à moi, et à moi seul. Moi-même, j'y pénètre rarement.

Le soleil se refléta sur ses cheveux tandis qu'elle marchait le long des étagères en contemplant les lourds volumes de cuir. Il songea qu'il aimait voir ses cheveux dénoués sur sa nuque.

— Pourquoi m'avez-vous montré cette salle, mon seigneur ?

— Vous souhaitiez me parler à l'abri des oreilles indiscrètes.

— Me trouvez-vous trop audacieuse ? demanda-t-elle en se retournant brusquement vers lui.

Il s'adossa à une étagère.

— Je pense que vous avez quelque chose d'important à dire et que vous avez besoin de tranquillité pour cela. Cette pièce est la plus retirée du château.

Le bas de sa robe effleura les joncs étalés sur le sol, et il songea à la première fois qu'il l'avait vue. Elle semblait flotter au-dessus du sol, comme une apparition. S'il détournait les yeux, peut-être la vision s'évanouirait-elle. Sa robe blanche moulait ses seins ronds. Il faisait frais dans la pièce et il voyait les mamelons bruns pointer sous l'étoffe.

Mais il avait conscience aussi de son anxiété.

Allait-elle plaider la cause de son mari ? Et lui ? Malgré l'attirance qu'elle lui inspirait, trouverait-il un moyen de libérer Simon et de la renvoyer avec lui, quelque part, en sécurité ? Combien de temps lui faudrait-il alors pour l'oublier ?

— Parlez, Christina. Mon temps est compté.

— Je vous supplie de me croire, mon seigneur. Je n'avais pas l'intention de m'enfuir par la poterne.

— Est-ce cela que vous vouliez me dire ?

— Non, mais si vous doutez de moi... Dame Nona m'a dit que vous alliez chercher une nouvelle nourrice pour Félicité.

Elle se mordilla les lèvres. Il se souvenait très bien du goût de sa bouche.

— Dame Nona est hardie, dit-il simplement.

— Dame Oriel prétend qu'elle sera bientôt votre épouse. N'est-il pas normal qu'elle soit hardie, dans cette situation ?

Durand alla vers l'une des fenêtres. Aussi loin que portaient ses yeux, s'étendait le domaine qui aurait dû revenir à Luke. Il fit volte-face.

— Je suis donc déjà remarié ?

— Cela ne me concerne pas, mon seigneur.

Elle promena une main le long d'une étagère, effleurant la reliure des vieux grimoires. Il aurait aimé voir son visage. Son ton plat et sans expression ne lui permettait pas de savoir ce qu'elle pensait.

— Vous ne seriez pas une bonne nourrice si vous n'aviez pas à cœur le bien-être de Félicité.

— Mais je l'ai, messire, je l'ai !

Elle finit par se tourner vers lui. Le chagrin se lisait sur son visage. Elle lui tourna de nouveau le dos, pour ajouter :

— Je ne peux cependant ignorer les commérages. Dame Nona a dit clairement qu'il faudrait trouver une nouvelle nourrice si Simon est...

Sa voix se brisa. Ce fut Durand qui termina la phrase à sa place :

— Si Simon est coupable de vol.

— Non, ce n'est pas un voleur...

Mais elle ne protesta pas avec autant de chaleur qu'auparavant.

— Christina...

Il prononça son nom comme l'eût fait un amant. Elle pivota vers lui, le visage en partie dans l'ombre.

— Vous resterez ici, avec Félicité, aussi longtemps que vous le souhaiterez, promit-il doucement.

— Vous avez déjà jugé et condamné Simon.

— Pas du tout.

— Me promettez-vous d'être impartial ? D'écouter ses explications ?

Il fit un bref signe de tête.

— On me considère comme un homme juste. Sans cela, je ne serais pas chargé d'appliquer la justice du roi.

— Le roi ne choisit-il pas les hommes qui agissent selon son bon vouloir, mon seigneur ?

— Vous êtes difficile à contenter, fit-il observer. Je serai juste.

J'irai peut-être même jusqu'à rendre sa liberté à un voleur, ajouta-t-il en lui-même.

— Quelles peines avez-vous infligées à des hommes coupables de...

— De vol? Cela allait de la marque au fer rouge, jusqu'à la pendaison.

Elle blêmit.

— Arrive-t-il que certains soient innocentés?

— Rarement.

Christina pâlit encore davantage. Y avait-il une chance que Simon soit innocent? Durand avait beau lui assurer qu'elle resterait comme nourrice, accepterait-elle de rester s'il était établi que Simon était un voleur? Non, elle serait trop honteuse. Mais où irait-elle, alors?

Elle leva une main tremblante et la posa brièvement sur sa gorge.

— Que décidera dame Nona, pour Félicité?

— Elle décidera ce que je veux.

Christina secoua la tête.

— Comme toute bonne épouse, elle voudra éduquer votre fille. Et cela commence par le choix d'une nourrice.

— Félicité se plaît avec vous.

— Et si je déplais à dame Nona?

— Est-elle désagréable avec vous?

— Oh, non, messire. Elle est très douce.

— Dans ce cas, vous n'avez rien à craindre.

Il se rendit compte, en prononçant ces mots, qu'il mentait. Marion avait renvoyé une servante de cuisine qui avait taquiné leur fils Adrien. Était-ce ce que Christina pensait sans oser le dire? Craignait-elle que Nona ne soit jalouse? Qu'elle sente qu'il existait une attirance entre eux?

Christina alla à la fenêtre. La rivière scintillante coulait paresseusement au soleil. Elle inspira profondément. Il aurait aimé aller vers elle et l'enlacer pour lui donner la force de supporter ce qui allait suivre. Mais il ne bougea pas.

— Ne craignez rien, vous garderez votre position ici, auprès de Félicité.

En revanche, il ne pouvait apaiser ses craintes concernant Simon. La vérité devait être affrontée, si déplaisante soit-elle.

— Je ne peux m'empêcher de nourrir des craintes, messire. Hier, vous ne me faisiez pas confiance. Aujourd'hui, oui. Demain, vous pouvez encore changer d'avis.

Elle détourna les yeux de la rivière et soutint son regard.

— Vous avez posté une sentinelle devant la porte de la chambre.

— Ce n'est pas pour vous surveiller, mais pour empêcher les autres d'entrer.

Elle se mit à aller et venir, ses jupes virevoltant autour de ses chevilles, ses cheveux se balançant dans son dos.

— Vous devez me faire confiance, messire.

— Comment accorder sa confiance à son prochain ? demanda-t-il en songeant tout à coup à Luke et à Penne.

— Il faut penser à l'histoire que vous partagez avec une personne.

— Et quand on n'a pas de passé avec elle ?

Elle s'approcha de lui. Sa joue était douce et veloutée. Il eut envie de la caresser, de passer un doigt sur ses lèvres. Les yeux de la jeune femme lancèrent des éclairs.

— Ayez un peu de foi, mon seigneur. Vous ne pouvez pas croire un moment que je vais m'enfuir, puis changer d'avis l'instant suivant. Vous ne pouvez pas penser deux choses opposées.

— Vous avez raison. C'est impossible.

Il se rappela qu'au moment où le roi l'avait questionné au sujet de Christina, il avait spontanément pris sa défense, décidant de croire à son histoire.

— Disons que j'ai eu quelques heures pour réfléchir et que votre histoire m'agrée. Je vous demande de m'accorder aussi votre confiance.

Elle noua les doigts et balbutia :

— C'est difficile. Je ne sais pas ce que vous pensez…

Il soupira.

— Il est préférable pour vous et pour moi que vous ne le sachiez pas.

15

Durand referma la salle des livres et accompagna Christina dans la grande salle. Assise près du roi, dame Nona tenait Félicité sur ses genoux. L'enfant s'agitait et se débattait dans ses bras.

— Je pense que cette enfant réclame sa nourrice, dit Durand en soulevant le bébé.

— Oh, certainement ! s'exclama Nona en riant. Elle a faim.

La fillette se calma dans les bras de Durand. Il observa ses grands yeux bleus, ses joues douces comme de la soie. Sa robe et ses langes étaient brodés de fleurs délicates aux couleurs de l'été. Elle posa les yeux sur lui et leva une main minuscule. Ses doigts explorèrent le torque d'or et l'agrippèrent avec une force étonnante. Elle tira sur le collier, faisant mine de le mettre à sa bouche.

— Elle va vous l'arracher si vous la laissez faire, fit observer Nona.

Le roi sourit d'un air entendu.

— Cette enfant connaît déjà les symboles du pouvoir. Elle a essayé de manger notre bague. N'est-ce pas, Isabelle ?

— Oui, sire, répondit la reine avec un sourire indulgent.

Christina demeura silencieuse. Durand savait qu'il aurait dû lui rendre l'enfant, mais il n'avait pas envie de s'en séparer. Il ôta doucement les doigts qu'elle tenait serrés sur le torque. Les petites mains étaient fragiles et délicates.

— Vous allez la faire tomber, dit la reine en venant placer ses mains derrière la tête du bébé.

Elle lui montra comment tenir la fillette au creux de ses bras. Nona s'approcha également et les deux femmes lissèrent les pans de sa robe.

— Il faudra arranger un mariage digne de son rang, lança Isabelle à son époux.

— Le neveu du comte de Poitou sera le fiancé idéal, ajouta Nona.

— Parfait ! Nous approuvons ! renchérit le roi avec un sourire satisfait. Et comme le comte est très âgé, elle sera sans doute comtesse avant même d'avoir eu toutes ses dents !

Durand s'éloigna de quelques pas. Le comte de Poitou était un homme puissant, mais il connaissait son neveu qui manquait tristement de caractère.

— Christina, que pensez-vous de cette union ?

— Je ne connais pas le comte, mon seigneur. Vous devez faire ce que vous estimez le meilleur pour elle.

Elle s'approcha du bout de la table, où le roi était assis. Durand ne lui proposa pas de reprendre l'enfant et elle ne tendit pas les bras.

La fillette voulut de nouveau attraper le torque, et il l'écarta un peu pour l'en empêcher. Elle ouvrit la bouche et poussa un hurlement strident.

— Elle veut l'or, déclara la reine.

— Elle a faim, corrigea Christina d'une voix si basse que seul Durand put l'entendre.

Leurs doigts s'effleurèrent lorsqu'elle prit le bébé.

— Puis-je me retirer, mon seigneur ?

Il l'y autorisa d'un signe de tête et s'obligea à ne pas la regarder tandis qu'elle traversait la salle et montait dans la tour.

Nona lui prit le bras.

— Quand vous ferez pendre son mari, elle devra partir, dit-elle avec douceur.

— Il n'a pas encore été jugé, madame.

Dame Sabina lui tapota l'autre bras.

— Son époux est un voleur. Il est beau, mais la fourberie est inscrite sur son visage. Ne craignez-vous pas de laisser votre fille aux soins de cette femme ?

Durand secoua la tête. Le roi prêtait une oreille trop attentive à la conversation.

— Je serais inquiet pour Félicité si Christina ne s'occupait pas d'elle.

Un des chevaliers du roi, Roger Godshall, s'approcha. C'était un homme trapu au visage sombre qui, malgré ses riches vêtements, avait l'allure négligée.

— J'ai manqué les derniers ragots ? demanda-t-il à la cantonade.

— Nous discutions de l'avenir de maîtresse Le Gros, dans le cas où son mari serait condamné pour vol, expliqua la reine.

— Elle pourra toujours gagner sa vie sur le dos, répliqua Godshall, narquois.

Durand le foudroya du regard, mais dame Sabina passa son bras sous le sien et lui caressa la main.

— Elle n'est pas assez jolie pour ce genre de jeux.

John les rappela à l'ordre.

— Assez d'enfantillages, revenons aux affaires d'importance. Nos hommes sont rassemblés à Dartmouth. Mais nous attendons l'arrivée de William Marshall, et des vents favorables pour prendre la mer.

— Si Marshall échoue, ne devrions-nous pas faire une autre tentative pour conclure un traité pacifique avec Philippe ? demanda Gilles d'Argent. Il a le soutien de Gervais de Gascogne et d'Ellis de Toulouse. Je connais bien ces deux hommes et il serait souhaitable de les convaincre.

John défia le vieil homme du regard et son visage devint cramoisi.

— Ils n'écouteront pas.

Roger Godshall se leva, les poings sur les hanches.

— Vous ne partez pas avec nous, Gilles d'Argent. Qui êtes-vous donc pour nous parler ainsi ?

— Comment osez-vous ? s'exclama Nicholas d'Argent en se levant d'un bond. Votre épée, Godshall !

Durand et Gilles s'interposèrent entre les deux hommes avant que le sang ne soit versé. Toutefois, ce fut le roi qui mit un terme à la querelle.

— D'Argent n'a pas à partir. Il est trop âgé pour participer aux combats. D'autre part, sa généreuse donation nous permettra d'enrôler au moins quarante guerriers. Nous savons qu'il nous aime et nous soutiendra de toutes les façons possibles. Asseyez-vous.

Nicholas et Roger regagnèrent leur siège, mais gardèrent la main sur le pommeau de leur arme. Durand songea qu'il était temps de partir et de faire couler le sang des Français. Sinon, ils ne tarderaient pas à s'entre-tuer. Il tenta de restaurer un semblant d'ordre autour de la table.

— Je vous accompagnerais volontiers pour négocier avec Philippe ou ses représentants, d'Argent, si vous pensez que nous pouvons obtenir un résultat, dit-il.

Gilles et lui avaient déjà maintes fois présenté cette requête au roi, sans succès. John voulait la guerre. Roger Godshall prit la parole :

— Votre mère ne se trouve-t-elle pas en ce moment à Paris avec Bazin, de Marle ?

Un lourd silence s'abattit autour de la table. Durand s'attendait à ce genre de remarque. Les mains demeurèrent sur les gardes des épées.

Guy Wallingford, un baron dont le fils, de l'âge d'Adrien, était aussi retenu chez Warre, s'exclama :

— Que nous importe ce que fait la mère de De Marle ? Il y a si longtemps que Bazin ne s'est pas servi de son épée, qu'elle doit être rouillée !

Des rires fusèrent, et John lui-même daigna sourire. L'atmosphère se détendit, les mains quittèrent les armes pour saisir les gobelets de vin. Durand fit signe aux serviteurs de remplir les coupes.

Il but son vin à longues gorgées, comme si l'affaire en question ne le concernait nullement.

— Ma mère ne s'intéresse qu'aux bijoux et aux friandises, répliqua-t-il. Je doute qu'elle sache même quel jour nous sommes.

— Tout de même, dit le roi. Bazin était proche du père de Philippe. Il se peut qu'il détienne encore quelque influence à la cour de France. Pouvez-vous nous assurer de la loyauté de votre mère ?

— Ma mère n'a jamais été fidèle à qui que ce soit.

— Sans doute. Mais elle constitue un otage de choix.

— En effet. L'honneur m'oblige à la protéger. Mais vous pouvez être assuré de ma propre loyauté et de celle de mes hommes. Si Philippe décide de prendre ma mère en otage, il demandera une rançon. Je suis sûr que nous pourrons nous mettre d'accord sur une somme.

Il savait aussi qu'il n'avait pas les moyens de payer cette somme, quelle qu'elle soit.

La conversation s'orienta sur les armes, puis dévia vers des sujets plus lubriques.

Durand s'éclipsa alors et gagna les écuries. Joseph était assis en compagnie de William, un de ses hommes d'armes. Les deux compères discutaient des qualités de Maraudeur par rapport aux autres chevaux de guerre.

— Joseph ? Tu es déjà de retour ? remarqua Durand en plissant le front.

— Oui, messire, répondit le valet en se levant.

— Où est notre prisonnier ?

— Le marchand n'a pas essayé de s'échapper. Mais son cheval boitait et j'ai dû louer une voiture. Il sera là dans quelques heures.

— J'ai une autre mission pour toi, déclara Durand en sortant une bourse de sa manche.

— Non, messire, j'ai les reins brisés... protesta Joseph.

Il prit tout de même la bourse, qu'il fit disparaître dans sa poche.

— Pars à l'abbaye et ramène le père Laurentius.

— Comme vous voudrez. Mais pourquoi avons-nous besoin des hommes de loi de l'abbaye ?

— C'est Simon qui risque d'en avoir besoin. Et... William ? Tu vas aller au village...

Au crépuscule, l'escorte qui devait ramener Simon à Ravenswood n'était toujours pas arrivée. Durand décida d'aller à la rencontre de la troupe. Parvenu devant le panneau qui indiquait la direction du château, il aperçut un chariot entouré de quelques cavaliers. Il les attendit, en laissant sa jument brouter l'herbe haute le long de la route.

Lorsque le chariot approcha, il dirigea sa monture vers le centre du chemin.

Simon était assis à l'arrière, les mains et les pieds enchaînés. Il était échevelé et prit l'air offensé en voyant Durand. Le chariot s'arrêta et le marchand se débattit, cherchant à se mettre à genoux.

— Messire Durand, Dieu soit loué, vous voilà enfin ! J'ai essayé en vain d'expliquer à ces simples d'esprit qu'ils commettaient une grave erreur.

Durand flatta l'encolure de son cheval.

— Ont-ils vraiment commis une erreur ?

— Oui, messire. Ils seront punis, je l'espère, dit-il en levant les mains devant lui, comme s'il s'attendait à voir Durand le délivrer de ses chaînes.

— Savez-vous lire, Simon ?

— Messire ? fit le marchand, interloqué.

— Savez-vous lire ? Ma question est simple.

Simon s'assit sur ses talons et laissa ses mains retomber sur ses genoux.

— Oui, messire, je sais lire. Le latin, l'anglais, le français et les langues nordiques. C'est une science nécessaire dans le métier que j'exerce.

— Ah, je vois. Lisez donc cet écriteau, ordonna Durand en pointant le doigt vers le panneau de bois qui se trouvait à l'intersection des routes.

Le visage de Simon s'empourpra. Il garda le silence.

Durand leva sa main gantée, fit un signe aux cavaliers et leur montra la direction du château.

Quand ils arrivèrent devant les grilles, il faisait nuit noire. Des torches illuminaient les fenêtres et les meurtrières. La lune, suspendue au-dessus des tours, les éclairait de rayons argentés. Le vent porta vers eux les bruits des festivités : de la musique, des chansons, des éclats de rire. Mais Durand n'avait aucune envie de prendre part aux réjouissances.

Il voulait seulement aller la retrouver, la prendre dans ses bras, lui promettre que tout irait bien... C'était pourtant impossible.

Car il allait jeter son mari en prison. Et le lendemain, il le condamnerait à subir un châtiment qui serait aussi douloureux pour elle que pour Simon.

16

Dès que Simon fut sous les verrous, Durand partit à la recherche de Christina. Il la trouva perchée sur un tabouret dans la chambre d'Oriel, occupée à remplir de petites bourses de tissu de fleurs séchées et odorantes. Une riche odeur de pommes flottait dans la pièce. Oriel et Félicité étaient allongées sur le lit. Le bébé agitait joyeusement les mains et les pieds, comme un chiot se prélassant au soleil.

— Pouvez-vous surveiller le bébé ? demanda-t-il à Oriel.

Celle-ci acquiesça en souriant.

— Certainement. Je pense qu'elle a le ventre plein, n'est-ce pas, Christina ?

Celle-ci hocha la tête. Il remarqua que ses mains tremblaient. Elle avait deviné la raison de sa visite.

Il prit la main d'Oriel et lui embrassa le bout des doigts.

— Vous trouvez-vous bien, ici ? Resterez-vous, si notre tentative en Normandie échoue ?

— Penne prendra lui-même cette décision. Il dit qu'il est assez jeune pour tout recommencer.

— Nous le sommes tous. Mais sachez que vous serez les bienvenus à Ravenswood si vous décidez de vivre ici.

— Nona ne voudra pas d'une autre femme au château, cela créerait la confusion, protesta Oriel en secouant la tête.

— Je ne suis pas encore marié.

Toutefois, ses paroles manquaient de conviction. Il épouserait sans doute Nona, dans l'intérêt de ses fils. Les deux seules raisons pour lesquelles il contracterait une union étaient les terres et le pouvoir.

— Allez, dit Oriel en le chassant d'un geste de la main comme s'il n'était qu'une mouche qui la gênait. Allez.

Il se tourna vers Christina et lui tendit la main.

— Christina, Simon est arrivé.

Ignorant son geste, la jeune femme se leva.

— Puis-je le voir ?

Sa voix était à peine audible, mais elle garda la tête haute et ne chercha pas à éviter son regard.

— Suivez-moi.

La grande salle était occupée principalement par des hommes. Très peu de femmes participaient aux festivités du soir. Les conversations étaient grossières, les manières l'étaient plus encore. Roger Godshall chantait avec ses hommes, et les paroles paillardes firent rougir Christina.

Durand prit son bras pour lui faire traverser la foule et la guider vers l'escalier qui menait aux cachots.

L'odeur d'humidité de la cellule rappela à Christina le bref séjour qu'elle y avait fait. Le vieux geôlier qui ouvrit la porte du cachot lui demanda dans un chuchotement inquiet si elle était sûre de vouloir visiter un endroit aussi sinistre. Elle lui affirma que oui et entra d'un pas ferme dans la prison de Simon. Son estomac se noua lorsqu'elle entendit la lourde porte se refermer derrière elle avec un bruit métallique.

— Sais-tu pourquoi je suis ici ? s'enquit Simon d'une voix chevrotante.

— On te soupçonne d'avoir dérobé l'herbier d'Aelfric qui appartient à messire Durand.

— Il m'a accusé de l'avoir volé !

Simon tomba à genoux et cacha son visage dans les plis de la jupe de Christina. Celle-ci demeura figée un instant, puis posa les mains sur sa tête. Le corps de son mari était secoué de sanglots, et elle sentit ses propres yeux s'emplir de larmes.

— Simon, il faut te lever. Le sol est humide, tu vas tomber malade.

Il s'écarta brusquement.

— Et alors ? Il me fera pendre ! Quelle importance si je suis malade lorsqu'on me traînera jusqu'au gibet ?

— Tu n'as pas encore été condamné, Simon. Garde courage.

— Ne te fais pas d'illusions, il fera en sorte pour que je le sois. Il trouvera le moyen de me tuer !

— Messire Durand est un homme juste, assura-t-elle en arpentant la petite cellule.

— Juste ? Tu plaisantes !

Simon lui agrippa le bras et enfonça profondément les doigts dans sa chair.

— Il se moque de la justice. Il n'entendra que ce qu'il voudra entendre, ne croira que ce qu'il voudra croire. Il est manipulé par son frère.

— Par Luke ? s'exclama-t-elle, éberluée.

Les traits de Simon se contorsionnèrent de colère.

— Oui, Luke. Sur quel ton tu prononces ce nom, ma mie ! Crois-tu que Durand se soucie de mon sort, alors qu'il peut te délivrer d'un époux encombrant pour te mettre dans le lit de son frère ?

— Quoi ? Tu... tu m'accuses d'une telle vilenie ? s'écria-t-elle en retirant brusquement son bras. Tu es fou ! Messire Luke ne s'intéresse pas à moi, je te l'ai déjà dit. Il n'a jamais pris la moindre liberté avec moi ! S'il m'a touchée, c'était parce qu'il était poussé par l'inquiétude. Tu étais dans l'erreur et tu t'y maintiens !

— Il veut coucher avec toi.

Simon tendit la main pour l'attraper et elle se déroba vivement.

— Laisse-moi comprendre... Parce que tu as vu messire Luke me toucher une fois, tu imagines que Durand et lui conspirent pour t'emprisonner afin que Luke puisse m'avoir ? C'est de la folie !

— Qui pourrait voler le livre d'un seigneur, à part un autre seigneur ? Tu n'avais pas accès à la salle où il se trouvait. Moi non plus. Je suis accusé parce que je ne suis rien pour eux et que Luke te veut dans son lit. Tu deviendras sa maîtresse dans l'heure qui suivra ma mort, que tu le veuilles ou non !

Il retomba à genoux et agrippa les plis de sa jupe.

— Sauve-moi, je t'en supplie. Sauve-moi !

— Je ne sais pas quoi te dire, répondit-elle, désarmée. Ton histoire n'a aucun sens.

Simon lui entoura les jambes de ses bras.

— Ce n'est pas vrai. C'est toi qui refuses la vérité. C'est un noble qui a volé ce livre. Un noble, te dis-je !

Elle s'agenouilla face à lui. Il leva vers elle son visage maculé de suie et strié de larmes.

— Je n'ai jamais fait quoi que ce soit dont je puisse avoir honte avec messire Luke. Il n'a pas cherché à me séduire.

Grâce au Ciel, Simon ne la soupçonnait pas d'éprouver un quelconque sentiment pour Durand.

— J'ai peur, chuchota-t-il.

Elle le serra dans ses bras et murmura :

— Moi aussi. Maintenant, dis-moi la vérité. Est-ce vraiment ton fils qui est mort ?

— Non. Je ne connaissais pas ce garçon.

— Dis-moi la vérité.

— C'est la vérité, protesta-t-il en détournant les yeux.

— Alors, pourquoi n'es-tu pas allé le chercher à Winchester ?

Simon posa les mains sur les siennes et bredouilla :

— Ils me couperont la main. Ou bien ils me pendront... ou me marqueront au fer rouge.

Un frémissement secoua son corps et il tourna la tête pour lui embrasser la paume.

— Je serai invalide, il faudra que tu t'occupes de moi comme un bébé. Je ne pourrai pas le supporter ! Va trouver messire Luke. S'il veut que tu sois sa maîtresse, il acceptera de négocier avec toi.

— Réponds-moi, Simon, insista-t-elle. Tu dois être honnête avec moi.

Ce fut lui cette fois qui la repoussa et s'écarta. Il se leva et la toisa d'un air menaçant.

— Honnête avec toi ? Alors que c'est toi qui m'as tendu ce piège ? Alors que tu as autorisé un homme à te toucher sous les yeux de ton mari ? Alors que tu as empiété sur le domaine d'Aldwin en essayant de...

Elle fut traversée d'une colère si intense qu'elle bondit sur ses pieds.

— Assez ! Je ne veux plus rien entendre.

Elle alla à la porte. Simon la rattrapa en une seconde et la plaqua contre le lourd panneau de bois, posant les mains de part et d'autre de ses épaules.

— Écoute-moi, femme. C'est à cause de toi que tout ça est arrivé, il faut que tu répares le mal que tu as fait. Demande à ton amant de me délivrer.

Son souffle lui brûlait la joue. Il la tenait prisonnière.

— Tu te trompes, Simon. Tu te trompes complètement.

Il laissa ses mains glisser de ses épaules sur ses hanches.

— Luke est-il ton amant ? Désire-t-il ma mort ?

Elle parvint à lever la main pour taper à la porte. Le garde appela, et Simon recula vivement.

— Supplie messire Luke de me libérer, Christina. Tu dois le faire. Tu es liée à moi jusqu'à la mort.

Le gardien ouvrit la porte, elle trébucha et manqua tomber dans ses bras. Étourdie, aveuglée par le chagrin, elle regagna la tour d'un pas mal assuré et se dirigea vers la chambre d'Oriel. Elle prit Félicité dans ses bras, saisit son couffin d'osier, et alla se réfugier dans le jardin.

La lumière pâle et blanche de la lune inondait les allées. Les graviers brillaient comme des pierres précieuses sous ses pas. Elle déposa le couffin et arpenta les sentiers en respirant le parfum apaisant des plantes aromatiques et en écoutant le bruissement des feuilles sous la brise.

Peu à peu, la colère suscitée par les accusations de Simon se calma. Son époux craignait pour sa vie, il inventait des histoires à sa convenance. Il était vrai que Luke l'avait tenue par les épaules avec une grande familiarité. Et de fait, elle avait trahi ses vœux, du moins en pensée, non pas avec Luke mais avec Durand.

Cela suffisait pour être une femme adultère.

Elle finit par s'installer sur un banc et ouvrit son corsage pour allaiter Félicité. Celle-ci téta paresseusement, comme un enfant sur le point de s'endormir. Elle n'avait plus beaucoup de temps à passer avec le bébé. Un jour ou deux... jusqu'à la condamnation de Simon.

— Simon a-t-il volé ce livre, Félicité ? Je ne sais que croire...

Elle serra l'enfant contre elle et inhala le doux parfum de sa peau de bébé qui se mêlait à l'odeur du lait.

— Il est vrai que seuls des nobles avaient la possibilité de prendre l'herbier. Mais que penser des nombreuses femmes qui rendent visite à Luke ? N'ont-elles pas accès aux coffres ? Savent-elles ce qui s'y trouve ?

Félicité s'endormit, mais Christina continua de lui parler comme si elle comprenait.

— Ce pauvre garçon qui est mort était bien Hugues. J'en suis certaine.

Simon n'avait pas répondu, se contentant de reprendre ses accusations. Et elle avait compris qu'il évitait la question pour ne pas avoir à mentir une fois de plus.

Elle s'aperçut tout à coup que le jardin n'était plus éclairé par la lune et que celle-ci avait sombré derrière les hautes murailles. Elle retourna à pas prudents vers le portail, sortit et referma à clé derrière elle. Elle savait ce qu'elle avait à faire.

La grande salle du château était occupée principalement par les hommes du roi. Durand n'était nulle part, mais elle aperçut Luke sur la galerie. Elle alla vers lui d'un pas vif, avant de perdre courage.

Luke était appuyé à la rambarde, les bras croisés. Il portait une tunique noire brodée de fils d'or. Le noir lui seyait moins qu'à son frère. C'était la couleur de Durand. Noir comme la nuit, noir comme le secret. Elle chassa ces divagations et demanda :

— Savez-vous où se trouve messire Durand ?

— Peut-être. Pourquoi le cherchez-vous ?

Elle soupira et scruta la foule rassemblée au-dessous d'eux dans la salle. Durand ne s'y trouvait pas. Elle ne pouvait pas repousser plus longtemps le moment de le voir.

— Je veux lui parler de Simon.

Parviendrait-elle à lui arracher un pardon ?

Sans un mot, Luke la guida vers la salle des comptes.

— Êtes-vous sûre que vous souhaitez le voir ? s'enquit-il en s'arrêtant devant la porte.

Pour toute réponse, elle fit passer le lourd couffin d'osier sur son bras gauche et frappa.

— Entrez ! lança Durand d'un ton âpre.

Elle eut une hésitation, mais Luke souleva le loquet et la poussa doucement à l'intérieur.

Aucune chandelle ne brûlait dans la pièce. Seules les braises rougeoyantes éclairaient la silhouette de Durand assis devant la longue table. Son visage était dans l'ombre, et elle ne put distinguer l'expression de ses yeux. Elle fit une profonde révérence et essaya en vain de calmer les battements désordonnés de son cœur. Luke était demeuré derrière elle.

— Mon seigneur, je vous supplie de bien vouloir m'entendre.

— Attendez.

Il se leva et alla vers la cheminée. Il tendit une petite baguette vers les braises. Elle s'enflamma, et il s'en servit pour allumer la mèche d'une chandelle.

Il portait une longue tunique grise garnie de festons rouges, sur une chemise de lin blanc dont le haut col cachait presque le torque. Mais elle vit l'or luire à son cou lorsqu'il bougea. Son allure était sévère et intimidante. Ce n'était plus un amant, mais un juge qu'elle avait en face d'elle.

— Que puis-je faire pour vous ? demanda-t-il d'une voix mesurée.

Elle déposa le couffin sur le sol, prit Félicité dans ses bras et s'agenouilla devant lui.

— Je vous supplie, messire, de libérer mon époux. Il n'a pas volé l'herbier. Il n'en avait pas besoin. S'il avait convoité cet objet, j'aurais pu le lui donner. Je crois que c'est le garçon qui l'a dérobé, après avoir entendu Simon en parler. Ce garçon est mort, mon seigneur. À quoi bon punir son père ?

Luke voulut parler, mais Durand lui intima le silence d'un geste de la main. Cette affaire ne concernait que Christina et lui.

Il alla vers elle. La chandelle éclairait sa chevelure sombre. Il lui posa une main sur la tête.

— Ne me suppliez pas, Christina. Je n'aime pas vous voir vous humilier devant moi.

Il allait la faire souffrir. Il le savait. Le fait de venir lui demander à genoux la grâce de Simon prouvait qu'elle avait pour son époux des sentiments. Cet homme la maltraitait et pourtant, elle prenait sa défense. Marion en aurait-elle fait autant pour lui ?

— Je dois vous supplier, mon seigneur. C'est mon époux et je lui ai juré fidélité.

Il laissa ses doigts glisser le long de sa joue satinée et sur son menton, l'obligeant à lever les yeux vers lui. Elle avait un visage adorable. Un regard doux et innocent.

— Il ne faut pas accorder sa confiance aveuglément, dit-il à voix basse.

Il lui prit la main et déposa au creux de sa paume les bagues de l'évêque.

— Mes hommes les ont trouvées sous le matelas de Simon, cachées sous le plancher. Ce n'est pas le garçon qui a volé l'herbier.

Il replia doucement les doigts de la jeune femme sur les bagues et attendit. Sa main se mit à trembler dans la sienne.

— Non, chuchota-t-elle.

Elle se dégagea et déplia les doigts pour contempler les bagues ornées de pierres précieuses. Avec un gémissement sourd, elle les posa sur le sol. Puis elle se leva en chancelant.

Durand lui tendit la main, mais elle la refusa d'un signe de tête. Ses lèvres tremblaient. Elle déposa l'enfant dans les bras de Luke, alla soulever le loquet et disparut dans le couloir.

17

— Christina ! lança Durand.

La porte claqua et elle ne répondit pas.

Luke déposa Félicité sur son matelas et s'assit sur un tabouret, près de la table.

— Tu ne t'y es pas très bien pris.

— Je ne pouvais pas la laisser s'humilier pour lui, répondit Durand, les yeux fixés sur la porte. Cet homme a gâché son existence.

— Mais il est tout de même son mari, et peut-être y a-t-il de l'affection entre eux. Tu aurais pu la traiter avec plus de douceur.

Durand se laissa tomber dans son fauteuil en soupirant.

— Luke… J'essaye de trouver une raison de rendre sa liberté à un voleur.

— Quoi ? John estime que le vol de l'herbier est lié à la mort de l'évêque ! s'exclama Luke en bondissant sur ses pieds. Si tu rends sa liberté à Simon Le Gros, c'est toi que John soupçonnera, et Dieu seul sait de quoi ! De trahison ? D'avoir été à l'origine de cette attaque de brigands ? Penne dit qu'ils étaient trop bien habillés et trop bien armés pour de simples bandits de grand chemin…

Durand se leva à son tour.

— Je sais déjà tout cela, dit-il en s'approchant de l'enfant de Marion. Mais je ne peux laisser souffrir Christina.

— Tu trouveras une autre nourrice ! s'écria Luke, excédé.

Durand secoua la tête.

— Ce n'est pas cela, le problème. Je pense depuis des jours à ce qui se passera quand nous partirons. Si je meurs à la guerre, qui veillera sur cette enfant ? Toi ? Tu seras mort avec moi en France, je le crains.

À moins que son frère ne le trahisse ? Qu'il trouve un prétexte au dernier moment pour rester en Angleterre ?

Luke traversa la chambre d'un bout à l'autre.

— Oriel s'occupera de Félicité. Et tes craintes sont ridicules. Pour l'amour du Ciel, Durand ! Tu as déjà survécu à une croisade.

Durand s'agenouilla près du bébé et lui tendit son doigt. La fillette l'attrapa et le serra de toutes ses forces.

Certes, Oriel pouvait fort bien veiller sur Félicité et sur ses intérêts. Mais l'enfant lui fournissait un prétexte pour prendre la défense de Christina. Il ne pouvait avouer à son frère qu'il voulait que la jeune femme puisse vivre en paix. Même s'il devait pour cela libérer Simon et lui permettre de s'enfuir avec elle.

Le ciel commençait à blanchir lorsque Durand traversa la cour pour se rendre à la chapelle.

Christina était agenouillée près de l'autel avec le père Odo.

— Vous cherchez asile, maîtresse Christina ?

Félicité s'était blottie contre son épaule. Elle dormait, alors que l'heure de son repas était dépassée. Il vit avec soulagement que le couffin d'osier était posé à côté de Christina. Celle-ci avait donc l'intention de reprendre le bébé.

— Maîtresse Le Gros est venue prier, mon seigneur, dit le prêtre en tapotant la main de Christina. Je vous laisse, mon enfant. Nous sommes entre les mains de Dieu.

Il s'inclina et sortit.

Durand déposa Félicité dans les bras de Christina, qui s'assit et dégrafa son corsage. L'enfant se mit à téter goulûment.

Il aurait aimé demander à un peintre de fixer cet instant pour lui. Christina avec l'enfant prenant le sein, dans la chapelle baignée d'une lumière dorée...

— Vous allez devoir affronter des moments difficiles, aujourd'hui.

— Que feriez-vous si quelqu'un vous trahissait ? demanda-t-elle à brûle-pourpoint.

— Je le transpercerais de mon épée.

— Oui, les hommes peuvent faire cela. Tirer une épée et abattre ceux qui leur font du mal.

Sauf si la personne qui vous fait du mal est celle que vous aimez. Alors, vous êtes impuissant à vous défendre, songea Durand avec amertume.

Christina embrassa les doigts de Félicité.

— C'est un joli bébé, messire. J'ai parlé avec Alice et nous avons pensé à une solution pour elle, lorsque je m'en irai.

— Vous pourrez rester aussi longtemps que...

— Je ne pourrai pas, protesta-t-elle aussitôt, et nous le savons tous les deux. J'aurais tellement honte !

Elle marqua une pause.

— Rose, la sœur du boulanger, a eu son bébé. C'est une femme honnête, qui a besoin d'argent pour nourrir sa famille. Elle a déjà pris des enfants en nourrice. Si vous m'y autorisez, messire, je resterai auprès de Félicité jusqu'à ce que Rose soit prête. Cela prendra peut-être une semaine. Ensuite, je retournerai chez mon père, à Norwich. J'ai quelques économies qui me permettront de payer mon voyage.

— Comme vous voudrez, mais je le répète, vous n'êtes pas obligée de partir.

Elle secoua vivement la tête.

Il comprit qu'elle partirait, quoi qu'il dise. Et il pleurerait la perte de cette femme comme il n'avait pas pleuré Marion. Même si Simon était remis en liberté, ils ne pourraient pas rester. Les soupçons pèseraient toujours sur eux et personne ne se fournirait chez un marchand dont la réputation était ternie.

Il attendit que Félicité ait fini de téter et la remit dans son panier. Puis il tendit les bras. Christina vint s'y blottir, comme si sa place avait toujours été là. Il la serra étroitement contre lui et, bien qu'il connût la réponse par avance, il ne put s'empêcher de murmurer :

— Venez dans mon lit, Christina. Maintenant. Juste une fois, avant que vous ne partiez...

Le corps de la jeune femme fut secoué d'un frémissement, mais elle ne dit rien.

— Une seule fois, Christina, chuchota-t-il en respirant le parfum de ses cheveux.

Elle noua les bras autour de sa taille et il frissonna au contact de son corps doux. Puis, avec une extrême lenteur, elle se détacha de lui et recula jusqu'à ce que seuls leurs doigts demeurent en contact.

— Non, mon seigneur, je ne peux pas. Mon âme est déjà bien assez chargée de péchés comme ça.

Christina n'eut pas à attendre longtemps pour le jugement. Elle fut appelée juste avant midi. Elle traversa bravement la grande salle, Alice trottinant derrière elle, Félicité dans ses bras. Des chuchotements s'élevèrent sur leur passage. Elle aurait voulu s'enfuir, se réfugier au plus profond de la forêt et se cacher sous les feuillages, dans le silence et l'obscurité.

Deux prêtres, assis de part et d'autre de messire Durand, grattaient des feuilles de parchemin de leur plume d'oie tandis que le seigneur du manoir prenait des décisions et rendait justice. La limite d'un champ, un cochon perdu, des dommages causés par une vache...

Le roi allait et venait dans la salle. Parfois, intéressé par un cas particulier, il s'asseyait pour écouter les plaignants, et prononçait une sentence. Durand lui demanda son avis dans chaque cas, excepté pour l'affaire de la vache. Là, il fit entendre sa décision d'un ton ferme et le roi hocha la tête en signe d'approbation.

Christina aurait aimé entendre ce qu'ils disaient, mais ils parlaient entre eux, sans s'adresser à la foule massée dans la salle. Durand possédait-il un pouvoir assez grand pour s'opposer au roi? Elle n'était pas sûre que John soit un homme juste. Alice disait qu'il était gouverné par ses caprices et sa fantaisie.

Elle n'arrivait pas à discipliner ses pensées. Son regard se fixa sur les immenses tableaux de part et d'autre de la cheminée. La reine et les courtisans s'étaient rassemblés là pour regarder. Christina se faufila dans la foule pour mieux entendre les débats, mais elle s'aperçut alors qu'elle se trouvait près d'un groupe de jeunes femmes, parmi lesquelles dame Nona et dame Sabina. L'homme au bras duquel s'appuyait Sabina la regarda avec un peu trop d'insistance et de familiarité. Dame Sabina déclara à sa compagne, d'une voix haut perchée et condescendante :

— Le roi accepte d'écouter tous les cas qui lui sont soumis. Certains offrent des sommes très élevées pour avoir le privilège de son jugement, mais le roi ne veut rien recevoir de ses sujets.

Christina fut parcourue d'un frisson d'appréhension. Elle espérait que c'était à Durand que reviendrait de juger Simon. Si celui-ci pouvait espérer une grâce, elle ne serait pas accordée par un homme aussi versatile que le roi John.

Simon apparut, les mains liées, et fut conduit devant Durand. Il avait la tête haute et ne semblait pas intimidé.

— Simon Le Gros, commença Durand, vous êtes accusé d'avoir volé l'herbier d'Aelfric qui se trouvait dans le château.

— Je parlerai au nom de maître Le Gros, dit un grand homme portant l'habit des ecclésiastiques, en s'avançant.

— Père Laurentius ! s'exclama le roi. Vous allez plaider le cas de cet homme ? Les négociants ont des défenseurs de haute lignée, de nos jours !

Il y eut un mouvement d'étonnement parmi la foule, des rires fusèrent. Simon se raidit.

Le prêtre s'inclina devant le roi.

— Messire Durand a fait appel à moi, car ce marchand dit être accusé à tort. Sa Seigneurie tient à ce que la justice soit équitablement rendue.

Durand avait donc fait appel à un si illustre personnage pour aider Simon ? Comment pourrait-elle... *pourraient-ils* le remercier ?

Sur un signe du roi, Laurentius commença sa plaidoirie, allant et venant devant l'auditoire.

— J'ai parlé longuement avec maître Le Gros et je pense qu'on lui a fait grand tort.

Le roi eut un large geste de la main.

— Paroles d'avocat. Nous les avons entendues mille fois.

— J'ai peut-être été sollicité par messire Durand, mais c'est contre lui que je dois parler, poursuivit Laurentius, imperturbable.

Le roi se lissa la moustache et se tourna vers Durand.

— Nous jugerons ce cas, de Marle. Si le père Laurentius doit parler contre vous, nous pensons qu'il vaut mieux vous écarter du jugement. En outre, nous nous réjouissons de cette joute verbale avec Laurentius.

Durand s'inclina, mais protesta :

— Sire, ce cas est très important pour moi. Je vous accorde que c'est mon livre qui a été dérobé, mais je m'intéresse grandement à l'issue de...

— Doutez-vous de notre capacité à rendre la justice ?

Christina vit qu'une discussion opposait le roi à messire Durand, mais elle ne put saisir les paroles qu'ils échangeaient. Finalement le roi se tut, Durand s'inclina et recula son fauteuil.

— Sire, commença le prêtre, Simon Le Gros est d'avis que messire Luke a comploté pour qu'il soit pendu.

Le silence s'abattit dans la salle, puis un bourdonnement de commentaires se répandit dans l'assistance. Christina sentit la tête lui tourner.

Non, Simon, non... songea-t-elle, désespérée.

— Expliquez-vous, ordonna le roi.

— Messire Luke voudrait posséder maîtresse Le Gros et souhaite donc voir pendu maître Le Gros afin que son épouse soit libre.

Christina sentit un bras se glisser autour de sa taille pour la soutenir.

— Vous semblez malade, Christina, murmura dame Nona. Voulez-vous vous retirer ?

Christina secoua la tête et redressa les épaules. Elle n'avait pas à avoir honte, car il n'y avait rien entre Luke et elle. Tous les regards se tournèrent cependant dans sa direction, et elle s'efforça de les ignorer.

— Nous aimerions en entendre davantage. Montrez-vous, messire Luke. Venez répondre à ces accusations.

Luke s'avança et vint se placer à côté de Simon. Il semblait en proie à une grande fureur. Tout dans son apparence était noble, depuis son visage aux traits finement sculptés jusqu'à sa tunique bleue brodée d'or. Simon en revanche, avec ses cheveux sales pendant en désordre autour de son visage et son manteau brun incrusté de paille, n'avait rien d'un marchand prospère.

— Avez-vous comploté afin de prendre l'épouse de cet homme ? demanda le roi à Luke.

— Non, sire. Les femmes mariées ne m'intéressent pas.

Le compagnon de Sabina gloussa d'un air narquois. Le prêtre se mit à aller et venir entre la table et messire Luke.

— Est-il exact que l'herbier se trouvait enfermé dans *votre* coffre?

— C'est exact. Mais un grand nombre de personnes sont passées dans cette salle.

— Vraiment? rétorqua le prêtre. Puis-je savoir qui?

— Des... amis.

— Nommez-les.

Le prêtre sourit. Il avait des dents jaunes et un long nez pointu.

— Sire, déclara Luke, je le ferai volontiers, mais en privé.

Le roi sourit. Des ricanements fusèrent dans la salle.

— Établissez une liste que nous lirons *en privé*.

Christina crut qu'elle allait défaillir. Elle regarda Luke écrire, faire une pause, écrire encore, puis réfléchir en se tapotant le menton avant de se remettre à écrire. L'assistance commençait à s'agiter. Des murmures s'élevèrent. Le regard de Durand se détourna de Luke et vint se poser sur elle.

La jeune femme ne chercha pas à l'éviter, mais ne vit rien dans ses yeux qui pût la laisser espérer.

Luke lança un coup d'œil autour de lui et fit passer la liste au roi.

Dame Sabina se pencha vers son compagnon et marmonna:

— Son matelas doit être usé jusqu'à la corde.

Dame Nona pivota sur elle-même et disparut dans la foule. Privée de son soutien, Christina se sentit brusquement seule, parmi une foule d'inconnus qui se moquaient éperdument de son sort et de celui de Simon.

Le roi parcourut la liste en silence et haussa les sourcils avec perplexité.

— Messire Luke, dit-il. Nous souhaiterions que notre médecin vous examine. Nous sommes humiliés.

Il y eut un tonnerre de rires dans la salle. Luke se contenta de hausser les épaules d'un air désinvolte. Le père Laurentius devint cramoisi.

— Sire, dit-il en s'approchant du roi. Juste un mot.

Une vive discussion s'ensuivit et finalement, le roi hocha la tête. Le prêtre retourna auprès de Simon d'une démarche raide, levant le menton d'un air hautain.

— Il me déplaît que l'on tourne ce genre de procès en dérision, déclara-t-il. La vie d'un homme est en jeu.

— Venez-en au fait, et vite, Laurentius, lui intima le roi. Nous perdons une journée de chasse.

Durand regarda son frère et hocha la tête. Le silence se fit dans la salle, les visages recouvrèrent leur gravité.

— Avez-vous vu maître Le Gros dans votre salle des comptes, à un moment où il n'aurait pas dû s'y trouver, messire ? demanda Laurentius.

— Non, répondit Luke.

— Cette salle, et le coffre, sont-ils fermés à clé ?

— Non, répéta Luke en secouant la tête.

— Y a-t-il une sentinelle pour garder la porte ?

— Non. Cette salle ne contient que des documents que je consulte de temps à autre... et un lit. Les documents plus importants sont transférés régulièrement dans une autre salle qui, elle, est fermée à clé et gardée.

Le prêtre acquiesça.

— Je vois. Ce livre avait donc peu de valeur ?

Christina vit Luke hésiter un instant.

— Il en avait pour certaines personnes.

— Et n'importe qui pouvait entrer dans la salle et le prendre ?

— En effet.

Le prêtre se tourna vers le roi en agitant la liste établie par Luke.

— Sire, je demande que maître Le Gros soit libéré. Comme vous pouvez le voir, n'importe qui aurait pu prendre ce livre.

Mais le roi secoua la tête.

— Oui, le prendre et le faire passer à quelqu'un d'autre. À maître Le Gros, par exemple. Je vous rappelle que l'évêque Dominique est mort et que le livre était en possession d'un de ses gardes. L'attaque dont ils ont été victimes a grandement bouleversé la reine.

Le roi pivota sur son siège, en direction de Durand.

— Nous avons cru comprendre que les bagues de l'évêque avaient été retrouvées ?

Rien ne pouvait donc être gardé secret, dans ce château ? Christina vit ses espoirs sombrer. Le roi sourit et précisa :

— Dame Sabina nous en a informés.

Le visage de Durand semblait sculpté dans la pierre. Où était passé l'homme qui l'avait embrassée si tendrement un peu plus tôt ? Celui-ci était froid et dur. Il s'inclina devant le roi.

— Deux des bagues ont été retrouvées.

Christina eut l'impression que son estomac se nouait. Comment dame Sabina avait-elle pu savoir ? L'homme qui était avec celle-ci parla à haute voix, sans se soucier de Christina :

— Ce marchand est un voleur, mais il échappera au bourreau. Il suffit d'avoir un avocat, de nos jours.

Tout le monde considérait donc que la culpabilité de Simon était établie.

— Elles étaient cachées sous le matelas de Le Gros, ajouta Durand.

Le père Laurentius revint vers la table.

— Sire. N'importe qui peut les avoir dissimulées là. C'est probablement l'homme qu'on avait envoyé pour fouiller la maison du marchand qui a prétendu les avoir découvertes. Un homme qui, je suppose, appartient à messire Luke.

— Non, un de mes hommes, précisa Durand.

— C'est la même chose, sire, déclara Laurentius en croisant les bras. Un frère aide l'autre.

— Prenez garde, Laurentius, dit le roi. Vous accusez un baron en qui j'ai entièrement confiance.

Christina eut conscience que Durand avait du mal à garder son sang-froid. Une veine battait sur sa tempe.

— La maison de Le Gros est aussi fréquentée que la chambre de messire Luke, poursuivit Laurentius.

Le roi se tourna alors vers Simon.

— Vous faut-il du parchemin et une plume pour établir votre liste ?

Il y eut un bref conciliabule entre Simon et Laurentius. Puis ce dernier demanda qu'on apporte à son protégé les mêmes accessoires qu'à Luke. Les mains liées, Simon dicta quelques noms à Laurentius.

Le roi parcourut la liste et son regard balaya la foule.

— Étrange, marmonna-t-il.

— Sire, déclara Durand après avoir pris connaissance de la liste à son tour. Il semble que les personnes qui avaient accès à ma salle des comptes avaient également accès à la maison de Simon Le Gros.

Il n'en dit pas davantage. Christina comprit qu'il s'abstenait délibérément d'accuser Simon. Était-ce pour elle qu'il tenait sa langue ?

Le roi replia le morceau de parchemin et le glissa dans sa tunique. Qui se trouvait sur la liste ? Elle devina brusquement que Simon n'avait pas simplement donné le nom de ses clients, mais celui de ses *maîtresses*. Son humiliation était donc totale.

Le roi se leva et considéra Simon.

— Beaucoup d'incertitudes entourent le vol de ce livre et la mort de l'évêque. Nous n'avons pas le temps d'examiner ce cas avec tout le soin que nous déployons habituellement. Nous nous en remettrons donc à Dieu. Simon Le Gros, vous subirez l'épreuve de Son jugement.

— Le roi est pressé d'aller à la chasse, chuchota un homme derrière Christina.

Elle vit tous les regards se tourner vers Simon et s'efforça de garder la tête haute.

Je ne pleurerai pas. Je ne m'évanouirai pas, se répéta-t-elle pour se donner du courage.

Laurentius dit quelques mots à Simon, qui poussa une exclamation d'effroi et sembla s'étouffer. Un long frémissement secoua son corps. Le prêtre le salua brièvement et retourna vers le roi.

— Sire, si un homme doit être soumis au jugement de Dieu, c'est messire Luke, car il a voulu faire pendre cet honnête marchand pour se débarrasser de lui.

— Assez ! aboya le roi. Notre décision est prise. Cet homme subira l'épreuve de l'eau.

Un silence de plomb s'abattit dans la salle.

— Voyons qui est cette femme que Luke convoiterait au point de vouloir la mort de son mari.

La voix du roi résonna dans la salle silencieuse. Tous les regards se tournèrent vers Christina. Dame Sabina la poussa du coude.

— Allez, dit-elle. Allez vous placer au côté de votre époux.

Le compagnon de Sabina voulut lui prendre le bras pour la guider, mais elle se dégagea avec brusquerie.

— Laissez-moi, je n'ai pas besoin de vous.

Plusieurs hommes autour d'elle ricanèrent et l'homme devint cramoisi. Le regard qu'il lui lança la glaça. Pourquoi avait-elle été si acerbe ? Elle avait besoin du soutien de tous.

Les jambes tremblantes, elle alla vers Simon. Celui-ci lui lança un regard qu'elle connaissait bien et elle frissonna de peur.

— Sire, dit-elle avec une profonde révérence.

— Relevez-vous, maîtresse. Êtes-vous l'épouse de cet homme ?

— Oui, sire.

— Êtes-vous la maîtresse de messire Luke ?

— Non, sire.

Elle regarda le roi, puis Durand. Celui-ci soutint son regard et elle vit quelque chose dans ses yeux qui ressemblait à de la pitié. Elle comprit que les accusations de Simon l'avaient marquée aussi irrémédiablement que le fer rouge du bourreau.

Désormais, tout le monde croirait qu'elle avait été la maîtresse du plus grand coureur de jupons de Ravenswood.

— Comme nous l'avons dit, la question sera rapidement réglée, déclara le roi. Nul n'est besoin d'écouter de jolis discours. Nous n'avons pas de temps à perdre avec ces petits larcins. Soumettez cet homme à l'épreuve de l'eau. S'il est innocent, Dieu le prouvera. Mais si, comme nous le pensons, il a volé le livre et a obligé son fils à le remettre à l'évêque, il est également coupable d'avoir poussé son propre enfant à commettre une vilenie. Par conséquent, si Dieu le reconnaît coupable, nous le condamnons à avoir les deux mains coupées.

— Votre Grâce, je proteste… commença le prêtre.

Mais le roi l'interrompit.

— Vous qui êtes prêtre, vous n'avez pas confiance dans le jugement de Dieu ?

L'homme s'inclina.

— Naturellement, sire. Mais les doutes ne sont-ils pas assez nombreux, dans ce cas, pour ne pas mettre tant de hâte à condamner cet homme ?

— Nous ne le condamnons pas, père Laurentius. Nous laissons ce soin à Dieu.

Sur ces mots le roi s'éloigna, la reine à son bras.

Deux gardes saisirent Simon. La foule se pressa pour sortir par les grandes portes de chêne. Messire Durand contourna la table pour venir vers Christina, mais lui-même fut pris dans la cohue. Il parvint toutefois à lui saisir la main alors qu'elle s'apprêtait à suivre Simon.

— Restez, ordonna-t-il. Il vaut mieux que vous n'assistiez pas à cela.

— Que va-t-il se passer ? Je ne comprends pas.

Elle voulut se dégager, mais il fit signe à un garde de la retenir.

— Simon va subir le jugement de Dieu, Christina. Savez-vous ce que cela signifie ? Il sera jeté dans l'étang. S'il survit, cela signifie qu'il est coupable et qu'il aura les mains tranchées. S'il est innocent et qu'il se noie... eh bien, il sera mort.

Christina se mit à claquer des dents.

— Mon seigneur...

— Attendez-moi ici. Ne la laissez pas partir, ordonna-t-il à la sentinelle. Ou vous aurez affaire à moi.

Il lui caressa la joue et elle poussa un gémissement sourd. Il ne pouvait rien faire de plus pour elle. Il s'éloigna à grands pas.

Seule dans la grande salle, sous la garde de la sentinelle, Christina attendit. Elle ne croyait pas en l'innocence de Simon. Elle était sûre, depuis que Durand lui avait montré les bagues, que son époux avait volé le livre.

Deux sentiments se disputaient son cœur. La peur et la culpabilité. Elle se sentait coupable du peu d'amour qu'elle éprouvait pour Simon.

Elle ressentait aussi de la colère. Si Simon ne mourait pas, elle passerait le reste de sa vie à s'occuper d'un homme qui n'aurait pas les moyens de subvenir à ses besoins. Tous ceux qui le verraient sauraient que c'était un voleur. Et s'il mourait, elle se retrouverait seule.

Elle avait menti à Durand. Elle ne pourrait pas retourner chez son père. Celui-ci, qui était également marchand, ne voudrait pas d'un voleur chez lui. La seule solution était de reprendre la route avec leur chariot. Cette pensée la glaça d'effroi. Et comment supporterait-elle les quelques jours qui s'écouleraient avant que Rose puisse prendre Félicité? Le seul fait de traverser le village serait une torture. Désormais, on la considérerait non seulement comme l'épouse d'un voleur, mais aussi comme une femme adultère, puisque tous la croyaient la maîtresse de Luke.

Qui était le complice de Simon? Qui avait dérobé l'herbier dans la salle des comptes pour le lui donner? Qui avait aidé Simon à détruire sa vie?

— Maîtresse Le Gros?

Christina se leva. Un des gardes du roi se tenait devant elle, une corde à la main.

— Oui...

— Tendez les mains.

Elle s'exécuta et il lui lia rapidement les poignets, ignorant les protestations de la sentinelle de Durand.

— Pourquoi? parvint-elle à articuler, d'une voix qu'elle ne reconnut pas elle-même.

L'homme haussa les épaules et tira sur la corde pour s'assurer de sa solidité.

— Le roi a ordonné que vous soyez emprisonnée avant d'être jugée pour vol.

En entendant ces mots, la sentinelle de Durand tourna les talons et se précipita à l'extérieur, la laissant seule avec l'homme du roi.

— Jugée? balbutia-t-elle en trébuchant derrière le garde qui l'entraînait. Il doit y avoir une erreur. Je ne comprends pas.

Le garde ne répondit pas. Il la tira impitoyablement vers l'escalier qui plongeait dans les profondeurs du château.

Vers les cachots.

18

— Halte !

Durand traversa la salle à grands pas, le garde sur ses talons.

— Où emmenez-vous maîtresse Le Gros ?

— En bas, répondit l'homme du roi.

— Laissez, je m'occupe d'elle.

Durand tira sa dague et trancha les liens de Christina.

Elle parvint à bredouiller un remerciement, et sa vue se brouilla. Elle vacilla sur ses jambes. Au prix d'un effort de volonté, elle demeura debout.

— Le roi sera mécontent, commenta le garde.

— Le roi veut seulement que maîtresse Le Gros soit gardée prisonnière. Il se moque de savoir où.

Durand prit le bras de Christina et l'entraîna vers la tour ouest.

Prisonnière. Ce n'était donc pas une erreur. Elle le suivit en trébuchant, incapable d'articuler un mot. Ils gravirent en silence les marches qui menaient à la salle des livres. Devant la porte, Durand s'arrêta et s'adressa au garde du roi qui les avait suivis d'un air renfrogné.

— Montez la garde, si vous voulez. Mais n'entrez pas, à moins que je ne vous en donne l'ordre.

Christina fit quelques pas dans la salle. Il y régnait une vive lumière qui contrastait avec les ténèbres qui s'étaient emparées de son cœur. Elle serra les mains devant elle. La corde avait laissé une marque rouge sur ses poignets. Le cœur battant, elle pria Dieu de lui donner de la force.

La clé tourna dans la serrure et elle fut seule avec lui.

— Christina…

— Messire… pourquoi suis-je emprisonnée ? demanda-t-elle.

Il lui tendit la main.

— Je dois vous expliquer… venez ici.

Elle contempla sa main, puis son visage, et chuchota :

— Le roi en a-t-il fini avec Simon ?

Durand continua de lui tendre la main, sans prononcer un mot. Il lui fallut rassembler tout son courage pour aller vers lui et poser la main dans la sienne. Il baisa le bout de ses doigts.

— Que Dieu lui pardonne, murmura-t-il.

— Je vous en prie. Dites-moi.

Il l'attira vers lui. Elle aurait voulu se blottir contre sa poitrine et disparaître. Car elle savait par avance que ce qu'il avait à lui annoncer était terrible.

— Simon vous a accusée d'avoir volé le livre pour lui. Il a maintenu que personne d'autre que vous ne l'avait aidé.

La chambre s'assombrit et bascula autour d'elle. Elle entendit quelqu'un prononcer son nom, très loin. Puis elle se rendit compte que Durand l'avait allongée sur un banc.

— Christina. Christina… répéta-t-il.

Son visage flottait au-dessus d'elle, un peu flou, comme si elle avait sombré au fond d'une rivière.

Peu à peu, sa vue redevint claire… et elle reprit contact avec la réalité. Elle était perdue.

Durand repoussa les cheveux qui lui barraient le front.

— J'ai demandé au père Laurentius de vous défendre. Tout ira bien, je vous le promets.

— Mais il faut que Simon dise la vérité ! Il sait que je n'ai rien à voir avec tout ça. Il doit dire la vérité. Je vous en prie… expliquez-lui…

Durand secoua la tête.

— Simon est mort, Christina.

Elle se figea. Sa respiration se fit haletante, comme si elle avait couru à perdre haleine. Ses lèvres devinrent blêmes. Durand raconta rapidement :

— Simon a été jeté dans l'étang du moulin. Je n'ai pas besoin de vous dire qu'il en a été retiré vivant. Le roi a alors ordonné que la sentence soit exécutée immédiatement.

Elle poussa un petit grognement de détresse et de colère. Durand poursuivit :

200

— Avant que le jugement soit rendu, le roi avait demandé à Simon qui était son complice. Il vous a nommée. Mais Dieu est juste, car Simon n'a pas survécu à l'amputation, Christina. Cela arrive parfois.

— Non, non... murmura-t-elle en se couvrant le visage de ses mains.

— Il a d'abord semblé supporter assez bien la première... épreuve. Il ne disait rien, même lorsque Aldwin a cautérisé la plaie. Puis il a eu une sorte d'attaque.

Les yeux dans le vide, Christina poussa un petit cri. Durand lui caressa les joues, les cheveux.

— Alors qu'il était aux portes de la mort, j'ai demandé à Simon de dire la vérité. Je croyais être parvenu à le convaincre lorsque... Je suis sûr que s'il avait vécu...

Elle posa les mains sur ses genoux, le souffle court, l'air égaré. Durand s'agenouilla et la prit dans ses bras. Elle tremblait de tous ses membres, mais ne pleurait pas. Cependant, son regard lui rappela celui d'une biche aux abois.

— N'essayez pas de le défendre, prononça-t-elle à mi-voix. Il m'a trahie.

Durand pressa ses doigts.

— N'ayez pas peur, je vous aiderai. Le père Laurentius sera là.

— Je vous remercie, chuchota-t-elle en lui serrant les mains. Il ne pourra pas me défendre, mais je vous remercie.

Il déposa un baiser à l'intérieur de sa main. Il ne pouvait pas supporter l'idée qu'elle soit mutilée à son tour. Cela n'arriverait pas. Elle retira doucement ses mains et les glissa sous ses bras.

— J'aimerais être seule, dit-elle en se tournant sur le banc pour faire face à la fenêtre.

Les yeux fixés sur les volets, elle ajouta d'une voix sourde :

— Aurai-je le droit de le faire enterrer ?

Durand tendit le bras pour lui caresser les cheveux, mais se ressaisit au dernier moment.

— Non. Le roi a ordonné qu'il soit suspendu au gibet.

Comme elle ne répondait pas, il ajouta :

— Je vais vous envoyer le père Laurentius.

Christina n'éprouvait pas de sympathie pour le père Laurentius, cependant il avait une qualité qu'elle admirait : il ne semblait pas avoir peur du roi.

— Je crains que vous ne soyez pas installée confortablement pour discuter, annonça le prêtre en s'asseyant précautionneusement sur le banc, à côté d'elle.

— Je n'aurai plus besoin de mobilier quand j'aurai comparu devant le roi.

Laurentius renifla.

— Je vous demande d'être honnête avec moi. Ensuite, nous élaborerons une histoire susceptible de plaire au roi John.

— Je ne veux pas inventer d'histoire pour plaire au roi ! rétorqua-t-elle en se levant. Je n'ai pas pris le livre.

Elle marcha un moment de long en large dans la salle.

— Mon père, je dois vous demander quelque chose de très important. C'est au prêtre que je m'adresse, pas à l'avocat.

Le père Laurentius oublia un instant son attitude hautaine, et elle entrevit chez lui une gentillesse qui la rassura.

— Asseyez-vous, mon enfant, et demandez-moi tout ce que vous voulez.

Christina revint sur le banc et croisa les mains.

— Je crains, si je suis condamnée, de mourir avec un péché sur la conscience.

— Vous désirez vous confesser ? Je ne sais…

— Non, je souhaite seulement avoir votre opinion. Je crains que le roi ne me soumette à la même épreuve que Simon. Je voudrais savoir si je me noierai, étant innocente du vol, mais coupable d'un autre crime.

— Mmm… Très franchement, le seul péché dont je vous crois capable, c'est peut-être… l'envie ?

Elle leva les yeux, stupéfaite.

— Vous êtes perspicace, mon père. En effet, j'ai envié la position de quelqu'un ici, et j'ai eu des aspirations au-dessus de mon rang.

— Si c'est là le seul péché dont vous vous soyez rendue coupable, vous coulerez dans l'étang comme une pierre.

Un goût âcre envahit la bouche de Christina.

— Donc, si je ne meurs pas aujourd'hui, je perdrai une main, ou peut-être les deux ?

Le prêtre lui tapota gentiment les mains.

— Non, mon enfant. Je ferai tout pour que cela n'arrive pas. Messire Durand...

Elle se leva d'un bond.

— Je vous en prie, ne mêlez pas messire Durand à cette affaire.

— Je le dois. Il a affirmé que vous étiez innocente. C'est un juge connu dans tout le royaume pour son intégrité. S'il ne m'avait pas pressé de venir vous aider, je ne serais pas là.

— Comment pourrai-je le remercier ?

— D'après vous, qui a volé le livre ?

— En vérité, mon père, je l'ignore. Pourquoi ne pas consulter les listes établies par Luke et par Simon ?

— Je crains qu'elles ne contiennent des informations que le roi répugne à divulguer. Il les a gardées. Et quand j'ai demandé à les voir, il a prétendu les avoir brûlées.

Ainsi, songea Christina, le roi se moquait de rendre la justice. Elle ne pouvait compter que sur l'aide de Dieu.

— Ce doit être quelqu'un qui peut entrer et sortir de la salle des comptes en toute liberté. Quelqu'un qui, en outre, est cher au roi.

— Sa blanchisseuse lui est chère. N'accordez pas trop de valeur à ses actes. Et gardez en tête que Dieu punira le coupable si les hommes ne le font pas.

Ils allèrent à la fenêtre en entendant une clameur s'élever dans la cour du château.

Le roi et ses courtisans partaient à la chasse. Comment la vie pouvait-elle continuer de s'écouler comme si rien ne s'était passé ? Pourquoi le ciel ne s'assombrissait-il pas et ne déchaînait-il pas ses foudres pour protester contre l'injustice des hommes ?

— Pardonnez-moi, mon père, mais je ne parviens pas à pleurer mon époux comme je le devrais.

— Je crains que Simon ne soit pas digne des sentiments que vous éprouvez pour lui. Ne perdez plus votre temps à pleurer quelqu'un qui n'a su vous offrir que la peine et l'humiliation. Le roi sera peut-être miséricordieux, ajouta-t-il en lui posant une main sur l'épaule.

— Je suis perdue.

La reine, fatiguée par la chasse, supplia le roi de repousser le procès de la femme du marchand, afin de pouvoir y assister sans bâiller. Durand crispa les mâchoires, refrénant sa colère et son indignation. Il ne dit rien, et le roi accepta la requête de la reine, annonçant que le procès aurait lieu le lendemain, dès le lever du jour.

Le père Laurentius aborda Durand alors qu'il se rendait à la tour pour voir Christina. Il lui prit le bras.

— Venez avec moi, jeune homme. J'ai un mot à vous dire en privé.

Ils firent quelques pas dans la cour du château, le vieil homme s'appuyant un peu trop lourdement sur le bras de son compagnon dans le but, soupçonna Durand, de lui parler à l'oreille sans se faire remarquer.

— Nous devons offrir au roi une alternative à cette ridicule épreuve de l'eau. Sinon, cette nuit risque fort d'être la dernière que maîtresse Le Gros passera en ce monde.

— Bonté divine, marmonna Durand.

— Gardez courage. Je pense tenir une solution. Maîtresse Le Gros ne pourra plus exercer ses talents de parfumeuse si elle est amputée comme une voleuse.

— Que suggérez-vous ?

— Un combat. Nous devons demander à Dieu de la défendre par l'intermédiaire d'un chevalier qui se battra pour elle.

— Mais qui sera son chevalier servant, mon père ? Elle est seule au monde.

— Personne n'est complètement seul en ce monde. Quelqu'un se proposera, dit le père Laurentius en lui tapotant le bras. Sans quoi, cette enfant est perdue.

Les paroles du père Laurentius glacèrent le cœur de Durand. Pourquoi n'avait-il pas laissé l'herbier à sa place, au fond du coffre ? S'il ne s'en était pas servi pour captiver l'attention de Christina, elle serait libre à présent.

Il était aussi coupable que Simon, car sans le vouloir il avait mêlé une femme innocente à ce crime.

Le garde que Durand avait posté dans la tour ouest était William, un homme en qui il avait toute confiance.

— Je vois qu'un des hommes du roi se tient au pied de l'escalier, lui dit-il avec un signe de tête.

— Oui, messire. Un autre se trouve à l'étage au-dessus.

William leva le menton en direction des remparts.

— Cela signifie que maîtresse Le Gros ne pourra s'échapper cette nuit, ironisa Durand.

— Le roi doit me penser incapable de monter la garde, admit William.

Mais ils savaient tous deux qu'en réalité, le roi n'avait confiance ni en Durand ni en ses hommes.

— Enferme-moi, demanda Durand.

L'homme acquiesça. Si les gardes du roi n'avaient pas été là, Durand aurait simplement ouvert la porte, donné à Christina une bourse bien garnie et l'aurait renvoyée chez son père. Sans se soucier des conséquences.

Il inspira longuement, repoussa le battant derrière lui et écouta la clé tourner dans la serrure. Christina était à la fenêtre, la tête dans les mains. Elle ne se retourna pas et déclara :

— Je n'ai pas faim, William.

— Mais vous devez manger, répliqua Durand.

— Mon seigneur.

Sa voix était morne. Elle quitta la fenêtre et vint s'asseoir sur le banc. Seuls ses doigts, qui froissaient nerveusement le tissu de sa jupe, trahissaient son agitation. Il alla s'agenouiller devant elle.

— N'ayez aucune crainte. Je vous aiderai.

Il lui prit la main et l'embrassa.

— Je vous remercie. Mais vous ne pouvez rien pour moi. Gardez vos distances.

Ses paroles le glacèrent. Ses yeux immenses, éclairés par les derniers rayons du soleil, semblaient lui manger le visage. Il perçut le frémissement irrépressible de son corps.

— Christina.

— Éloignez-vous de moi, dit-elle doucement en posant les doigts sur sa joue.

Avec un grognement, il l'enlaça et se leva en la plaquant contre lui. Elle n'offrit aucune résistance et posa les lèvres sur les siennes.

C'était un baiser désespéré.

— Tout ira bien, promit-il.

Il l'embrassa sur la bouche, sur les joues, les yeux, les tempes, puis enfouit le visage dans ses cheveux. Son parfum évoquait un bouquet de fleurs des champs.

Durand posa une main sur son sein gonflé et le pressa délicatement. Elle lui rendit son baiser avec une ardeur désespérée. Tout le désir qu'il éprouvait pour elle ressurgit.

Il la serra de toutes ses forces contre lui, ils trébuchèrent, tombèrent contre les étagères chargées de livres. Elle ferma les yeux en gémissant. Ils s'embrassèrent avec ferveur, comme si c'était le dernier baiser qu'ils devaient échanger.

Ses hanches rondes semblaient faites pour ses mains, et il se pressa contre elle en une caresse exquise et sensuelle.

Elle poussa un petit cri et il fut traversé par une flèche de désir si vive qu'il chancela.

Les mains de Christina se posèrent sur sa taille.

Sa ceinture heurta le sol avec un bruit mat. Il ôta sa tunique et la jeta sur le côté. Lorsqu'il tendit de nouveau les bras, elle se jeta contre lui en couvrant son visage et son cou de baisers. Il enfouit les doigts dans sa chevelure et l'immobilisa un instant. Pendant un long moment il embrassa ses lèvres, puis glissa le long de son cou, sur son épaule, repoussant le tissu de sa robe, délaçant les liens de son corsage, pour dénuder ses seins et les prendre dans sa bouche.

Elle lui agrippa les épaules et murmura, les lèvres contre sa joue :

— Juste une fois.

— Oui, dit-il en lui mordillant l'épaule. Juste une fois.

Il ne pouvait attendre une minute de plus. D'un geste souple, il fit remonter ses jupes sur ses hanches.

Elle insinua les mains sous sa chemise de lin, repoussa le reste de ses vêtements sur ses hanches viriles et l'attira vers elle. Il savoura ses lèvres, ses caresses, la sensation que lui procuraient ses cheveux contre son torse.

Puis il désira davantage. Il voulait la posséder entièrement.

— Christina, chuchota-t-il en inhalant son délicieux parfum.

Il pressa le visage dans son cou et sentit les battements de son pouls contre ses lèvres. Ils s'appuyèrent aux étagères, les rouleaux de parchemin tombèrent autour d'eux.

Il la souleva et elle noua les jambes autour de lui. Du bout des doigts, il explora la chaleur de son corps. Elle poussa un cri de plaisir et il avala son souffle tout en la caressant.

Elle était douce, humide, prête à le recevoir. Avec un autre cri, elle passa les bras autour de son cou, plaqua les lèvres sur les siennes.

Il la pénétra d'un puissant coup de reins et demeura immobile en elle. Puis il se retira et pénétra de nouveau dans sa chaleur. Il sentit ses cuisses trembler contre ses hanches.

— Juste une fois... répéta-t-elle.

Elle resserra l'étreinte de ses bras et de ses jambes, l'accueillant profondément en elle.

Durand fut conscient que le contrôle de son corps lui échappait. S'agrippant d'une main aux étagères pour maintenir son équilibre, il donna libre cours à son désir.

Christina frémit et se cambra dans ses bras en gémissant, échappant presque à son étreinte. D'autres parchemins roulèrent sur le sol.

Il la tint fermement tout en continuant de la pénétrer avec force, s'enivrant de sa chaleur et de son parfum. Lorsqu'elle céda à la jouissance qui déferlait en vagues puissantes, il s'abandonna et bascula avec elle dans l'océan sombre et mystérieux du plaisir.

Ils demeurèrent étroitement enlacés, vidés de leurs forces. Puis, doucement, il la fit glisser sur le banc. Il rajusta ses vêtements et la contempla, étendue sur le plateau de bois brut, les jupes remontées sur ses hanches.

Il eut l'impression d'avoir mené un combat. Tous les muscles de son corps tremblaient comme après les batailles.

Christina posa les yeux sur lui. Puis, avec un cri, elle se leva et se précipita vers la fenêtre. Les épaules nues, elle se tint là, ses cheveux retombant en cascade dans son dos, comme une créature de la forêt prête à s'envoler vers la liberté.

Il l'eut rejointe en deux enjambées, mais avant qu'il ait pu poser les mains sur elle, elle enfouit la tête dans ses bras. Ses épaules furent secouées de sanglots silencieux.

Hésitant, il lui caressa les cheveux.

— Christina?

Elle releva la tête et se tourna vers lui. Des larmes roulaient sur ses joues.

— C'était… c'était…

— Christina… je t'ai fait mal? demanda-t-il, désarmé.

— Non, mon seigneur, chuchota-t-elle à travers ses larmes. C'est juste… juste que…

Elle leva vers lui des yeux brillants de larmes.

— Merci, mon seigneur.

Puis elle s'écarta. Ses doigts tremblaient tandis qu'elle tentait de rattacher son corsage. Il résista à la tentation de lui arracher sa robe pour contempler sa nudité. Il avait envie de la tenir contre lui, de l'emmener dans son lit, de la posséder encore et encore.

Elle ramassa la ceinture sur le sol.

— Mon seigneur, dit-elle en la lui présentant.

Ses yeux demeurèrent fixés à hauteur de son torse. Il prit la ceinture et la passa autour de sa taille. Que devait-il lui dire? Il l'avait possédée sans penser aux conséquences. Une seule chose l'avait obsédé: s'enfoncer dans la chaleur de son corps.

— Christina…

Elle ne le laissa pas poursuivre.

— Je vous en prie. Ne dites rien. C'était… magnifique. Ne gâchez pas cet instant de bonheur par vos regrets.

— Des regrets?

Il voulut la contredire, lui demander pardon pour la brutalité avec laquelle il avait pris possession de son corps. Mais avant qu'il ait pu le faire, William cogna à la porte et l'appela.

Christina pivota vivement sur ses talons. Un flot de chaleur se répandit en elle à la pensée que le garde les avait entendus.

— Vous devez partir, messire, dit-elle en se redressant.

— Messire Durand! appela William.

— Nous n'avons pas fini, murmura Durand pour Christina. Ouvre la porte! cria-t-il au garde.

Le bruit métallique de la clé dans la serrure lui rappela le statut de prisonnière de la jeune femme et le sort qui l'attendait peut-être. Il lui posa la main sur l'épaule.

— Je reviendrai cette nuit, dit-il à mi-voix.

Mais elle se déroba alors que la porte s'ouvrait.

— Non, mon seigneur. Juste une fois. Une seule fois.

— Christina…

— Messire, lança le garde. Le roi vous demande.

Christina le vit hésiter. Puis il crispa les mâchoires, la salua rapidement et sortit d'un pas raide.

Elle regarda autour d'elle, contemplant ce que le garde avait dû voir d'un seul coup d'œil. Les parchemins éparpillés sur le sol. Rien de plus. Pas de lit aux draps froissés, pas d'autre désordre.

Quelles conclusions avait-il pu tirer de ces rouleaux jetés au sol ? Ou des cris étouffés qu'il avait perçus à travers la porte ? Quels ragots allaient se répandre dans le château ? À vrai dire, l'homme était bon, ses manières étaient douces. Il n'avait rien d'un garde, en fait. C'était sans doute pour ces qualités que Durand l'avait chargé de surveiller sa porte.

Christina remit avec soin les parchemins à leur place, et s'assura que chaque étagère comportait le même nombre de rouleaux.

Elle se concentra sur cette tâche, en essayant d'ignorer la peur qui la dévorait. Quel sort l'attendait le lendemain ? Simon devait être étendu dans la chapelle, enveloppé dans son linceul. À moins qu'il ne soit déjà suspendu au gibet, à l'intersection des routes ?

Une bouffée de colère, mêlée au chagrin et aux regrets, enfla dans sa poitrine. Même dans la mort, elle était enchaînée à lui par ses odieuses accusations.

Où était l'honneur, désormais ?

Ses cuisses étaient humides de la semence que Durand avait répandue en elle. Elle devait être folle. Avoir subitement perdu la raison. Mais non… il ne fallait pas qu'elle ait honte de ce qui venait de se passer entre eux. Elle n'avait plus rien. Comment la blâmer d'avoir cherché le réconfort dans ses bras ?

Le lendemain, elle connaîtrait le sort réservé aux voleurs, serait marquée au fer, ou mutilée. Aucun homme ne voudrait plus jamais d'elle. C'était là qu'était la vraie honte.

En dépit des affirmations de Durand, qui accepterait de la croire ? Le père Laurentius avait été impuissant à sauver

Simon, il ne la sauverait pas non plus. Le seul vainqueur, demain, serait le complice de Simon.

Des larmes roulèrent sur les joues de Christina. Elle les sécha du revers de la main. Elle ne pleurait pas parce que sa vie était détruite, mais parce qu'elle n'avait eu qu'un seul moment de vrai bonheur dans toute son existence.

Et ce moment, Durand devait le regretter amèrement, maintenant, alors qu'il comparaissait devant son roi.

19

Un somptueux festin était servi sur la longue table de la grande salle. Les viandes rôties, le gibier, les plats de lièvre et de héron voisinaient avec les anguilles en gelée, les plateaux de pain et de fromage.

— Je veux en savoir plus sur cette femme, dit le roi John.

— Elle n'a absolument rien à se reprocher, répondit Durand.

Il n'avait aucun appétit et chassa d'un geste brusque le serviteur qui s'approchait avec un plat de lapin parfumé à la sauge et à la marjolaine.

Son esprit était resté dans la tour ouest. Que faisait Christina en ce moment ? Il n'avait jamais possédé une femme aussi brutalement. Et pourtant, il ne regrettait pas un instant ce qui s'était passé. Ce qui le tourmentait, c'était qu'elle croie le contraire. Quand pourrait-il s'échapper pour retourner la voir ?

Le roi se pencha vers lui.

— Vous semblez prendre un intérêt tout particulier au sort de cette femme. Est-elle la maîtresse de Luke, ou la vôtre ?

Un garçon versa du vin dans le gobelet de John. Le roi emportait sa vaisselle personnelle en voyage. Sa coupe en or était incrustée de pierres rouges.

— Elle n'est pas la maîtresse de Luke, ce n'est qu'une nourrice. Et elle n'a pas volé l'herbier d'Aelfric. Je le lui avais donné, mais elle me l'a rendu après l'avoir nettoyé. Nous savons tous les deux que les listes établies par Luke et par Simon étaient longues. Pourquoi ne nous intéressons-nous pas à ces noms-là ?

John l'observa par-dessus le bord de sa coupe.

— Qui mieux qu'une épouse pouvait être complice de ce vol ? En outre, nous avons la parole d'un mourant.

— Simon ne savait pas qu'il n'avait plus que quelques instants à vivre, répliqua Durand. Cela laisse la place au doute.

— Vous nous présenterez vos doutes demain matin.

Sur ces mots, le roi se tourna vers la reine.

Oriel s'approcha de la table, visiblement en proie à une profonde anxiété.

— Durand, puis-je échanger quelques mots avec vous ?

Durand saisit cette opportunité pour quitter la table. Si cela continuait, il dirait quelque chose qui le conduirait tout droit dans ses propres geôles. Oriel l'entraîna d'un pas rapide dans l'escalier.

— Elle refuse de se nourrir, Durand. Elle va mourir de faim.

— Qui ? Christina ? interrogea-t-il en hâtant le pas pour se maintenir à la hauteur d'Oriel.

La jeune femme lui lança un regard indéchiffrable.

— Non. Je parle de Félicité, voyons. La reine a interdit qu'elle soit allaitée par une « voleuse ». Nous avons donc essayé de la confier à Rose. Mais l'enfant refuse de téter.

— Bonté divine... La reine a dit cela ?

— Oui, et dame Nona m'a enlevé l'enfant avant que j'aie pu protester.

— Nona ? De quoi se mêle-t-elle ? s'exclama Durand.

— Ne la blâmez pas. Elle a seulement obéi à la reine.

Il entendit Félicité avant même de la voir. Les cris provenant de la chambre auraient pu laisser penser qu'on égorgeait quelqu'un. Oriel ouvrit la porte et entra.

Plusieurs servantes s'affairaient, affolées. Durand se dirigea vers la cheminée. Rose était une jolie jeune femme, mais en ce moment, son visage était crispé d'inquiétude. Sans un mot, Durand tira Félicité du couffin posé à ses pieds.

Immédiatement, le silence se fit. Félicité le contempla, la bouche entrouverte, le visage écarlate.

— Elle reconnaît son père, dit Rose. Dieu soit loué...

Ou encore, songea Durand, l'enfant avait reconnu l'odeur de Christina qui imprégnait ses vêtements. Il sortit sans un mot, Oriel sur les talons.

— Je sais ce que vous voulez faire, Durand, dit-elle en le tirant par les pans de sa tunique. Mais ne craignez-vous pas la colère de la reine ?

Il fit un immense effort pour contenir sa propre fureur.

— Je saurai trouver des paroles flatteuses pour la calmer.

— Vous ? Pardonnez-moi, mais vous n'avez pas la réputation d'être un beau parleur.

— J'apprendrai.

— Permettez-moi d'amener cette enfant à Christina pendant que vous vous entraînez à la flagornerie.

Il lui abandonna le bébé à contrecœur. Félicité se remit instantanément à hurler.

— Oriel, pourriez-vous veiller à ce qu'on apporte un lit et quelques éléments de confort à maîtresse Le Gros ?

— Je m'en occupe. Vous, occupez-vous de la reine.

Une heure plus tard, la reine Isabelle eut accepté un compromis. Christina avait le droit d'allaiter l'enfant. Cependant, la reine ne permettait pas que Félicité dorme dans la même chambre qu'elle.

Durand serait tenu entièrement responsable si la fillette devenait une voleuse avant même d'avoir appris à tenir une cuillère, déclara la reine avec hauteur, avant de reporter son attention sur dame Sabina.

Il lança à cette dernière un regard d'avertissement, puis s'assit près des deux femmes pour s'assurer que Sabina ne déversait pas son poison à l'oreille des souverains. Il connaissait sa langue de vipère.

Finalement, le roi déclara qu'il se lèverait à l'aube pour juger Christina, et demanda à ses serviteurs de lui préparer un bain. La reine se retira avec lui, et la salle se vida peu à peu.

Quelques instants plus tard, Durand se retrouva dans la tour et William lui ouvrit la porte de Christina. La pièce n'était éclairée que par une petite lampe dont l'huile était parfumée. Il inspira une longue bouffée d'air, et le désir lui embrasa les reins. Le parfum était le même que celui qu'elle utilisait pour ses cheveux. Il flottait toujours autour d'elle et imprégnait les vêtements qu'il portait ce soir.

Les volets étaient grands ouverts. Des volutes de brouillard s'accrochaient aux tours et aux remparts, et pénétraient dans la chambre, flottant au-dessus du sol.

Elle était allongée sur son matelas, vêtue uniquement de sa chemise. Il s'approcha d'elle et lui toucha l'épaule.

— Mon seigneur, murmura-t-elle en se tournant vers lui. Est-ce un rêve ?

Il lui saisit la main et la posa sur son torse, au niveau du cœur.

— Un rêve a-t-il un cœur qui bat ?

Il lui prit le visage à deux mains et embrassa ses lèvres, en se promettant que cette fois il serait doux et profiterait pleinement du peu de temps dont ils disposaient avant l'aube. Il voulait la tenir nue contre lui.

Christina s'écarta et, s'appuyant sur une main, effleura son torque du bout des doigts.

— Vous êtes fait pour juger et régenter.

— Et vous pour soigner et guérir.

— Nous n'avons rien en commun. Qu'un désir futile.

— Mon désir n'est pas futile, déclara-t-il en lui pressant la main.

Elle ne décela aucun regret dans sa voix. Son cœur battait fort sous sa paume. La lumière était trop faible pour qu'elle pût distinguer ses yeux. Elle devrait se fier uniquement à ce qu'elle ressentait… Elle explora son torse et sa gorge du bout des doigts. Son sang battait dans ses veines, sous sa peau brûlante.

Encore une fois. Une fois seulement…

— Je savais que c'était vous quand vous êtes entré. Votre parfum est unique.

— Le vôtre aussi.

Il l'aida à faire passer sa chemise par-dessus sa tête. Elle fut nue devant lui. Il repoussa ses longs cheveux derrière ses épaules pour mieux la contempler.

— Tu es belle, murmura-t-il.

Il lui caressa les seins longuement, avant de prendre dans ses doigts les mamelons tendus de désir. Elle émit un grognement sourd en sentant ses lèvres sur elle.

Avec des gestes vifs, il ôta ses vêtements. Il saisit sa dague et la posa à côté du matelas. Elle comprit avec un peu de tristesse qu'il ne se sentait pas tout à fait en sécurité ici, avec elle.

La petite flamme vacillante projetait des ombres dansantes sur son corps musclé. Un corps de guerrier, endurci par le temps et les combats. Lorsqu'il s'allongea sur elle, elle retrouva les mêmes sensations que dans son rêve.

Peut-être rêvait-elle encore. Peut-être allait-elle s'éveiller et s'apercevoir qu'un démon avait fait apparaître ces images pour la torturer. Elle frissonna à cette pensée.

Il s'écarta, inquiet.

— Je te fais mal?

— Non! J'avais froid, murmura-t-elle en nouant les bras autour de lui.

Il l'enveloppa de sa chaleur, et elle sentit son souffle tiède sur ses épaules, sa poitrine, sa gorge. Un désir profond s'empara d'elle, presque au point de lui faire perdre la tête.

Elle lui caressa les hanches, le dos, lui livra sa bouche, enivrée par les paroles à peine audibles qu'il murmurait à son oreille.

Son désir s'intensifia, une lave brûlante se déversa dans ses veines. Elle souleva les hanches, le suppliant silencieusement d'unir leurs corps. Il la fit rouler sur le côté, et elle posa les yeux sur le cercle d'or qui lui enserrait le cou, comme une preuve éclatante de leur appartenance à deux mondes différents.

Mais en ce moment, rien ne le séparait d'elle. Cette nuit, il lui appartenait.

Sa mâchoire était soulignée d'une ombre de barbe. Elle voulait voir toutes les expressions qui passaient sur son visage. Se rappeler chaque instant, chaque seconde, quand elle serait partie.

Ou quand elle serait morte.

Il s'insinua entre ses cuisses et, d'un seul mouvement, pénétra en elle. Ce fut lui cette fois qui ferma les yeux, et elle qui regarda la passion s'imprimer sur ses traits virils.

Puis elle ne put l'observer plus longtemps. Son corps était en feu, elle lui appartenait de toute son âme. Elle pressa la tête au creux de son épaule et glissa les doigts dans les siens. Leurs corps s'unirent étroitement, le rythme de leurs hanches s'accéléra.

Elle sentit sa semence chaude se répandre en elle. Chaque fibre de son corps se mit à trembler, mais le plaisir lui échappa. La peur du lendemain, la pensée qu'elle n'aurait que cette seule et unique nuit avec lui firent qu'elle ne put rejoindre la vague de jouissance qui l'emportait.

Il le savait. Son torse se soulevait, haletant, comme s'il venait d'abattre des centaines d'ennemis. Mais il savait que lui seul avait trouvé le plaisir. Il s'écarta et la fit rouler sur le dos.

Ses mains puissantes se posèrent sur le visage de Christina. Il l'embrassa avec douceur, lui caressa les seins, le ventre, s'aventura entre ses cuisses. Aucun homme ne l'avait jamais touchée ainsi.

Une onde brûlante lui transperça le corps. Elle s'arc-bouta contre lui, laissant fuser un cri de plaisir.

Il s'allongea sur elle, plaquant une main sur sa bouche.

— Pas de bruit, ordonna-t-il doucement.

Toute chaleur l'abandonna, elle sentit son sang se glacer. Bien sûr. Personne ne devait savoir. Elle contint son émotion et murmura au bout de quelques secondes :

— Puis-je me lever ?

Il ouvrit les bras et elle roula sur elle-même, quittant la chaleur du matelas.

Ses mains et ses jambes tremblaient quand elle versa de l'eau dans une large bassine. Elle mouilla un linge et le frotta avec un savon dans lequel elle avait essayé de fixer le parfum insaisissable de Durand, sans vraiment y parvenir.

Elle se lava les jambes et la poitrine, consciente que son regard était fixé sur elle. Lorsqu'elle eut fini, elle enfila sa chemise et pivota pour le regarder. Il était allongé sur le matelas, une jambe repliée. Une nouvelle vague de désir s'empara d'elle. Il était si beau. S'ils avaient vraiment été amants, elle se serait agenouillée à côté de lui pour caresser son corps, le découvrir lentement. Mais ils n'étaient pas amants. Ils avaient seulement assouvi leur désir.

Elle versa de l'eau fraîche dans la bassine, qu'elle apporta près de lui. Elle lui rinça rapidement le corps et il réagit comme sous ses caresses. Il lui prit le poignet pour la guider vers son sexe gonflé.

Le cœur de la jeune femme se mit à battre la chamade.

— Christina, murmura-t-il. Enlève cette chemise et viens dans mes bras.

Elle secoua la tête en signe de refus, mais il l'attira au-dessus de lui, faisant remonter la chemise sur ses hanches. Leurs corps s'unirent et elle ne put repousser la passion, le plaisir qui se déroula en elle telle une spirale de feu.

Cette fois, ils basculèrent ensemble dans la jouissance.

Durand s'endormit dans ses bras, mais elle ne put trouver le sommeil. Elle demeura allongée, immobile, savourant le parfum de son corps, la chaleur qui émanait de lui.

Quand il s'éveilla, il l'attira contre lui et, sans un mot, se hissa au-dessus d'elle et s'abandonna à un nouvel élan de passion. Elle l'entendit répéter son nom, encore et encore.

Elle ne dit rien.

Il n'y avait plus rien à dire.

L'aube venait de poindre.

20

À peine une heure après que Durand l'eut quittée, un garde vint la chercher. Elle le suivit docilement, consciente qu'elle n'avait pas le choix. Simon l'avait condamnée aussi sûrement que s'il avait cousu son linceul de ses mains.

Bien qu'elle n'opposât aucune résistance, le garde du roi lui prit rudement le bras et la poussa sans douceur jusque dans la grande salle. Une foule dense attendait son arrivée. Même la galerie était occupée par des spectateurs, humbles serviteurs des nobles assis près de l'immense cheminée.

Le garde fendit la foule en criant :

— Laissez passer la voleuse !

Comme si elle avait déjà été jugée et condamnée. Il désigna un tabouret et lui ordonna de s'asseoir.

Autour de la longue table devant la cheminée, se trouvaient les ecclésiastiques, et Durand. Ce dernier ne la regarda pas et elle se sentit glacée.

Avait-il la conviction, au fond de lui, qu'elle était coupable ? Cette supposition lui parut aussi douloureuse que s'il lui avait enfoncé sa dague dans le cœur. Cette lame, ainsi que le torque, était le symbole de ce qu'il était.

Les marques rouges que la corde avait laissées sur ses poignets étaient le symbole de ce qu'elle était, elle.

Elle fut envahie d'une bouffée de colère. Comment Simon avait-il osé l'accuser ? Comment ces gens osaient-ils la juger ? Ces hommes qui changeaient de maîtresses au gré de leurs caprices, qui taxaient leurs serviteurs au point de les affamer, qui guerroyaient pour des terres qu'ils dédaignaient ensuite !

Non, pas Durand.

Elle croisa les mains pour les empêcher de trembler. Durand n'affamait pas ses gens. Et Luke non plus.

Dame Oriel et dame Nona vinrent vers elle. Elles étaient vêtues de bleu et de jaune, portant des chaînes d'or autour de la taille et du cou. Mais ces jolis atours ne parvenaient pas à dissimuler la pâleur d'Oriel.

Celle-ci embrassa Christina sur les joues. Dame Nona ne fut pas aussi familière, mais elle lui pressa légèrement l'épaule. Puis elles gagnèrent leur place près de la cheminée, avec Gilles d'Argent et son fils, qui venait d'arriver en compagnie de Penne.

Le roi fut annoncé. Il entra, la reine à son bras. Christina songea qu'elle allait être jugée par cet homme qu'on disait aussi capricieux qu'une brise d'été. Elle sentit son regard se poser sur elle, comme s'il l'avait touchée.

Le père Laurentius entra à son tour, sa grande robe flottant sur son corps maigre. Il sourit gravement et prit la main de Christina.

— Tout ira bien, maîtresse. Ne perdez pas courage.

Elle redressa les épaules et essaya d'adopter l'attitude d'une femme qui n'éprouvait ni peur ni culpabilité.

Plusieurs minutes s'écoulèrent, tandis que les courtisans prenaient place en bavardant gaiement. La reine demanda des rafraîchissements. Des serviteurs s'agitèrent en tous sens pour contenter leurs maîtres. Personne ne songeait donc à elle qui attendait, le cœur battant, les mains moites, consciente que sa vie allait se jouer dans quelques instants ?

Durand alla s'asseoir près du roi. Il ressemblait plus que jamais à un seigneur de guerre, avec sa longue tunique sombre.

Il lui fit un signe de tête et, soudain, elle éprouva une grande paix intérieure. Il avait promis de l'aider. C'était un homme d'honneur, il tiendrait parole.

L'angoisse qui lui nouait la gorge se dissipa.

Le roi fit signe au père Laurentius d'approcher. Cette fois, elle n'aurait aucune difficulté à entendre ce qui se disait. Elle était l'accusée.

Elle éprouva une immense surprise – et Durand aussi, à en juger par son regard – lorsque John demanda à Luke de venir vers lui.

Luke mit un genou en terre pour saluer le roi.

Assis dans son imposant fauteuil de chêne, John s'accouda à la table. La taille du fauteuil ne le rendait pas plus majestueux. Il était nettement plus petit que Luke. Mais ses atours témoignaient de sa position supérieure. Il portait plusieurs bagues, dont la valeur était si grande qu'elles auraient suffi à nourrir des dizaines de familles de paysans pendant plusieurs années.

Bien que plus simplement vêtu, Luke avait une allure splendide. Sa tunique brune était bordée de galons brodés d'or. La cape qu'il portait sur l'épaule était fixée par une broche en or représentant un corbeau, le symbole des de Marle.

Le roi s'adressa à lui d'une voix faussement douce.

— Luke, vous semblez éprouver un prodigieux intérêt pour maîtresse Le Gros.

Christina tressaillit en entendant son nom.

— Je suis châtelain et je m'intéresse à elle comme à tous les occupants de Ravenswood.

— Allons, Luke, nous ne sommes pas aveugle. Cette femme est séduisante, n'est-ce pas ? Et on vous a surnommé, avec raison, le *seigneur des jupons*. Par quel hasard auriez-vous négligé un tel morceau de choix ?

Durand observa attentivement son frère. Celui-ci s'empourpra, mais haussa les épaules.

— Il y a beaucoup de tentations, sire. Mais bien peu d'heures dans une journée.

Cette réponse provoqua un éclat de rire général. Le roi daigna sourire.

— Donc, vous n'avez pas *encore* mis maîtresse Le Gros dans votre lit ?

Luke haussa de nouveau les épaules, mais garda le silence. Durand vit Christina baisser la tête, visiblement bouleversée par cette discussion. Il aurait voulu lui dire de se redresser, de ne pas se laisser abattre par les accusations.

La reine prit la main de John.

— Luke n'a ni fortune ni titre. Je vous accorde qu'il possède la beauté, mais il n'a rien à offrir à une dame de haut rang. Ne pouvons-nous donc en conclure qu'il cherchera à séduire une femme telle que celle-ci ?

Il y avait une nuance de malice dans le ton qu'employa la reine. Et tout à coup, Durand comprit. Le roi s'intéressait à Christina, et la reine le savait.

John secoua la tête :

— Avons-nous raison de croire, Luke, que nombreuses sont les femmes, titrées ou non, qui recherchent vos attentions, à cause de votre frère et des égards qu'il pourrait avoir pour vous dans le futur ?

— En effet, sire. Beaucoup s'intéressent à moi pour ce que *Durand* a à offrir.

Du coin de l'œil, Durand vit dame Nona se lever brusquement et se faufiler entre Penne et Oriel. Elle souleva légèrement sa jupe, qui flotta autour de ses chevilles alors qu'elle se précipitait vers l'escalier descendant dans les sous-sols du château. Quelle mouche l'avait piquée ?

Tout à coup, la réponse lui parut évidente. Elle se sentait humiliée par les insinuations du roi, maintenant que son nom était associé à celui des de Marle. Il éprouva une soudaine culpabilité à la pensée qu'il avait passé la nuit avec Christina. Mais il repoussa aussitôt ce sentiment. Il n'était pas marié à dame Nona et ne signerait peut-être jamais de contrat l'unissant à elle. Ce qu'il avait fait avec Christina ne la concernait nullement.

— Vous est-il arrivé de vous trouver en tête à tête avec maîtresse Le Gros ? demanda John, s'adressant toujours à Luke.

Le père Laurentius sembla sortir d'un rêve. Il saisit le bras de Luke et lui ordonna de garder le silence.

— Sire, messire Luke n'est pas accusé de vol. L'accusée est maîtresse Le Gros. Or, elle est parfaitement innocente. Le seul reproche qu'on puisse lui faire est d'avoir été aveugle face à la perfidie de son époux. En fait, messire Durand lui avait donné ce livre, et elle le lui a rendu par l'intermédiaire de messire Luke, après l'avoir nettoyé.

Quelqu'un dans la foule ricana.

Durand vit Christina lever la tête et fixer le roi. Ses mains ne tremblaient pas, aucune rougeur ne vint teinter ses joues. Il admira son courage.

— Vous avez bien dit « par l'intermédiaire de messire Luke », mon père. Pouvez-vous nier que cette femme ait eu accès au livre d'Aelfric ? N'est-il pas plausible qu'elle ait eu des regrets de le rendre, alors qu'elle pouvait en obtenir un millier de livres ?

— Je refuse absolument de l'admettre. Maîtresse Le Gros n'aurait eu qu'à demander, pour que messire Durand lui donne ce livre. Elle aurait pu alors le vendre à qui elle voulait. Pourquoi l'aurait-elle volé ? Cela n'a pas de sens !

Le roi se caressa le menton, pensif.

— Dans ce cas, mon père, pourquoi Simon n'a-t-il pas demandé à sa femme de lui procurer le livre ? Pourquoi l'aurait-il volé, *lui* ?

— En effet. Posons la question à maîtresse Le Gros, déclara Laurentius en se tournant vers la jeune femme.

Celle-ci regarda le prêtre. Durand retint son souffle. Qu'allait-elle répondre ?

— Je n'ai pas dit à mon mari que messire Durand m'avait donné le livre. Je craignais que Simon n'en conçoive quelque soupçon et je ne désirais pas provoquer sa colère. Je lui ai simplement dit que messire Durand m'avait confié l'herbier pour que je le nettoie.

Le prêtre rapporta sa réponse au roi et, pour la première fois, Durand vit les joues de la jeune femme s'empourprer.

La reine se pencha vers le roi pour lui chuchoter quelques mots à l'oreille.

— Nous aimerions parler à Penne, déclara John.

Penne approcha, l'air perplexe.

— Penne Martine, nous croyons savoir que vous fréquentez régulièrement la salle des comptes.

— Sire, je m'y trouve souvent, en compagnie de Luke et des autres.

— Avez-vous vu cette femme dans cette salle, à l'époque où le livre a été dérobé ?

Penne eut une très légère hésitation.

— Oui, sire. Je l'ai trouvée seule un soir, dans la salle des comptes.

— Quand ? Et que faisait-elle là ?

Qui avait soufflé au roi, ou plutôt à la reine, un tel renseignement ? Durand survola rapidement l'assemblée du regard, sans trouver de réponse.

Penne s'humecta les lèvres.

— Je ne me rappelle pas... C'était un soir d'orage, je crois. Elle ne faisait rien de mal, sire. Elle était seulement venue déposer un flacon sur la table.

— Aurait-elle pu ouvrir le coffre avant votre arrivée ? Est-elle demeurée dans la salle après votre départ ?

Sans attendre la réponse de Penne, le roi poursuivit en se tournant vers Laurentius :

— Qu'y avait-il dans ce flacon, mon père ?

L'ecclésiastique transmit la question à Christina et celle-ci lança un regard à Luke. Qu'avait-elle préparé pour lui ? se demanda Durand.

— Mon père, dit-elle, je répugne à trahir la confiance de messire Luke.

— Vous le devez, mon enfant. Il y va de votre vie.

— Je... je lui ai préparé un philtre d'amour, avoua-t-elle en pâlissant.

Mon Dieu, songea Durand, tandis qu'une vraie cacophonie retentissait dans la salle.

Le roi éclata de rire en renversant la tête en arrière.

— Un philtre d'amour ! Pour le seigneur des jupons ? Nous ne pouvons le croire ! s'exclama-t-il en frappant du plat de la main les accoudoirs du fauteuil.

Luke haussa les épaules, sans perdre son aplomb.

— Ce n'était pas un philtre ordinaire, sire, annonça-t-il. Je souhaitais simplement pouvoir rester trois ou... quatre heures au lit, au lieu d'une.

Le silence retomba. Durand salua intérieurement l'habileté de son frère. Il avait le don de se sortir de toutes les situations avec panache.

— Nous sommes de plus en plus envieux. Et nous achèterons bientôt ce philtre nous-même, déclara le roi.

Ses courtisans rirent avec lui. Roger Godshall murmura quelque chose à Sabina, et le sourire de la jeune femme fit place à un froncement de sourcils offensé.

La reine tapota le bras de son époux, ajoutant un commentaire à mi-voix. John se mit à rire de plus belle.

— Notre très chère reine nous fait remarquer que Luke porte bien son surnom. Elle souhaite savoir si la potion a eu l'effet escompté.

Luke s'inclina.

— Oui, sire, c'est très efficace.

Durand songea que si Christina survivait à cette journée, son avenir était assuré. Elle passerait les vingt prochaines années à préparer des philtres et des potions pour tous les hommes présents dans la salle.

Le père Laurentius s'éclaircit la gorge.

— Les doutes ne sont-ils pas assez nombreux, sire, pour libérer cette femme ?

— En dépit de notre amusement, nous n'avons pas perdu de vue notre but, rétorqua le roi, avant de se tourner vers Durand. Cette femme a été vue dans la salle. N'aurait-elle pu donner cette potion à Luke à n'importe quel autre moment ? Certes. Cependant, elle a choisi de venir dans cette salle quand personne ne s'y trouvait. C'est un détail révélateur.

— Oui, sire, admit Durand. Mais j'ai vu d'autres femmes entrer dans cette salle. Dame Sabina, par exemple.

Christina sentit l'espoir renaître dans son cœur. Si Durand pouvait susciter le doute, elle avait une chance de vivre. Mais cet espoir s'évanouit presque aussitôt. Une femme comme dame Sabina, dont le père était l'ami du roi, n'avait aucun besoin de voler quoi que ce soit.

— Avez-vous succombé au charme du seigneur des jupons ? demanda le roi en se penchant vers Sabina.

Cette dernière sourit.

— Toutes les femmes sont prêtes à lui offrir leur cœur, sire. Mais pas leur vertu.

— En effet.

Le roi laissa son regard errer dans la grande salle, puis le posa sur Christina.

— Levez-vous, maîtresse Le Gros.

Elle obéit avec difficulté, car elle aurait préféré disparaître sous terre. Toutefois, elle fit une profonde révérence.

— Nous avons une solution très simple, qui nous amusera grandement, déclara le roi. Nous laisserons Dieu décider si cette femme est coupable ou innocente.

— Sire, intervint vivement Durand, maîtresse Le Gros a certains devoirs à accomplir, qu'elle soit coupable ou innocente. Elle ne pourra plus allaiter Félicité si elle meurt !

Ses paroles sous-entendaient que Dieu la trouverait innocente et que, par conséquent, elle mourrait. Christina le remercia en son cœur pour son soutien.

— Ah, fit le roi, excédé. Le bébé. Nous ne l'avons pas oublié. Cette enfant a mis notre patience et nos oreilles à rude épreuve, hier soir. Notre très chère reine est d'avis que l'enfant a besoin de sa nourrice, bien que nous ayons des doutes sur la question. Est-il bien sage de laisser une voleuse nourrir un bébé innocent ?

Christina joignit les mains, priant le Ciel de la délivrer d'une manière ou de l'autre, fût-ce par la mort.

— Il existe d'autres épreuves que celle de l'eau. Nous apprécions les combats singuliers, n'est-ce pas ? demanda John à la reine Isabelle.

Des exclamations s'élevèrent dans la salle. Le regard de Christina se posa sur le roi, puis sur Durand. Que voulait-il dire ? Allait-elle devoir se battre ? Mais comment ?

Le roi s'adressa alors au père Laurentius, mais leurs paroles furent noyées dans la cacophonie. Le prêtre hocha la tête et Christina comprit que son sort était scellé.

Le brouhaha finit par se calmer et céder la place à des murmures. Un homme grand et robuste se détacha du groupe des courtisans. Il semblait vieux et jeune à la fois. Jeune dans la souplesse de ses mouvements et de sa démarche, mais vieux dans l'expression dure et cynique de ses traits.

— Approchez, maîtresse, dit le roi en se levant.

Elle alla se placer à côté du père Laurentius.

— Avez-vous un champion qui se battra pour vous en combat singulier ?

Un silence profond s'abattit dans la salle. Personne n'esquissa le moindre mouvement.

— Non, sire. Mon mari est mort et mon père est âgé. Mes frères sont de simples marchands.

— Dans ce cas, nous ne pourrons recourir...

— Je serai le chevalier de maîtresse Le Gros, décréta Durand en se levant brusquement.

Il contourna la longue table et alla s'agenouiller devant le roi.

— Je serai son chevalier, répéta-t-il.

Dame Oriel fit un pas en avant, mais Penne la retint. Christina tira le père Laurentius par la manche.

— Mon père, je vous en prie, vous ne pouvez laisser faire cela.

— Taisez-vous, ordonna le prêtre à voix basse.

— Non, sire ! C'est moi qui serai son chevalier.

Tous les regards se tournèrent vers Luke, qui venait de parler. Il s'avança à l'endroit où se tenait son frère.

— C'est à moi de le faire, sire. Je suis en grande partie responsable de ce qui se passe.

— Les choses prennent une tournure amusante, commenta le roi. Il semble que maîtresse Le Gros ne manque pas de défenseurs.

Christina eut envie de hurler. L'homme qui se tenait près du roi était immense, le visage barré de cicatrices. Elle tira encore une fois le prêtre par la manche. Celui-ci pivota sur lui-même et gronda, l'air excédé :

— Ne dites rien, vous entendez ? Tenez-vous tranquille !

Elle recula d'un pas, étourdie. Mais il dut se rendre compte qu'il s'était laissé emporter, car il lui tapota le bras et marmonna gentiment :

— Tout se passe comme je l'espérais.

Durand avait grande envie de tirer son épée pour en assener un coup sur la tête de Luke. Comment son frère osait-il embrouiller davantage la situation ?

— Sire, dit-il, je vous supplie de m'autoriser à défier votre champion…

— Non, sire ! s'exclama Luke. Choisissez-moi.

Le roi les considéra en croisant les bras.

— Le combat aura lieu une heure après les vêpres. En attendant, décidez lequel de vous deux se battra pour maîtresse Le Gros. Peu nous importe qui se présentera. Confessez-vous avant de venir.

Ayant prononcé ces mots, le roi leva la main. Le garde agrippa le bras de Christina et l'entraîna vers la tour.

Durand eut le plus grand mal à contenir sa colère. Il dut assister à deux autres jugements sans intérêt, avant de pouvoir enfin partir à la recherche de Luke.

Il trouva son frère dans la salle des comptes. Dame Nona était assise près de lui, Félicité sur ses genoux. Ils examinaient un parchemin que Luke avait étalé sur la table. L'enfant elle-même semblait se concentrer sur le document, ses petits poings serrés.

— Luke, il faut que je te parle.

Dame Nona se leva.

— Je vous prie de m'excuser, mon seigneur.

— Ramenez l'enfant à maîtresse Le Gros, dame Nona.

Quand elle fut sortie, Luke lança :

— Tu es venu me demander si je pouvais vraiment faire l'amour pendant trois heures sans m'arrêter ?

La plaisanterie n'allégea en rien l'humeur de Durand.

— Tu ne te battras pas pour Christina.

— Pourquoi ? s'enquit Luke en enroulant le parchemin.

Parce que je me suis servi de ce livre pour la séduire, parce que... Durand se décida pour une semi-vérité :

— Si je n'avais pas donné ce livre à Christina pour qu'elle en nettoie la couverture, Simon ne l'aurait pas vu et...

— Balivernes ! s'écria Luke en abattant une main sur la table. Le problème, c'est que tu as passé la nuit dernière dans sa chambre. Tu te laisses mener par tes sens, et non par ta tête !

— Je passe la nuit où je veux, cela ne te regarde pas, répliqua Durand d'un ton vif.

Luke ne répondit pas tout de suite. Il prit une longue inspiration et ajouta d'une voix plus calme :

— Mais cela regarde dame Nona. As-tu oublié qu'elle doit devenir ton épouse ?

Oui, il avait oublié Nona. C'est à peine s'il avait remarqué sa présence un moment plus tôt.

— Je n'ai pris aucun engagement.

— Et elle ne voudra plus de toi si tu te bats pour Christina ! Tandis que moi, je n'ai pas de mariage en perspective, et pas d'enfant pour pleurer ma mort si je suis tué par ce barbare que John traîne partout derrière lui.

— Tu ne gagneras pas.

Les traits de Luke se durcirent.

— Je gagnerai. Je suis le meilleur ici, à Ravenswood.

— Le meilleur après moi.

Luke se leva. Il était presque aussi grand que Durand. Certes, il était plus jeune et ses réflexes étaient peut-être plus aiguisés. Mais il n'avait pas autant envie de vaincre que lui.

— Je te répète que les raisons pour lesquelles tu veux te battre ne sont pas les bonnes, Durand. Et ça te tuera. Christina n'est qu'une femme comme les autres, avec de beaux seins et des cuisses...

— Tu oses me dire ce que je dois faire ?

Durand sentit la fureur déferler dans son cœur. Luke était peut-être entré dans le lit de Marion, il était peut-être le père de Félicité. C'est lui que Durand aurait dû affronter en combat singulier.

Ils étaient face à face, dressés l'un contre l'autre, quand Penne fit irruption dans la salle et se jeta entre eux.

— Je m'y attendais ! Calmez-vous. Tout de suite.

Il repoussa Luke vers la cheminée et lança à Durand un regard noir.

— C'est de la folie ! Après cela, tout le château sera persuadé que vous partagez tous les deux la couche de Christina. Croyez-vous qu'elle vous remerciera d'avoir détruit sa réputation ? Dame Nona a trouvé un homme derrière sa porte, lorsqu'elle lui a emmené Félicité. C'est Oriel qui me l'a rapporté.

Luke rajusta les pans de sa tunique.

— Il voulait probablement un flacon de potion.

— Peut-être, admit Penne. Mais sans doute la prend-il aussi pour une femme facile, maintenant que vous vous êtes tous les deux proposés pour mourir pour elle ! Et vous mourrez. Gregory Tillet n'a jamais été vaincu.

— Je me battrai contre lui et je vaincrai, affirma Durand.

— Tu es sûr que ta nuit agitée ne t'a pas vidé de tes forces ? riposta Luke, moqueur.

— Cessez ! ordonna Penne, en retenant Durand qui voulait se jeter à la tête de son frère. Je suis désolé, Luke, mais je dois te le dire. Durand est le meilleur. Gregory est sournois, mais Durand est impitoyable. Reste à l'écart.

Luke secoua la tête.

— Adrien et Robert ont besoin de toi, Durand…

Celui-ci éprouva un vague remords devant la sincérité de son frère. Il se détendit et soupira.

— Je peux aussi bien mourir en Normandie, Luke. Advienne que pourra. Je me battrai pour Christina. Et si je tombe, tu veilleras sur Adrien et Robert.

— Et sur Félicité, ajoutèrent Luke et Penne d'une seule voix.

21

Durand garda l'image de Christina devant les yeux, pendant tout le temps qu'il passa à se préparer au combat. Agenouillé dans la chapelle à côté de Tillet, attendant de se confesser, il espéra que Dieu lui pardonnerait le trouble de son esprit.

Joseph l'aidait à revêtir sa cotte de mailles, quand Gilles d'Argent entra dans la salle d'armes.

— Joseph, ordonna-t-il, va inspecter le terrain. Parcours-le en tous sens et repère les endroits dangereux.

— Oui, mon seigneur.

Joseph sortit du bâtiment de pierre.

— Je connaís mon domaine, déclara Durand d'un ton sec.

Gilles lui prit son épée et en examina la lame. Il la rendit à l'armurier avec un hochement de tête.

— Allez demander la mienne à mon fils Nicholas. Il est dans la grande salle.

Durand se retrouva en tête à tête avec son ami. Gilles s'assit à demi sur une table et croisa les bras.

— Tu es décidé à accomplir cette folie ?

— Une folie ? Ai-je l'air d'un fou ? rétorqua Durand avec colère.

Gilles leva une main en signe d'apaisement.

— Garde ta hargne pour le combat, elle te sera plus utile à ce moment-là. Je suis venu à la requête de ton frère.

— Luke ! dit Durand en faisant tourner son heaume entre ses mains. Il n'a pas mon habileté.

— Je suis d'accord. Mais il n'a pas non plus d'enfants pour pleurer sa mort.

Gilles saisit les gants de Durand posés sur la table.

— Il serait plus logique d'envoyer se battre celui qui n'a rien à perdre. Je sais que tu es le meilleur, mais cela ne signifie pas que Luke est incapable de l'emporter. Tu as trop de responsabilités pour mettre ta vie en danger inutilement. Laisse-le relever le défi.

Durand tendit la main pour reprendre ses gants.

— Je ne peux pas, mon ami. J'ai eu l'imprudence d'offrir ce livre à Christina et sa vie en a été détruite. Je dois donc lui donner la meilleure chance possible de survivre.

Il savait que ses paroles n'avaient pas beaucoup de sens, mais il ne pouvait s'expliquer mieux que cela. Il ne dirait jamais à Gilles quelles raisons l'avaient poussé à donner le livre. Ni que sa confiance en Luke était entachée par les soupçons qu'il nourrissait à son égard.

— Je ne peux livrer Christina au caprice de John. Et tu le connais assez pour savoir qu'il n'a ordonné ce jugement de Dieu que par pure malveillance. C'est une pratique ancienne, même les religieux fanatiques n'y croient plus. Non, il est évident que cette décision cache quelque chose.

— Penses-tu que John croie Luke plus malléable que toi ? Plus susceptible de se plier à sa volonté, au cas où tu disparaîtrais ?

Tout en parlant, Gilles aida Durand à enfiler un pourpoint gris orné d'un corbeau sur la poitrine.

— J'en suis persuadé, mais cela ne change rien à ma décision. Le marchand est mort, il a payé pour ses péchés, c'est certain. Mais cet acharnement contre Christina n'est pas naturel. Dans le passé, j'ai vu John acquitter des accusés dont la culpabilité n'était pas établie, en se fiant uniquement à mon avis. Pourquoi met-il aujourd'hui tant d'énergie à condamner une femme qui n'a rien fait ?

L'armurier revint avec l'épée de Gilles. Une émotion profonde envahit Durand lorsque le vieil homme la lui tendit.

C'était la plus belle arme qu'il ait jamais tenue entre les mains.

— Je te remercie, Gilles, dit-il en la glissant dans son fourreau. J'espère me montrer digne d'un tel cadeau.

— Utilise-la bien, mon ami, mais rappelle-toi ce conseil : bats-toi en pensant à la traîtrise de ton adversaire. Ainsi, il ne pourra t'abattre par surprise.

— La traîtrise ? Qui parle de traîtrise ?

Luke pénétra dans l'armurerie, suivi de Joseph. Il était vêtu pour le combat et tenait son heaume sous le bras.

— Que penses-tu faire? lança Durand avec hargne.

— T'épargner cette folie.

Durand jeta son heaume dans les bras de Gilles et tira son épée. Luke l'imita.

— Mon seigneur! cria Joseph.

Mais Gilles empêcha le valet de s'interposer entre les deux hommes.

— Laisse-les se débrouiller entre eux.

— Oui, tonna Luke. Réglons cette affaire. Il ne s'agit pas seulement de te battre pour ta maîtresse.

— Sire! s'exclama Durand en regardant derrière l'épaule de son frère.

Luke se retourna. En une seconde, Durand l'eut renversé et désarmé.

— Je t'ai tendu le piège le plus simple du monde et tu es tombé dans le panneau. Cela prouve que j'avais raison. Tu ne te battras pas aujourd'hui.

La pluie s'était mise à tomber deux heures avant les vêpres, transformant la cour intérieure du château en bourbier. Mais des hommes érigeaient néanmoins les pavillons destinés à abriter les spectateurs.

Incapable d'attendre dans l'inactivité le moment redouté du combat, Christina demanda à Alice de lui apporter les herbes et les essences parfumées qui se trouvaient dans la chambre de Félicité.

Lorsque Oriel vint la chercher, Christina sentit les battements de son cœur s'emballer.

— Que faites-vous? s'enquit Oriel en s'approchant du matelas où elle était agenouillée.

Christina remua une dernière fois son mélange et se leva.

— Je prépare un onguent pour soigner Durand, au cas où il serait blessé. Du fenouil, et de la petite centaurée qu'Alice a subtilisée en cachette d'Aldwin. Ainsi qu'un mélange de laurier et d'amande douce.

Oriel lui posa gentiment une main sur l'épaule.

— Aldwin ne pourrait-il s'occuper de Durand, si celui-ci est blessé?

Christina marqua une pause. Comment dire ce qu'elle pensait d'Aldwin sans dépasser les limites de son propre domaine?

— Je suis certaine qu'il a ses méthodes, madame. Mais la recette de cet onguent m'a été donnée par ma mère, et il ne la connaît sans doute pas.

Oriel hocha la tête, l'air approbateur. Elle tendit à Christina un somptueux manteau de laine vert bordé de fourrure, idéal pour la protéger de la pluie.

— Madame, je ne peux accepter ce vêtement.

— Sottises. J'en ai plusieurs autres, déclara Oriel en drapant un châle sur Christina, puis en rabattant le capuchon sur sa tête. Si vous attrapez froid, vous ne pourrez pas me préparer mes parfums. Mon pompon parfumé s'est encore défait.

Elle accompagna ces paroles d'un sourire, et Christina acquiesça.

— Je vous remercie de ne pas m'avoir évitée, comme d'autres l'auraient fait à votre place, dit-elle doucement.

— Je vous dois beaucoup, Christina. La potion que vous avez apportée ce soir-là dans la salle des comptes n'était pas destinée à Luke, mais à Penne, comme vous l'avez sans doute deviné. Penne ne savait pas comment présenter une telle requête. Aussi, ma douce Christina, nous ne voulons pas que vous payiez de votre vie le fait de nous avoir aidés.

— Madame... je vous demanderai si... si...

Une corne résonna à l'extérieur. Oriel se précipita à la fenêtre.

— C'est l'heure. Dites-moi vite ce qui doit être dit, ma chère Christina.

Cette dernière déglutit. Sa bouche était sèche.

— Quand tout cela sera fini... je devrai partir. Je voudrais que vous exprimiez mes excuses à... c'est-à-dire...

Elle n'eut pas le courage de prononcer le nom de dame Nona. Alice lui avait rapporté que le bruit s'était répandu dans le château que Durand avait passé la nuit avec elle. Les commérages étaient venus aux oreilles de Nona.

Alice avait laissé échapper un flot d'invectives, lui reprochant d'avoir succombé au désir d'un homme comme sa maîtresse Marion, à qui cette faiblesse avait été fatale. Mais le silence de Christina avait fini par la désarmer. Que deviendrait-elle, le combat terminé ? Le procès l'avait fait apparaître comme la maîtresse de Luke, et maintenant tout le monde savait qu'elle était celle de Durand.

Mais elle n'avait pas honte d'avoir passé la nuit dans ses bras. C'était le triomphe de la vie.

Où serait-elle ce soir à minuit, s'il gagnait ? Car il gagnerait. Le contraire n'était même pas envisageable.

— Vous resterez ici, à Ravenswood, affirma Oriel avec un mouvement de tête. Vous y êtes chez vous.

Un immense espoir emplit le cœur de Christina. Mais elle aperçut du coin de l'œil la route de l'ouest qui se déroulait comme un long ruban noir. Et elle songea que dame Oriel se trompait. Pourrait-elle partir sans s'effondrer ?

Et où irait-elle ? Son père l'accepterait peut-être, malgré sa honte.

— Le roi mettra un terme au combat avant qu'un des hommes soit mort, n'est-ce pas ? Alice m'a dit que c'était ainsi.

— Oh, certes. John ne peut se permettre de perdre un homme comme Durand. Ce sont les blessures qui m'inquiètent. On y survit rarement, expliqua Oriel.

Christina fut parcourue d'un frémissement de terreur.

Deux gardes attendaient devant la porte pour la conduire dans la cour du château. Ils la guidèrent vers la plus grande tente, où se trouvait le roi, entouré de ses courtisans. Le père Laurentius lui expliqua qu'elle devait aller saluer le roi et la reine et les remercier de lui donner cette chance de prouver son innocence.

Dès qu'elle eut fait sa révérence, deux hommes du roi l'escortèrent au bout du champ où allait avoir lieu le combat. Tous les regards étaient braqués sur elle, et les commentaires allaient sans doute bon train. Une vague de chaleur se propagea dans son corps, son cœur battait à tout rompre, mais elle garda stoïquement les yeux fixés sur le champ.

Les chevaliers, qui désiraient s'entraîner pour la Normandie, avaient piétiné l'herbe. Le terrain ressemblait à un marécage. Comment les combattants parviendraient-ils à maintenir leur équilibre ? Elle songea avec horreur à l'attaque des brigands et aux blessures infligées ce jour-là.

Les cornes résonnèrent de nouveau. Le ciel était encombré de nuages bas et lourds, et le jour se confondait avec la nuit. Des torches fumantes répandaient des ombres inquiétantes sous les tentes.

Durand et son adversaire apparurent dans le champ. Elle ne vit que *lui*, magnifique dans son armure. Le père Laurentius lui posa la main sur l'épaule et murmura :

— Il faut que vous sachiez. Ce sera un combat à mort. À moins que le roi ne leur ordonne d'arrêter, ce qui est peu probable.

— Non ! s'écria-t-elle en agrippant la main du prêtre. Je pensais que le vaincu pouvait se rendre avant d'être tué ?

— Se rendre ? Quelle innocence, mon enfant ! Des hommes comme ceux-ci ne se rendent jamais.

Elle se tourna, affolée, vers l'endroit où se tenaient les deux hommes.

— Il faut arrêter cela !

— Trop tard, dit Laurentius. Soyez tranquille. La volonté de Dieu triomphera.

Un tremblement irrépressible s'empara d'elle. Elle poussa un gémissement de détresse, et l'un des deux gardes lui lança un bref regard.

Durand portait un pourpoint gris, et Gregory Tillet les couleurs du roi. Mais le pourpoint écarlate n'évoquait pour elle que la couleur du sang.

Luke se dirigea vers les combattants et donna à son frère un bouclier orné d'un corbeau frappant un serpent. Les deux frères se saluèrent.

Lorsque les deux hommes tirèrent leur épée, Christina chercha la main du prêtre pour se donner du courage, mais il n'était plus là. Elle le vit assis sous la tente, à côté de la reine.

La jeune femme était seule entre les deux gardes. Tous l'avaient abandonnée, à l'exception de l'homme qui se battait pour elle dans ce champ boueux. Et qui allait peut-être mourir. Elle envisagea un instant d'aller confesser au roi que c'était bien elle qui avait volé le livre d'Aelfric, afin de mettre fin à ce cauchemar.

Mais, en faisant cela, elle jetterait le déshonneur sur Durand.

Les deux guerriers se placèrent face au roi. John leva la main :

— Que la volonté de Dieu soit faite.

Les hommes s'inclinèrent et retournèrent au centre du champ. Des cris jaillirent parmi la foule, aussitôt absorbés par le vent et la pluie.

Le roi abaissa la main. Les deux hommes s'affrontèrent dans un fracas de boucliers et d'épées. Ils se séparèrent, revinrent à la charge, se séparèrent de nouveau.

Avec un hurlement, Gregory Tillet abattit son épée sur le bouclier de Durand. Celui-ci para le coup et se dégagea, avant d'attaquer à son tour.

— Que Dieu le protège, murmura Christina en joignant les mains.

L'épée de Gregory s'abattit sur l'épaule de Durand, et le coup se répercuta dans son bras et sa main. Il leva son arme pour parer le coup suivant. Les lames glissèrent l'une sur l'autre et les épées demeurèrent immobiles, poignée contre poignée.

— Quand j'en aurai fini avec toi, tu ne pourras plus avoir de catin, grommela Tillet.

— Toi non plus, rétorqua Durand.

La boue leur collait aux pieds, ralentissant leurs mouvements. Gregory leva de nouveau son épée et tomba sur un genou. Mais il parvint à éviter le coup que Durand dirigeait vers sa gorge, et se releva.

Ils échangèrent coup après coup. La pluie tombait sans discontinuer, les aveuglait et rendait le terrain plus glissant. Ils tombèrent, se relevèrent, trébuchèrent. Leurs membres étaient de plus en plus lourds. Une fumée noire s'échappait des torches humides et envahissait le champ.

Tillet leva son épée, l'abattit encore et encore. Les coups pleuvaient sur les jambes de Durand, protégées par de lourdes chausses. Ses épaules étaient endolories par le poids du bouclier.

Pendant un long moment, ils eurent le dessus en alternance. Mais Durand n'avait pas mené de vrai combat depuis des années. Il recula, aveuglé par la boue. Tillet le poursuivit, le poussant vers les tentes.

Durand se rendit compte qu'il allait être acculé contre le pavillon de toile. Il prit une profonde inspiration, les poumons en feu, et affirma son pas avant de se lancer violemment contre son adversaire. Les boucliers s'entrechoquèrent, mais son épée lui échappa et retomba hors de sa portée.

Tillet vacilla un instant, laissant à Durand quelques précieuses secondes pour s'éloigner de la tente. Malheureusement, il ne put se rapprocher de l'épée.

— Tu es prêt à demander grâce? lança Tillet en avançant vers lui.

Pour toute réponse, Durand tira sa dague de sa ceinture. À bout de forces, il recula de nouveau. Tillet lança un regard vers la foule et Durand en profita pour bondir, projetant la lame au-dessus du bouclier. Mais Tillet, anticipant son geste, leva son épée et réussit à faire dévier la lame.

Les coups s'abattirent sur le bouclier de Durand. Un coup plus fort que les autres lui arracha le bouclier et son gant. Un large sourire laissa apparaître les dents de Tillet, entre le heaume et la cotte de mailles.

Durand se pencha, ramassa une poignée de boue et la lui lança au visage. Avec un cri de rage, Tillet se jeta sur lui. Les deux hommes roulèrent sur le sol, puis se relevèrent. Ils s'affrontèrent alors, leur dague à la main, en un terrifiant corps à corps. Durand voulut agripper le bras de Tillet, mais sa main glissa sur la cotte de mailles enduite de boue.

Il recula en marmonnant un juron, et Tillet tomba en avant. Durand mit le pied sur son épée, mais l'autre lui attrapa alors la cheville. Ils luttèrent un moment, puis Tillet prit le dessus et parvint à renverser Durand sur le dos.

Malgré la boue qui collait à son armure, il se releva. Tillet le tenait au bout de son épée, mais sa main était agitée d'un tremblement convulsif. L'homme était blessé. D'un coup de pied, Durand lui arracha son arme.

Une fois de plus, les deux adversaires roulèrent sur le sol. Tillet avait le dessus. Des cris s'élevèrent dans la foule. Rassemblant ses dernières forces, Durand repoussa l'homme et tira une autre dague de sa botte.

L'arme sembla dérisoire, à côté de la hache qui se trouvait aux pieds de Gregory. D'où venait-elle ? Qui l'avait lancée ?

Tillet saisit la hache et la brandit au-dessus de sa tête.

Une femme poussa un long hurlement. Un cri atroce et déchirant. Tillet se retourna.

Durand ne commit pas cette erreur. Il se lança en avant et enfonça la lame sous le bras de son ennemi.

L'homme s'effondra sans un cri. Durand accompagna son arme. Du sang jaillit sur sa main. Tillet le regarda, les yeux exorbités, et émit un grognement. La hache lui échappa et le sang recouvrit l'émail bleu qui ornait la poignée.

Durand se redressa en chancelant. Il vit la foule tourbillonner autour de lui, sa vision s'obscurcit et un grondement assourdissant emplit ses oreilles. Il déglutit et demeura immobile en attendant que le malaise se dissipe.

Mais le grondement persista, et il se rendit compte que c'était la foule qui hurlait de joie. Luke traversa le champ et lui prit le bras.

— Viens. Marche. Il ne faut pas que tu donnes des signes de faiblesse.

Durand obéit, et laissa son frère le soutenir. Il alla ramasser l'épée de Gilles, la glissa à sa ceinture, puis se dirigea avec Luke vers le roi.

— Il semble que Dieu ait décidé du sort de maîtresse Le Gros, dit John avec une pointe de colère.

Durand ne répondit pas. La foule commençait de regagner le château. Ses hommes l'entourèrent et le ramenèrent dans la salle d'armes. Joseph et William lui ôtèrent son costume couvert de boue et versèrent sur lui des seaux d'eau tiède. Chaque muscle de son corps était douloureux.

Son valet lui apporta ensuite du pain et du miel et l'obligea à manger.

— Quelqu'un a jeté cette hache à Tillet, dit Luke. Et si Christina n'avait pas crié, Tillet n'aurait pas tourné la tête. Quel idiot.

Durand était glacé. Il espéra qu'il aurait assez de force pour aller remercier Christina.

— Je lui dois la vie, apparemment, murmura-t-il avec difficulté.

Gilles haussa les épaules.

— À elle, ou à Dieu. J'étais si concentré sur le combat que je n'ai pas vu qui a lancé cette hache.

— Je n'aurai pas de repos tant que je n'aurai pas retrouvé celui qui a fait cela, grommela Luke. Viens, Durand. Tu es attendu dans la grande salle.

— Christina… où est-elle ?

— J'ai vu les gardes la ramener au château, dit Joseph en aidant Durand à enfiler une chemise propre.

Au prix d'un effort de volonté, il rejoignit la grande salle avec ses compagnons. Christina ne s'y trouvait pas. Durand marcha droit vers le roi.

— Maîtresse Le Gros a-t-elle été libérée, sire ?

— Oh, oui. Vous souhaitez peut-être qu'elle vous remercie ? Elle sera certainement très reconnaissante du service que je vous avez rendu aujourd'hui.

Durand s'inclina. Il traversa lentement la salle et gagna la tour ouest.

22

Aucune sentinelle ne montait la garde devant la salle des livres, et le loquet se souleva sans qu'il ait besoin de faire tourner la clé. Des bougies de cire projetaient une douce lueur dans la chambre. Christina se tenait près de la fenêtre, dont les volets étaient ouverts malgré la pluie. Quand il referma la porte, elle se précipita vers lui et se jeta dans ses bras.

— Mon seigneur, Dieu vous bénisse !

Il grogna, lui agrippa les épaules et la repoussa de côté.

— Vous allez parachever l'œuvre de Tillet, dit-il en riant.

— Vous avez mal. Venez, j'ai préparé un onguent pour vos blessures.

— Dans un moment. Je dois d'abord vous remercier. C'est votre cri qui l'a distrait et a causé sa perte.

— La frayeur a été plus forte que moi, répondit-elle en lui prenant la main.

— Et vous m'avez sauvé la vie.

Il lui caressa la joue du dos de la main. Il voulait seulement la remercier et s'assurer qu'on lui rendait sa liberté. Il avait eu l'intention de rester sur le pas de la porte. Au lieu de quoi, laissant sa main dans la sienne, il la suivit jusqu'à la cheminée.

— Que faites-vous chauffer dans ce pot ? demanda-t-il, pour éviter des sujets plus graves.

Le procès, les caprices du roi, son propre désir pour elle…

— L'onguent. Il est plus efficace quand il est tiède.

Il prit la cuillère de corne posée dans la coupe et l'approcha de ses narines.

— Cette odeur est merveilleuse… captivante.

— Je vais soigner vos blessures, dit-elle en prenant la coupe enveloppée dans un linge blanc.

Le silence retomba. L'air était chargé de tension.

— Où est l'enfant? s'enquit-il brusquement.

Le visage de Christina se vida de toute couleur.

— La reine a exigé qu'Alice l'emmène dans sa chambre. Lorsque Félicité aura faim, Alice la ramènera.

Durand posa une main sur son épaule.

— Demain matin, je donnerai des ordres pour que tout reprenne son cours normal. Pour l'instant... je n'en ai pas la force.

Christina lui couvrit la main de la sienne. Rien ne serait plus jamais comme avant. Mais il était encore trop affaibli pour en parler. Il avait vaincu la mort, à présent il méritait la paix.

— Venez, chuchota-t-elle en l'entraînant vers le matelas.

Elle rejeta les fourrures et ôta les pierres tièdes qui réchauffaient la couche. Puis elle s'assit sur ses talons. Il contempla le lit, ôta son manteau, sa tunique, sa chemise. Elle l'aida à enlever le reste de ses vêtements, et il s'allongea.

Il ferma les yeux, s'étira et poussa un gémissement.

Christina n'avait jamais vu un aussi bel homme. Elle alla fermer les volets pour chasser l'humidité de la nuit et prit le pot d'onguent. En revenant vers le matelas, elle remarqua les traces rouges sur ses jambes.

— Oh, mon seigneur, murmura-t-elle.

Elle posa la coupe sur le sol et lui toucha le mollet, sur lequel la cotte de mailles avait laissé une profonde empreinte.

— Il n'y paraîtra plus demain, dit-il.

L'onguent était merveilleusement tiède lorsqu'elle l'étala sur sa jambe. Tout son corps se tendit et il frissonna. Elle voulut ramener les fourrures sur lui, mais il l'arrêta d'un geste. Leurs yeux se croisèrent.

— Ton regard est aussi doux que tes caresses.

Avec la grâce d'un elfe des forêts, elle s'assit près de lui et pencha la tête.

— J'aimerais pouvoir vous guérir d'un regard, dit-elle en passant les mains sur sa jambe endolorie.

— Christina... chuchota-t-il.

Tendrement, elle étala l'onguent sur sa peau. Il ferma les yeux. Tout son corps était douloureux, cependant il voulait sentir ses mains sur lui... partout.

— Dites-moi si je vous fais mal, murmura-t-elle.

Il ne répondit pas. Aucun mot n'aurait pu passer ses lèvres. Elle lui massa les pieds, les mollets, les cuisses. De temps à autre, sa longue chevelure effleurait sa peau. Quand elle concentra son attention sur ses bras, il ouvrit les yeux.

— Comment pourrai-je jamais vous remercier, soupira-t-elle.

Sa chevelure de soie lui balaya le torse, faisant naître une sensation qui oscillait entre le délice et la torture.

— Votre cri m'a sauvé la vie. Nous sommes quittes.

Il passa les bras sur sa nuque et l'attira vers lui. Ses lèvres et sa langue étaient douces et tièdes. Il crispa le poing sur ses cheveux et la tint serrée contre lui, mais elle se déroba, refusant son baiser.

Elle plongea les doigts dans le pot d'onguent et il rejeta les bras en arrière pour la laisser étaler le baume. Elle prit son temps, traçant longuement la ligne de ses biceps, puis descendant sur ses bras.

— Vous êtes si fort, dit-elle en effleurant le torque. Et ceci est le symbole de votre pouvoir.

— Vous êtes ma faiblesse, répliqua-t-il.

En fait, malgré la lassitude de ses muscles, son corps vibrait de désir. Chaque caresse, chaque effleurement le poussait vers un précipice sensuel.

Elle posa les doigts à l'intérieur de ses bras, les fit glisser sur ses épaules. Il émit un cri de douleur, mais n'aurait renoncé pour rien au monde à ce délicieux massage. De ses épaules, elle passa à son torse, effleurant ses mamelons durs du bout de la langue.

— J'ai tellement envie de toi, dit-il en faisant glisser les doigts dans ses cheveux. *Juste une fois ?* Non, c'est une promesse que je ne peux pas tenir...

Sa réponse silencieuse le fit frissonner. Comme il l'avait fait la veille pour elle, elle l'embrassa des épaules jusque sur le ventre, puis plus bas. Il sentit son souffle chaud sur son sexe, puis ses doigts lui prodiguèrent la plus douce et la plus intime des caresses.

— Christina... murmura-t-il d'une voix étouffée.

Chaque contact de ses doigts ou de sa langue, chaque caresse de son souffle l'amenait plus près du précipice.

Au moment où il crut ne pouvoir supporter plus long-temps ce supplice, elle s'écarta et se leva. Elle ôta sa robe brune, sa chemise, et la vue de son corps nu attisa encore son désir.

— Je ne veux pas vous faire mal, dit-elle en s'age-nouillant près de lui.

Il lui tendit les bras et l'attira au-dessus de lui. Les chandelles grésillaient, l'une d'elles s'éteignit. Les ombres s'agrandirent, donnant à son visage viril un aspect plus doux.

L'odeur naturelle de son corps se mêlait au parfum poivré du baume. Certaines des plantes qu'il contenait étaient considérées comme des aphrodisiaques, et elle craignit un moment qu'elles ne fussent responsables de la passion qui les poussait l'un vers l'autre.

Non, songea-t-elle, éperdue. Si ce doit être notre seule nuit, mon seul souvenir plus tard, il ne faut pas qu'il soit gâché par cette pensée. La médecine n'a rien à voir dans tout cela.

Elle toucha sa lèvre inférieure du bout de la langue et il captura sa bouche. Ses mains viriles glissèrent le long de son dos, sur ses hanches. Elle s'écarta pour offrir à sa bouche le bout de ses seins.

Il se plia à son désir et la caresse de sa langue fit surgir en elle une sensation si étourdissante qu'elle ne put retenir un cri. Le baume n'y était pour rien. La magie de l'amour avait surgi entre eux dès l'instant de leur première rencontre. Elle les liait l'un à l'autre aussi solidement qu'un lierre s'enroulant autour d'un arbre.

Leurs bouches s'unirent de nouveau, en même temps que leurs corps. Il s'enfonça en elle et lui prit les bras pour l'attirer contre lui, soulevant les hanches afin de pénétrer dans la chaleur de son corps.

Emportée par une vague de passion, elle pressa le visage dans son cou et s'abandonna à la sensation qui déferlait. Durand sentit la contraction de ses muscles et poursuivit son assaut passionné, avant de céder enfin à la jouissance.

Il demeura allongé un long moment, les yeux fixés sur les seins de Christina qui se soulevaient au rythme de sa respiration. Puis il la serra aussi étroitement que possible contre lui.

— Je veillerai sur chaque enfant que tu porteras, dit-il.

Elle se raidit entre ses bras.

— Si cela devait arriver, je veillerai à ce que tu aies tout le confort possible, reprit-il. Ton bébé et toi ne manquerez jamais de rien. Je l'établirai par écrit afin qu'il en soit ainsi, si je devais mourir en Normandie.

Elle se dégagea et se leva. Un air froid balaya le corps trempé de sueur de Durand. Christina alla vers la cheminée, sa longue chevelure se balançant entre ses reins.

Durand s'assit avec un grognement. Avait-il eu tort de parler ainsi ? Elle se pencha pour attiser les flammes et ses cheveux se répandirent sur elle comme une cape.

— Tu ne dis rien ?

Elle secoua la tête. Au prix d'un effort intense, il se leva et alla vers elle.

— Laisse-moi faire, dit-il.

— Je peux allumer un feu, mon seigneur. Toutes les servantes savent faire cela.

Il lui prit le menton et l'incita à lever les yeux vers lui.

— Tu n'es pas ma servante. Si je te considérais comme telle, je ne proposerais pas de faire cela à ta place.

Les flammes des chandelles se reflétaient dans ses yeux d'ambre. Des filets d'or striaient sa chevelure.

— Tu es si belle, murmura-t-il.

— Si je ne suis pas votre servante, que suis-je ?

Il cueillit dans ses mains ses seins blancs comme l'ivoire.

— Tu es fascinante. Enivrante comme le vin, répliqua-t-il en prenant ses lèvres. Tu es faite pour être embrassée.

Ils s'agenouillèrent face à face devant l'âtre. Christina s'allongea sur les joncs qui protégeaient le sol et l'attira en elle. Les bras noués sur sa nuque, elle ignora la pression froide du torque sur sa joue, et essaya de ne pas penser au fait qu'il ne lui avait pas répondu.

Peu avant l'aube, le château commença de s'animer, les sentinelles de jour arrivèrent pour la relève en appelant leurs camarades. Christina se leva, laissant Durand profondément endormi.

Elle partit à la recherche d'Alice et de Joseph. C'était une tâche difficile, car il y avait beaucoup de monde dans le château, et elle ne voulait pas attirer l'attention sur elle.

Elle était libre, bien entendu, mais cela ne signifiait pas qu'elle était la bienvenue. À en croire les regards froids des servantes lorsqu'elle alla allaiter Félicité, sa présence n'était plus souhaitée.

Tenant Félicité contre sa poitrine, elle se réfugia sur un banc près des écuries, à l'abri de la pluie. Quand l'enfant eut fini de téter, elle alla trouver Joseph, qui nettoyait la cotte de mailles de Durand devant la salle d'armes.

— Il faut que Sa Seigneurie prenne un bain pour délasser ses muscles endoloris par le combat, dit-elle.

— Je vais lui envoyer une cuve et de l'eau, maîtresse. Dans la tour ouest, n'est-ce pas ?

Personne n'ignorait donc où se trouvait Durand.

— Oui. S'il n'est pas trop pénible de porter de l'eau aussi haut.

Joseph se mit à rire.

— Après le combat d'hier, les pages porteraient des pierres sur le toit, pour lui faire plaisir !

— Il a été magnifique.

— Oui, maîtresse. Je l'avais déjà vu combattre, et je savais qu'il pouvait gagner.

Christina revint dans la salle des livres sur la pointe des pieds. Durand avait roulé sur le matelas et rejeté les fourrures. Elle vit que, malgré ses soins, les zébrures sur ses jambes commençaient de bleuir. Elle s'approcha pour mieux l'observer.

À la lueur du jour, elle découvrit des cicatrices plus anciennes sur ses bras et ses jambes. Une plaie mal recousue avait laissé une profonde trace près de ses hanches.

Aldwin aurait dû être fouetté pour un si mauvais travail. Mais Durand était parti en croisade. Peut-être avait-il été soigné sur le champ de bataille. Il avait de la chance d'être encore en vie, car une telle blessure mal soignée aurait pu le tuer. Toutefois, aucune cicatrice ne pouvait lui ôter sa beauté virile de guerrier.

Une flamme de désir lui transperça le corps. Mais elle le laissa dormir.

Il n'était pas question de continuer ainsi. Les paroles qu'il avait prononcées hier au sujet d'un enfant éventuel lui avaient révélé ce qu'elle voulait savoir. Ils n'auraient que quelques moments à passer ensemble.

Elle rabattit les fourrures sur lui.

Il fut réveillé par les cris des valets qui montaient la cuve et les baquets d'eau dans la chambre. Ses tempes étaient douloureuses. Christina avait disparu. Elle franchit silencieusement la porte lorsque la cuve fut remplie.

— Où te cachais-tu ? demanda-t-il.

— Sur le chemin de ronde, dit-elle en posant Félicité sur le matelas, à côté de lui.

Il chatouilla le cou du bébé, qui essaya avec une grande concentration de lui attraper le doigt. Dès qu'elle y parvint, elle le porta à sa bouche.

Christina alla prendre une coupe remplie d'herbes aromatiques et répandit son contenu dans l'eau du bain.

— Que fais-tu ? s'enquit-il, s'approchant en boitillant.

— Certaines herbes hâtent la guérison, et leurs qualités sont décuplées quand elles infusent dans l'eau chaude.

— Je suis sûr que Aldwin approuve ce que tu fais.

Durand s'enfonça dans l'eau. L'odeur fraîche et délicieuse de la forêt emplit ses narines.

— Tu me procures un plaisir unique, murmura-t-il en lui prenant la main pour embrasser ses doigts.

— Non, toute femme ayant une connaissance des plantes ferait la même chose.

Elle se dégagea et retourna prendre l'enfant.

Oui, songea-t-elle. N'importe quelle femme saurait lui préparer un bain parfumé. Dame Nona s'en chargerait bientôt...

— Christina, viens m'aider, vite...

Elle déposa vivement Félicité sur le matelas et alla vers lui en tendant la main.

— Qu'est-ce qui ne va pas ?

Il lui saisit la main, la tira et, avec un cri strident, elle bascula dans la cuve.

— Durand ! cria-t-elle en sentant ses bras se refermer autour d'elle. Félicité va...

— Elle va... quoi ? marmonna-t-il en déposant dans son cou un sillon de baisers brûlants.

— Elle… elle…

Impossible de réfléchir. Ses jupes étaient alourdies par l'eau et elle ne pouvait pas esquisser un mouvement.

Félicité suçait tranquillement son pouce. Christina eut un rire de gorge. Durand se pencha et attira ses jambes dans l'eau.

— Sais-tu que cette cuve est celle de John? Il l'emmène partout avec lui.

— La baignoire du roi? s'écria-t-elle.

Elle voulut se lever, mais Durand la maintint solidement prisonnière.

— Comme il n'est pas là, tu peux oublier tes inquiétudes, chuchota-t-il. D'après Joseph, il a même envoyé la cuve avec sa bénédiction!

Christina finit par s'abandonner dans ses bras.

— Quand t'es-tu lavée dans une vraie baignoire pour la dernière fois? questionna Durand.

— Quand j'allais accoucher de mon bébé. Marion avait fait préparer le bain pour moi.

Durand repoussa ses cheveux mouillés derrière son épaule et lui prit le menton.

— Je suis content que Marion se soit occupée de toi. Elle pouvait être généreuse.

— Oui, elle appelait souvent Simon au château et lui achetait de la marchandise. Je pense qu'elle voulait que nous soyons prospères. Nous sommes tombés bien bas, ajouta-t-elle en baissant la tête.

— Ne pense plus à Marion ni à Simon. Pense au bonheur qui nous est accordé aujourd'hui.

Il l'embrassa légèrement sur les lèvres. Elle changea de position et s'agenouilla entre ses jambes, s'appuyant sur son torse. Alors, elle lui saisit le visage à deux mains et l'embrassa. Elle eut quelques difficultés à ôter ses vêtements trempés, mais finit par se retrouver nue dans ses bras.

Ils se savonnèrent tour à tour.

— Tes seins sont…

— Ils sont trop gros, acheva-t-elle en plaquant les mains sur les globes ronds et tendus.

— Ils sont dignes de la chanson d'un troubadour, corrigea Durand. Si j'avais du talent, j'écrirais un poème pour leur rendre hommage.

Son visage devint plus grave, tout à coup. Elle vit ses yeux gris s'assombrir.

— C'est fou, le besoin que j'ai de te toucher...

Elle sentit son sexe se plaquer contre ses hanches. Sans même réfléchir, elle se déplaça et le prit en elle.

Puis elle frotta ses mains sur le savon et lui massa le torse. Il renversa la tête, la laissant reposer sur le bord de la baignoire avec un gémissement de bien-être.

Elle continua ses caresses jusqu'à ce que, n'y tenant plus, il capture ses mains pour l'attirer dans ses bras. Mais la baignoire était trop étroite et ils se débattirent en riant, projetant de l'eau autour d'eux.

Leur rire s'éteignit quand il la toucha intimement, entre les cuisses. Elle posa une main sur la sienne, tout en se demandant si elle connaîtrait de nouveau dans sa vie une telle sensation. Le regard de Durand était si intense qu'elle ferma les yeux, de crainte qu'il ne lise en son cœur.

Elle frissonna. Il lui passa un bras autour de la taille pour l'immobiliser et continua de la caresser. Elle le supplia de la libérer, en vain. Une onde brûlante se propagea en elle et explosa.

Durand sentit son cœur battre plus vite contre sa poitrine.

Qu'était-elle pour lui ? songea-t-il. Une maîtresse ? Un esprit impalpable ? Une femme courageuse ?

Elle était tout ce qu'un homme pouvait désirer.

Comment allait-il faire pour la garder ?

23

Christina rougit, embarrassée, lorsque Joseph apporta les vêtements de son maître. Elle avait remplacé sa robe de lin brune par une autre de laine bleue, et ses cheveux étaient mouillés. Le valet dut deviner sans peine ce qui s'était passé.

Négligeant de revêtir ses habits, Durand alla s'allonger sur le matelas. S'obligeant à détourner les yeux, elle emplit une coupelle d'huile parfumée au thym pour y faire brûler une mèche. Le parfum se répandit dans la chambre et Durand s'endormit.

Elle saisit cette opportunité pour se rendre avec Félicité dans la tour est. Le moment était venu de s'éloigner de Durand. La remarque obscène que fit sur son passage un des gardes du roi était la preuve que les hommes du château la considéraient comme une femme facile.

Alice était dans la chambre, occupée à filer, maniant le fuseau avec une étonnante dextérité. Christina sourit et s'assit, tenant Félicité au creux de son bras.

Quelle était sa place à Ravenswood, désormais ?

Était-elle la maîtresse de Durand ? Non... Elle avait à peine passé quelques heures avec lui. Pouvait-elle lui confier son inquiétude ? Pourquoi n'avait-elle pas saisi l'occasion hier soir, quand il avait fait allusion à un enfant ?

Elle caressa la tête de Félicité en songeant au bébé que Durand pourrait lui donner. Ce serait une bénédiction. Mais sa gorge se serra. En neuf ans avec Simon, elle n'avait pas eu d'enfant. Pourquoi serait-ce différent avec Durand ?

Une chose était claire : elle ne resterait pas à Ravenswood pour le voir échanger des vœux avec dame Nona. Ou pour voir celle-ci donner naissance à leur enfant. Elle était tentée d'accepter son offre et de partir à Bordeaux.

Ses bras se serrèrent instinctivement autour de Félicité. Perdre celle-ci, ce serait comme perdre son propre bébé...

À ce moment précis, on frappa à coups de poing à la porte et Alice se précipita pour ouvrir. Un des hommes du roi se tenait sur le seuil. Il traversa la chambre comme si c'était un champ de bataille, amenant dans la pièce l'odeur de la pluie.

— La reine vous demande, annonça l'homme.

— Savez-vous pourquoi ?

Il haussa les épaules en signe d'ignorance. Christina glissa Félicité dans la ceinture de tissu qu'elle portait en bandoulière et fit signe au garde de la précéder. Celui-ci la conduisit dans la chambre de Durand, qui était devenue celle du couple royal. Assise près de l'âtre, la reine brodait une délicate coiffe en lin. Elle était seule.

— Venez vous asseoir près de moi, maîtresse, dit-elle en désignant un tabouret.

Christina obéit.

— Cet orage empêche nos navires de prendre la mer. Mais dès qu'il cessera, les hommes partiront.

Déconcertée, Christina hocha la tête en silence.

— Le roi désire que notre chère Nona épouse un homme fort, capable de prendre la tête de ses nombreux domaines en France et en Angleterre.

La reine leva les yeux. Son regard était glacial.

— Comprenez-vous à quel point la vie est difficile pour une femme ? Elles sont souvent le jouet des hommes.

— Oui, madame, je comprends.

Qui aurait pu connaître mieux qu'elle le triste sort réservé à la plupart des femmes ?

— Pour certaines, c'est plus difficile que pour d'autres, reprit la reine. Il est très important qu'elles fassent alliance avec la force et l'honneur. Dame Nona est un exemple. Son père est malade, et elle héritera de grandes richesses et de domaines considérables à sa mort. Elle possède également des terres léguées par son premier époux, le seigneur Merlainy. Il n'est pas souhaitable que ses richesses aillent à un homme qui ne serait pas enclin à aimer notre suzerain et à lui obéir.

Christina comprit enfin où la reine voulait en venir.

— De quelle façon puis-je servir notre roi, madame ? demanda-t-elle, bien qu'elle connût déjà la réponse.

— Nous souhaitons que vous quittiez le château.

Christina ravala une exclamation de stupeur. Quelques secondes s'écoulèrent avant qu'elle parvienne à articuler :

— Je m'efforcerai de partir au plus vite.

La reine eut un sourire qui n'atteignit pas ses yeux.

— Vous aurez sans doute du mal à quitter Ravenswood...

— En effet, madame. Je me suis attachée à cette enfant, murmura-t-elle en caressant le dos de Félicité.

— Dans ce cas, vous devez agir pour son bien. Nous songeons à une alliance pour elle, en Aquitaine. Si dame Nona approuve ce projet, Félicité partira pour être élevée dans le château de son futur époux. Qu'en pensez-vous ?

— Comme il vous plaira, madame.

Le nom de Durand ne passerait pas les lèvres de la reine, bien sûr. Pas question d'admettre qu'il était le vrai sujet de la conversation. Durand devait épouser dame Nona et elle, Christina, devait disparaître afin qu'aucun nuage ne vienne obscurcir leur bonheur.

— Nous vous ferons savoir quel jour vous devrez nous rendre l'enfant. En attendant...

La reine s'interrompit, fouilla dans ses fils de soie et en choisit un qu'elle plaqua contre l'étoffe pour juger de l'effet.

— En attendant, vous devez regagner le village. Vous pouvez emmener Félicité avec vous et la garder quelques jours de plus.

La reine se tut. Christina se leva, salua et regagna la porte, étourdie. Tout était fini, elle était chassée.

— Oh, maîtresse Le Gros, lança la reine alors qu'elle avait la main sur la poignée de la porte. Ne prenez rien que vous n'ayez apporté à Ravenswood. Mes servantes vous aideront à préparer vos bagages.

L'allusion était évidente. Christina était considérée comme une voleuse qu'il fallait avoir à l'œil.

— Je vous remercie, dit-elle néanmoins avec une profonde révérence.

Le retour jusqu'à la chambre de Félicité lui parut interminable. Elle se fraya un chemin dans la foule qui écoutait les ménestrels du roi. Un homme vêtu d'une soutane d'ecclésiastique lui barra le passage. Elle se raidit et se prépara à essuyer un nouvel affront. C'était un des compagnons du roi.

— Êtes-vous l'épouse du voleur qui a été exécuté ?

— Je suis Christina Le Gros, répliqua-t-elle sèchement, blessée d'être inlassablement associée aux fautes commises par son mari.

— Puis-je vous dire un mot en privé ? demanda l'ecclésiastique.

— Je dois partir…

— Ce ne sera pas long, assura l'homme en lui prenant le bras.

Christina sentit les regards se tourner vers elle alors qu'ils se dirigeaient vers un coin de la grande salle. Félicité s'agita dans ses bras. L'enfant avait-elle perçu son angoisse ?

— Je vous en prie, messire, dépêchez-vous.

— Notre très cher roi est enchanté du triomphe de messire Durand. Celui-ci doit vous tenir en grande affection pour offrir de prendre votre défense.

— Messire Durand est un homme d'honneur, répondit-elle prudemment.

— Ce n'était pas le cas de votre époux.

Elle garda le silence. L'ecclésiastique fit signe à un garçon qui passait avec un plateau.

— Une coupe de vin ? proposa-t-il en lui tendant un gobelet.

Elle l'accepta, mais s'abstint d'y tremper les lèvres.

— Qu'allez-vous faire, maîtresse ? Retourner dans votre famille ?

Il but son vin à petites gorgées. Quelques gouttes se répandirent sur sa soutane.

— Je n'ai pas fait de projet, dit-elle, en proie à une soudaine appréhension.

— Le roi possède une très agréable maison de chasse près de Winchester. Vos services y seraient grandement appréciés.

Affectant un air innocent, Christina demanda, les yeux baissés :

— Ont-ils besoin de savons parfumés ?

L'ecclésiastique eut un rire bref :

— Oh, je suis sûr qu'ils ne manquent pas de savons, maîtresse. Mais nous pensons que votre travail a quelque chose de très spécial.

— Soyez clair, messire.

— Maîtresse, vous n'êtes pas une vierge effarouchée. Pourquoi hésitez-vous à accepter une offre aussi lucrative ?

— Je suis déjà très occupée ici, à Ravenswood.

L'homme éclata d'un gros rire, donna sa coupe à une servante qui passait, et prit le poignet de Christina. Sa main était moite.

— Celui dont nous parlons récompenserait très généreusement vos services.

Elle se dégagea.

— Le bébé a faim, messire. Pardonnez-moi, je dois m'en occuper.

L'ecclésiastique s'appuya au mur.

— Naturellement. Mais, tout en allaitant cette enfant, pensez à Winchester.

Christina retourna en hâte dans la tour ouest. Les huiles parfumées diffusées par les lampes avaient fait leur effet, Durand était profondément endormi sous les fourrures.

Elle s'agenouilla près de lui pour contempler son visage et ses épaules. Devait-elle le réveiller et lui raconter son étrange conversation avec l'homme du roi ? Ou bien son entrevue avec la reine ?

Éprouverait-il le besoin de lui apporter son aide ? Aurait-elle le cœur brisé en le voyant hésiter, peser le pour et le contre de chaque proposition ?

Un frisson de peur lui parcourut le dos.

Les servantes de la reine l'attendaient et risquaient d'informer Isabelle qu'elle tardait à obéir. Elle embrassa le bout de ses doigts et les posa sur l'épaule de son bien-aimé.

Celui-ci se retourna en marmonnant quelques mots, puis sombra de nouveau dans le sommeil. Un rayon de soleil effleura le torque, et Christina posa la main sur l'or chaud, poli par les années. Des générations d'hommes avaient porté le lourd collier. Des hommes d'un rang bien trop élevé pour elle.

Finalement, elle sortit sans le réveiller. Quand elle ouvrit la porte de la chambre, dans la tour est, les suivantes de la reine étaient déjà en train de fermer une caisse posée sur la table.

L'une d'elles était celle qui avait passé la nuit dans cette chambre avec son amant, obligeant Christina à errer sans but dans le château, avant de s'arrêter à la poterne.

— Que voulez-vous faire de tout ça? demanda-t-elle en désignant les herbes et les coupelles.

— Je vais les emporter.

Elle en aurait probablement besoin pour exercer son talent et gagner sa vie.

— Comme vous voudrez.

La suivante s'assit sur un banc près de l'âtre et étala ses larges jupes ivoire autour d'elle. Christina se mit au travail sous leur surveillance, triant les huiles qu'elle ne pouvait emporter, les herbes qui risquaient de se mélanger pendant le voyage. Mais son esprit s'évadait sans cesse. Son corps était encore endolori par les étreintes passionnées de Durand.

Tout en travaillant, elle murmurait des paroles tendres à Félicité, qui dormait paisiblement contre sa poitrine. Elle avait le cœur serré en pensant au destin de la fillette, que l'on allait confier à une famille inconnue. Son époux serait-il bon pour elle? Était-il lui aussi au berceau, à présent?

— Plus vite, maîtresse, ordonna la dame d'honneur. Roger Godshall nous attend à la grille, il doit s'impatienter.

— Roger Godshall?

Les doigts de Christina se figèrent sur le lien de cuir qui fermait le coffre. Cet homme était l'ami de Sabina.

— Qu'a-t-il à voir avec moi?

— C'est lui qui va vous escorter jusqu'au village.

À cette pensée, Christina fut glacée de peur.

— Messire Durand sait-il cela?

Une des servantes eut un rire narquois. L'autre sourit méchamment.

— Naturellement. C'est le seigneur de ce château, n'est-ce pas?

Les yeux brûlants de larmes, Christina tira sur le lien et ferma le coffre. Durand savait ce qui se passait. L'avait-il su dès hier soir? Ou bien seulement ce matin?

Il souhaitait sans doute une rupture rapide. Que leurs liens soient tranchés comme par une lame acérée. Mais c'était son cœur qui était coupé en deux.

Elle ne voulait pas penser de mal de lui. Elle ne voulait pas connaître le côté obscur ou malveillant de sa personnalité.

Christina mit son manteau et fit le tour de la chambre du regard. Des vêtements étaient entassés pêle-mêle, des parfums inconnus s'échappaient de coffrets entrouverts.

Ce n'était plus sa chambre. D'ailleurs, ça ne l'avait jamais été.

Elle enveloppa Félicité dans les couvertures qu'elle avait brodées pour sa propre fille, qui n'avait pas survécu.

Alice l'attendait au bas de l'escalier.

— Alice, peux-tu dire à dame Oriel qu'elle me trouvera au village si elle a besoin de moi ?

— Oui, maîtresse. Elle ne peut se passer de vos parfums.

Sur ces mots, Alice enfouit le visage dans ses mains et s'éloigna en hâte. Christina fut sur le point de lui demander de l'accompagner au village, mais elle y renonça.

Tout le monde dans la grande salle avait les yeux fixés sur elle. Plusieurs servantes la saluèrent en souriant. Une femme s'approcha pour embrasser Félicité. Ces marques d'affection lui réchauffèrent le cœur.

Le roi et ses hommes examinaient des cartes près de la cheminée. Ils étaient trop absorbés par leur tâche pour lui prêter attention. Mais lorsqu'elle passa près d'eux, elle crut sentir le regard du roi se poser sur elle. Elle avait peu d'estime pour lui. Un homme qui montrait tant d'affection pour son épouse en public, mais invitait une autre femme à devenir sa maîtresse... et une femme qu'il prenait pour une voleuse, par-dessus le marché !

L'espace d'un instant, Christina eut pitié de la reine. Le roi ferait des avances à d'autres femmes. Combien oseraient refuser ?

Les dames ne se trouvaient pas dans la salle. Christina aperçut seulement dame Nona dans une alcôve. Celle-ci était belle et douce. Elle serait une bonne épouse pour Durand. Malgré ses efforts, Christina ne put empêcher les larmes de couler sur son visage. Elle fut soulagée quand elle se retrouva dehors et que la pluie les dissimula.

Elle ne vit rien et n'entendit rien en traversant la cour pour se rendre aux écuries, où les hommes du roi l'attendaient. Un valet l'aida à se mettre en selle et donna une claque au palefroi pour le faire partir. Des bourrasques de pluie s'abattirent sur elle, mouillant son manteau et le bas de sa jupe.

Trois hommes chevauchaient devant elle, et trois autres derrière. Roger Godshall était en tête. Une escorte trop importante pour une simple nourrice qui regagnait sa maison. Elle avait plutôt l'impression d'être une prisonnière qu'on amenait dans sa cellule.

Alors que le groupe franchissait les portes du château, les cloches de la chapelle se mirent à sonner. Un des hommes jeta un coup d'œil par-dessus son épaule.

Christina garda les yeux fixés droit devant elle.

Durand fut réveillé par les cloches qui carillonnaient. La chambre était vide. La baignoire avait disparu, Christina aussi.

Il s'étira et grogna en sentant ses muscles douloureux. Ces huiles parfumées contenaient-elles quelque chose qui l'avait endormi ?

Il descendit dans la grande salle. John examinait les cartes avec ses hommes. Attrapant au passage une tranche de pain et un morceau de fromage, il rejoignit le groupe.

Le roi le salua brièvement.

— Nous nous embarquerons quand Marshall sera arrivé et que le temps aura tourné. Un messager vient d'arriver de Dartmouth pour nous informer que tout était prêt.

Deux ménestrels traversèrent la salle avec leurs instruments et John ordonna de ranger les cartes. Durand scruta les visages qui l'entouraient. Un de ces hommes avait laissé accuser de vol à sa place une femme innocente. Encore une trahison qu'il ne pouvait laisser impunie.

Nicholas d'Argent lui fit signe. Plusieurs hommes, assis avec lui près du feu, jouaient aux dés. Durand se joignit à eux. Un garçon lui offrit une coupe de vin, et le mouvement qu'il fit pour la porter à ses lèvres lui arracha un grognement de douleur. Christina devrait le masser de nouveau avec ce merveilleux onguent. Il se demanda où elle se cachait.

Les hommes revenaient sur chaque péripétie du combat qui s'était déroulé la veille.

— Un des musiciens de John fera sûrement une chanson pour immortaliser ma victoire, lança-t-il, amusé.

— Non, ils célébreront plutôt les exploits amoureux de Luke. Ils n'ont pas le temps de s'occuper des simples mortels.

Durand ne put s'empêcher de rire avec eux.

— Combien d'entre vous ont rendu visite à maîtresse Le Gros pour lui demander sa potion ?

Le silence se fit tout à coup. Nicholas toussota.

— Tu dois savoir qu'elle est partie ?

— *Partie ?*

Durand regarda autour de lui, mais tous les regards se détournèrent, à part celui de Nicholas.

— Oui, répondit-il. Je le sais par mon valet. La reine lui a ordonné de quitter le château. Elle est retournée au village, je crois.

Durand bondit sur ses pieds, traversa la salle et se précipita dans la tour est. Il monta les marches quatre à quatre et alla tambouriner à la porte de la chambre de Félicité. Une servante de la reine entrouvrit le battant.

— Ouvrez cette porte ! ordonna-t-il.

Elle obéit. Un garde du roi se cacha rapidement sous les fourrures. La suivante regagna le lit, son corps mince couvert uniquement par sa longue chevelure.

— Où sont les affaires du bébé ? questionna Durand.

Il n'y avait plus d'herbes sur les tables. Plus de bouquets de fleurs séchées accrochés par des ficelles. Même le parfum qui régnait dans la chambre n'était plus celui de Christina.

La suivante de la reine s'appuya aux colonnes du lit.

— La place d'un bébé n'est-elle pas auprès de sa nourrice, mon seigneur ?

En proie à une totale confusion, il dévala l'escalier. Comment était-il possible qu'il ignore ce qui se passait dans son propre château ? Il trouva Nona dans l'alcôve des dames.

— On m'a dit que maîtresse Le Gros était partie ?

Il essaya, mais sans succès, de paraître indifférent.

— C'est exact, acquiesça Nona en s'inclinant. La reine l'a ordonné. Mais elle n'est pas allée plus loin que le village.

— Je vois.

Dame Nona portait une robe rouge sombre, brodée d'or. Ses cheveux étaient retenus sur la nuque par des rubans de même couleur. Sa tenue raffinée était la preuve de la place élevée qu'elle occupait parmi les occupants du château. Bien plus élevée que Christina.

— Mon seigneur, avant que vous ne partiez, je dois vous dire que la reine m'a demandé mon opinion concernant l'union de Félicité et de William d'Aquitaine. Il est question que maîtresse Le Gros accompagne l'enfant chez son futur époux.

Doux Jésus. Christina et Félicité en Aquitaine...

— Toutefois...

Dame Nona marqua une pause et détourna les yeux.

— La reine est revenue sur le problème de laisser un enfant se nourrir du lait d'une voleuse...

— Je vois.

De fait, il voyait très bien. Les alliances ne se faisaient pas suivant les inclinations des fiancés. Leur seul but était d'assurer le pouvoir du souverain. Durand avait épousé Marion pour ses possessions sans se soucier de sentiments, même s'il est vrai que plus tard l'amour avait touché son cœur.

— J'ai beaucoup à faire, dit-il d'un ton abrupt.

— Je n'ai pas l'intention de m'immiscer dans vos affaires, ajouta Nona. Mais si vous voulez faire revenir la reine sur sa décision, il vaudrait mieux vous adresser au roi.

— Que voulez-vous dire ?

— Le roi s'intéresse à maîtresse Le Gros.

Durand comprit parfaitement. Dame Nona essayait de lui dire que la décision de la reine était motivée par la jalousie, et non par l'intérêt qu'elle portait à Félicité.

— Mon seigneur ? dit Nona en le retenant par la manche.

— Quoi ? répondit-il avec impatience.

— Laissez à maîtresse Le Gros le temps de s'installer au village.

Il tourna les talons et s'éloigna sans prononcer un mot d'adieu.

Christina n'était pas venue le voir avant de partir. Une profonde fureur s'empara de lui. Il en voulait à la reine. Et à Christina aussi.

Roger Godshall fit halte devant le cottage. Un de ses hommes aida Christina à descendre de cheval avec l'enfant. Quand elle se dirigea vers la monture qui transportait ses bagages, Godshall tira sa dague.

C'était une arme élégante, avec une poignée ornée d'émail bleu. L'homme trancha d'un coup sec les cordes qui retenaient les caisses.

Les bagages s'écrasèrent sur le sol et s'ouvrirent, répandant leur contenu aux pieds de Christina. Celle-ci poussa un cri, aussitôt imitée par Félicité qui s'éveilla en sursaut. Godshall eut un sourire satisfait. Christina se pencha vers les caisses, et l'homme leva de nouveau sa dague. Elle se figea.

— Mon Dieu, qu'ai-je fait ? se moqua-t-il.

Les autres sourirent.

Godshall éparpilla du bout de sa botte le contenu des caisses, piétinant les vêtements et réduisant les flacons en miettes.

Christina ne put détacher les yeux de ses bottes, tandis qu'il écrasait impitoyablement ses affaires dans les flaques de la cour, anéantissant le travail de plusieurs d'années.

24

Quelle que fût son envie de se rendre au village pour voir Christina, Durand dut y renoncer. Le roi lui ordonna, ainsi qu'à tous les barons, de l'accompagner au château de Portchester pour y inspecter les navires qui allaient transporter l'armée. Le château royal, situé à vingt kilomètres de Ravenswood, grouillait de marins et de soldats. Ces hommes semblaient pressés de voir l'offensive commencer.

Finalement, il valait mieux être ici, songea Durand en contemplant la flotte de John dans le port de Portsmouth. Cela laissait à sa colère le temps de retomber.

Il n'avait jamais vu autant de vaisseaux rassemblés. Certains venaient d'être construits, d'autres étaient des navires marchands transformés pour les besoins de la guerre. Plus que jamais, il fut conscient que les événements qui se déroulaient dans son château étaient de peu de poids comparés aux affaires du royaume.

Le visage fouetté par les embruns, il réfléchit aux caprices du destin. Maintenant, alors qu'il avait besoin de temps en Angleterre pour dénouer les fils emmêlés de sa vie, Dieu lui prêtait main-forte en n'envoyant pas les vents favorables à la flotte. En outre, l'arrivée de William Marshall était sans cesse repoussée.

Les hommes du roi se retirèrent dans la grande salle du château de Portchester où on leur servit de la bière. Durand ne fut pas tenté de se joindre à eux et préféra demeurer dans le port pour contempler les navires. Gilles d'Argent le rejoignit. Ils regardèrent l'eau chargée d'écume frapper furieusement les rochers à leurs pieds.

— Mon épée ne t'a pas beaucoup aidé, Durand, dit Gilles.

— C'est moi qui n'étais pas à la hauteur. Joseph te la ramènera.

— Garde-la. Tu peux encore en avoir besoin, et j'en ai d'autres.

Durand s'inclina en signe de remerciement.

— Les dieux de la mer sont en colère, fit-il remarquer.

C'était l'impression que donnaient les nuages teintés de vert qui filaient à toute allure dans le ciel, poussés par des vents violents. Les deux hommes firent le tour du château.

— Dans quelques heures je repartirai vers le nord, annonça Gilles.

— Chercher d'autres soutiens pour John?

D'Argent acquiesça d'un hochement de tête.

— Nicholas viendra avec moi.

— J'aimerais pouvoir en faire autant, dit Durand d'un ton léger. Tu as épousé une tisserande…

— J'ai épousé la femme que j'aimais, corrigea Gilles en remontant le col de son manteau pour se protéger du vent glacial. Peu importe quel est son talent.

— Et tu as survécu à la colère d'un roi.

— Richard n'était pas enchanté, mais un millier de livres ont suffi à calmer sa colère, répliqua Gilles d'un air désabusé.

— Mille livres?

— Oh, avec John, cela m'aurait coûté beaucoup plus cher.

Durand secoua la tête.

— Vraiment? John exige déjà beaucoup. J'arrive tout juste à payer mes droits de chevalier.

— C'est sa façon de tout contrôler. Il tient ses barons à la gorge en les accablant de droits et de taxes. Si tu manquais à tes obligations, il n'hésiterait pas à confisquer tes terres, grommela Gilles en croisant les bras.

— Et pour les récupérer, il faudrait payer encore.

Ou accepter de prendre l'épouse qu'il impose…

— Ne me dis pas que tu nous fais attraper la mort sur ces rochers battus par les vents, uniquement pour me demander conseil au sujet de tes droits de chevalier?

D'Argent souriait, mais son regard était grave.

— Non, avoua Durand. Je suis dans l'incertitude. Il y a en ce moment à Ravenswood une femme très belle et d'une illustre famille…

— Nona.

— Oui, Nona. Elle est plaisante, mais n'occupe pas de place dans mes pensées. Alors qu'au village se trouve une autre femme à laquelle je pense à chaque seconde.

Il haussa les épaules et eut un sourire penaud :

— Nona ou Christina ? Voilà le dilemme d'un illustre guerrier.

Gilles tendit les mains devant lui, paumes vers le haut, comme les plateaux d'une balance.

— Nona et la richesse, des liens avec l'Aquitaine et la Normandie. Christina Le Gros, accusée de vol et innocentée, herboriste et probablement stérile.

Durand se raidit et serra les poings.

— Je n'ai pas besoin d'héritier.

— Tu peux épouser la femme que tu veux, ça m'est égal. Mais je sais par expérience que ça ne sera pas égal au *roi*. Je veux juste te faire comprendre ce que John pensera de ton choix.

— Tu n'as pas laissé un roi contrôler ton choix, toi.

— Non. Mais ce roi ne s'appelait pas John. Tu dois faire ce qui te convient le mieux, là, dit-il en tapotant la poitrine de Durand au niveau du cœur. Mais utilise aussi ceci, ajouta-t-il en lui posant un doigt sur le front.

Ils retournèrent à l'endroit où ils avaient laissé leurs chevaux. Durand détacha sa jument.

— Je ne comprends pas pourquoi Christina n'est pas venue m'avertir, quand la reine l'a renvoyée.

— Pose-lui la question. Je ne sais qu'une seule chose sur les femmes, c'est qu'elles sont imprévisibles. Tu penses qu'elles vont faire une chose, et c'est l'inverse qui se produit. Le mieux, c'est de les laisser croire qu'on trouve leur raisonnement juste.

Durand quitta son ami après lui avoir souhaité un bon voyage. Il lui enviait la possibilité d'échapper aux caprices de John. À l'instant où cette pensée lui traversa l'esprit, il vit le roi et un groupe d'hommes se diriger vers lui. Il fut invité à inspecter les galères royales avec eux. Il s'exécuta sans joie et monta à bord du navire qui devait transporter John. Naturellement le roi voyageait comme d'habitude, entouré d'un confort absolu. Après avoir fait le tour du navire, il ordonna qu'on embarque du gibier, afin de pouvoir chasser lorsqu'il débarquerait en France.

Durand s'aventura à conseiller une autre tentative de négociation avec Philippe. John ne voulut rien entendre.

Il dut endurer encore une longue séance de concilia-bules sur le nombre d'archers qu'il convenait d'emmener. Finalement, il se retrouva en tête à tête avec le roi et saisit l'occasion d'aborder le sujet qui le tarabustait depuis le matin. Ou, plutôt, depuis qu'il avait fait l'amour avec Christina pour la première fois.

— Sire, je sais que vous souhaitez que je m'unisse à dame Nona, mais je voudrais soumettre une suggestion à votre réflexion.

— Vraiment ? fit John en arquant un sourcil.

— Oui. Si nous sommes victorieux, je rentrerai en pos-session des domaines de Marion en France. Je n'aurai alors aucun besoin de m'unir à dame Nona. Son alliance avec un autre sera peut-être plus susceptible de renforcer votre pouvoir en Normandie...

— Pourquoi répugnez-vous autant à conclure cette alliance avec elle ? demanda John en se penchant vers lui.

— Je préfère éviter d'être entravé par un mariage en ce moment, répondit prudemment Durand.

Le roi sourit.

— Vous envisagez donc les liens du mariage comme une entrave ? Nous les considérons plutôt comme un doux ruban de soie.

— Il en est certainement ainsi avec une épouse aussi charmante que notre reine, sire.

— Votre union avec dame Marion a-t-elle été si doulou-reuse que vous préfériez éviter de prendre une nouvelle épouse ?

— Sire, ce n'est pas le lien du mariage qui me déplaît, mais plutôt celle avec qui je devrai le conclure.

Le regard sombre du roi croisa rapidement le sien. John se leva et alla examiner les cartes étalées sur la table.

— Prenez donc une maîtresse, et nous demanderons à Nona de se plier à votre volonté. Marion aurait compris, si elle avait vécu.

Un éclair de colère transperça Durand, mais il parvint à se maîtriser.

— Marion n'était pas aussi *accommodante* que vous le croyez.

Le roi contempla sa main. Ses bagues étincelaient à la lumière des chandelles entourant la carte.

— Marion était une femme très agréable, désireuse de servir. Du moins, c'est ce qu'il semblait.

L'air était chargé de tension. Durand soupesa prudemment ses mots, avant de parler.

— Marion servait avant tout son roi, sire.

— Et elle le servait bien, répliqua John avec un sourire en coin. Puissiez-vous faire de même.

Durand se rendit compte que l'été précédent avait rassemblé à Ravenswood tous ceux que Marion aimait. Lequel de ces hommes l'avait servie, elle? Et avait réduit son propre orgueil en lambeaux?

Penne qui, comme elle le lui rappelait souvent, avait été son premier amour? Luke, dont les manières empreintes de légèreté l'amusaient?

Ou bien le roi?

Durand maîtrisa la colère que faisait naître le sourire entendu de John. Après tout, ce n'était qu'un homme mesquin et malveillant.

— Mon seul désir est de vous servir, sire.

Le roi s'assit et ôta un anneau de son doigt.

— Voici un présent pour dame Nona. Offrez-le-lui pour sceller votre union, puisque vous souhaitez tous deux m'aimer et me servir.

L'anneau parut froid dans la main de Durand. Il possédait maintenant deux bagues, comme Simon. Mais était-il plus honorable qu'un voleur?

John sourit et se renversa dans son fauteuil.

— Il est temps que nous parlions du prix de votre loyauté, de Marle. Si vous veniez à manquer à votre devoir… tous vos biens, et ceux de Nona bien entendu, seraient confisqués.

Durand se leva. Le bateau tanguait de plus en plus. Les négociations avec John s'apparentaient toujours à une aventure risquée, malmenée par le vent du hasard…

— Sire.

Il s'inclina et tourna les talons. Une fois sur le pont, il repoussa le col de son manteau et les embruns lui fouettèrent le visage.

Donc, s'il désirait Christina, il pourrait la prendre comme maîtresse, avec l'accord tacite de Nona si le roi l'exigeait. Et Nona céderait à toutes les exigences de John quand il les menacerait de confisquer leurs biens.

La confiscation. Comme Gilles l'avait dit, c'était une menace que le roi agitait fréquemment pour garder ses barons sous sa coupe. Compromettre ses propres possessions était une chose. Mais il n'avait pas le droit de mettre en jeu celles de Nona. La jeune femme était innocente dans tout cela...

Le retour à Ravenswood, avec Penne et Luke, se fit en silence. Quand ils atteignirent la route qui menait au château, Durand s'arrêta un moment pour observer le cadavre presque méconnaissable de Simon qui se balançait au gibet.

Christina l'avait-elle vu ? Il n'était pas nécessaire d'emprunter cette route pour se rendre au village, mais les hommes qui l'escortaient avaient pu être assez cruels pour passer par là. Où avait-elle trouvé la force de soutenir un tel spectacle ?

Durand tira sur les rênes de son cheval.

— J'ai à faire au village. Luke, veille à ce que le roi ait toutes les distractions qu'il souhaite au château, s'il se lassait de Portchester dès ce soir.

Luke se rembrunit.

— Tu n'envisages pas de passer la nuit au village ? Comment expliquerons-nous ton absence ?

Penne fit virevolter sa monture et vint se placer de l'autre côté de Durand. Celui-ci se trouva encerclé. Penne lui prit le bras.

— Tu fais une erreur, dit-il. C'est de la folie.

— Quelle erreur ? Et qui êtes-vous pour me mettre en garde ? N'avez-vous pas tous les deux dépassé les limites de ce que je pouvais tolérer ?

Une stupéfaction mêlée d'incompréhension se peignit sur le visage de Penne. Luke s'empourpra, ouvrit la bouche et la referma. Durand comprit à cet instant que ce n'était ni Penne ni le roi qu'il fallait suspecter. La vérité était inscrite sur le visage de Luke. C'était donc lui, le père de Félicité. Il sentit son sang se glacer.

Penne regarda les deux hommes tour à tour, puis désigna la troupe qui les suivait.

— Cette attitude n'est pas digne. Nous devons retourner au château et profiter du peu de temps qui nous reste. Nous serons peut-être morts demain.

Durand passa entre les deux hommes et lança sa monture au galop. La jument souleva des mottes de boue qui éclaboussèrent ses vêtements. Quand il atteignit le cottage naguère habité par Simon Le Gros, il vit un filet de fumée noire s'échapper de la cheminée.

Il essaya en vain de ravaler l'émotion suscitée par sa découverte. Luke l'avait trahi, néanmoins il ne pourrait jamais lever son épée contre lui. Ils étaient du même sang. Il aurait pu le bannir et le priver de ses terres et de sa fortune. Mais quelle raison invoquer pour justifier une telle décision? Certainement pas la vérité. Tout le monde saurait qu'il avait été trahi par son épouse, et son humiliation serait cuisante.

Le cottage paraissait désert. Aucun valet ne sortit de la remise pour s'occuper de son cheval. Des caisses brisées gisaient avec leur contenu dans la boue, devant la porte. Des corneilles fouillaient les débris.

Christina apparut sur le seuil, Félicité dans les bras. Sa robe était trempée, des mèches de cheveux étaient plaquées sur son front par la sueur. Elle posa les yeux sur lui et il fut parcouru d'une onde brûlante.

Luke et Marion... cela n'avait plus d'importance. Une seule chose était claire. Cette femme était tout ce qu'il désirait au monde.

— Que venez-vous faire ici? demanda-t-elle avec insolence.

Durand fit passer une jambe devant lui et se laissa glisser à terre. Les corneilles s'envolèrent. Il se baissa et ramassa des fragments des caisses brisées.

— Que s'est-il passé, ici?

— Une corde s'est cassée sur le dos du cheval de charge et mes bagages sont tombés, expliqua-t-elle avec froideur.

Il ramassa un des liens dans la boue.

— Cette corde a été coupée, Christina.

Celle-ci haussa les épaules avec indifférence.

— Il faut que je rentre réchauffer le bébé près du feu.

— Puis-je rester ?

— Non ! Nous sommes au bord de la route, mon seigneur, et les passants verront votre cheval.

— Dans ce cas, je vais le rentrer à l'écurie.

Christina ouvrit la bouche pour protester, mais aucun son ne franchit ses lèvres. Elle posa la joue contre la tête de Félicité.

— Que s'est-il passé ? demanda-t-il d'une voix où perçait la colère.

— La reine m'a donné un ordre, répliqua-t-elle aigrement. Devais-je refuser d'obéir ? Elle m'a clairement fait comprendre que dame Nona allait devenir la maîtresse de Ravenswood et que toute autre *maîtresse* était indésirable. Vous devez le savoir ? Vous savez tout ce qui se passe à Ravenswood, j'imagine ?

— Je pense en savoir plus sur la cour du roi Philippe que sur ce qui se passe dans mon propre château.

La jument dut percevoir sa nervosité, car elle se mit à trépigner dans la boue.

— Et donc, tu as pris Félicité et tu t'es empressée de venir ici ?

L'expression de Christina s'adoucit et elle embrassa les cheveux soyeux du bébé.

— La reine m'a fait escorter par ses hommes. Que pouvais-je faire, mon seigneur ?

— Tu aurais pu venir me trouver, répliqua-t-il doucement.

Tout était dit dans ces quelques mots. Le désir qu'il éprouvait pour elle. La distance qui les séparait. Elle baissa les yeux et fit un signe négatif de la tête.

— J'ai cru que vous approuviez la décision de la reine.

— Moi ?

Le souvenir de son corps sous le sien était trop proche pour qu'il puisse dissimuler ses sentiments. Impossible de tromper Christina ou de se tromper lui-même.

Mais pourquoi n'était-elle pas venue se confier à lui ?

— J'ignorais tout des manigances de la reine.

Son regard se reporta sur les affaires éparpillées dans la boue.

— Qui a fait cela ?

Elle garda le silence, et il reprit :

— Je sais que ce n'était pas un accident. Que s'est-il passé ici ?

Sa question se heurta à un silence obstiné. Il la connaissait suffisamment à présent pour comprendre qu'elle cherchait à protéger quelqu'un. Et ce quelqu'un, c'était sans doute lui. Elle pensait probablement que s'il apprenait la vérité, il se précipiterait au château l'épée au poing pour punir le responsable de ce gâchis. Et elle avait raison.

Il décrocha la lourde bourse accrochée à sa ceinture et la lui tendit.

— Puisque tu refuses de parler, je découvrirai la vérité moi-même. Remplace ce que tu as perdu et garde ce qui reste pour l'entretien de l'enfant.

— De l'enfant ? répéta-t-elle en avançant vers lui.

Ses yeux lançaient des éclairs.

— C'est *votre* enfant ! Quand la reconnaîtrez-vous enfin comme telle ? Elle a peut-être causé la mort de votre épouse, elle n'est peut-être qu'une fille, néanmoins c'est votre enfant. Vous en êtes responsable, et sa vie est précieuse. Je donnerais cher, moi, pour avoir la fille que j'ai perdue !

Ses paroles l'atteignirent avec autant de force qu'un coup en pleine poitrine.

— Retourne à l'intérieur, Christina, tu vas attraper froid.

Sans un mot, elle tourna les talons et rentra. Il conduisit sa jument dans l'écurie et pansa l'animal en réfléchissant à ce qu'il devait dire à la jeune femme. Il s'était montré maladroit en lui offrant cette bourse.

Quand il pénétra dans le cottage, elle remuait le contenu d'un petit chaudron au-dessus du feu.

— Que fais-tu cuire ? demanda-t-il en posant ses gants près de l'âtre pour les faire sécher.

— Je lave mes vêtements, mon seigneur.

— Heureusement que ce n'est pas le souper. L'odeur n'est pas très appétissante.

Il sourit, mais elle ne répondit pas à sa plaisanterie.

Christina ne pouvait lui avouer qu'elle ne possédait plus rien, en dehors de la robe qu'elle avait sur le dos. Le reste était irrémédiablement gâché par la boue. Elle n'avait même pas un penny pour acheter un coupon de tissu.

Durand s'assit sur le sol, à côté de la peau de mouton sur laquelle elle avait allongé Félicité.

— Tu es la seule à me reprocher de la négliger, dit-il en posant un doigt sur le ventre du bébé.

L'enfant était la preuve vivante que Marion avait cherché amour et réconfort dans les bras d'un autre. Mais il ne pouvait blâmer une fillette innocente pour la conduite de sa mère.

— Je te laisse cette bourse pour l'entretien de *ma fille*.

Il fut récompensé par le sourire de Christina.

— J'admire le fait que tu me rappelles à l'ordre, ajouta-t-il.

— Je n'ai rien fait, mon seigneur, sinon dire ce que vous savez déjà.

À l'aide d'un bâton, elle retira un vêtement du chaudron et le laissa tomber dans un baquet d'eau froide.

— Tu as respecté tes vœux de mariage, malgré la honte et l'aversion que t'inspirait ton mari.

Christina essuya son front du revers de la main et ôta le lien de cuir qui retenait sa chevelure. Il la regarda soulever la masse de ses cheveux au-dessus de sa nuque. Ce simple geste suffit à faire surgir son désir.

— Je voulais m'enfuir, avoua-t-elle. Mais il était mon époux et je lui avais juré fidélité. C'était aussi le seul espoir pour moi d'avoir une famille.

— Une famille? Tu souhaitais donc tant en avoir une?

— Je ne désirais rien d'autre. Vous ne pouvez pas comprendre ce que c'est de ne pas avoir d'enfant… de prier Dieu en vain, pour qu'Il vous en donne. Un enfant vous aime sans conditions, précisa-t-elle en contemplant Félicité.

Elle reporta son attention sur son travail et Durand changea de sujet.

— Tu as soutenu sans sourciller et sans faiblir les accusations dont on t'a accablée.

— Que pouvais-je faire d'autre? répliqua-t-elle avec un haussement d'épaules.

— Tu as gardé la tête haute. Certains hommes ne montrent pas autant de courage.

— Certains hommes me proposeraient de tourner ce chaudron à ma place, répondit-elle dans un sourire.

Il se leva et lui prit le bâton des mains, tandis qu'elle rinçait le vêtement qu'elle avait plongé dans le baquet. Durand sentit des gouttes de sueur perler sur son front.

— Je n'aimerais pas faire cela chaque jour, commenta-t-il.

— Souvenez-vous-en quand vous mettrez de la boue sur votre manteau, dit Christina en lui montrant sa houppelande souillée.

— Oui. Je donnerai un penny à mes servantes pour qu'elles ne me maudissent pas en le nettoyant.

Christina rit doucement et alla étendre le vêtement sur une corde qu'elle avait accrochée à l'autre bout de la pièce. Durand reconnut la chemise qu'elle portait dans la tour ouest. Elle était faite d'un lin si léger qu'elle cachait à peine ses formes pulpeuses. À présent, le tissu était maculé de traces sombres.

— J'aimais beaucoup cette chemise, dit-il. Que lui est-il arrivé?

— Elle était dans la caisse qui est tombée.

— Christina…

Il alla poser les mains sur ses épaules. Comme elle était frêle et délicate! Il fut sur le point de lui demander une fois de plus qui était responsable de ce gâchis, mais il se rendit compte qu'il apprendrait sans peine qui l'avait escortée jusqu'au cottage.

— Christina, je veux que tu prennes Félicité et que tu t'en ailles. À Winchester, ou bien dans ta famille.

Elle se raidit.

— Prendre Félicité?

— Oui, fit-il en lui massant doucement les épaules. Si tu restes ici, Félicité et toi deviendrez les otages du roi. Je veux être sûr que vous êtes en sécurité lorsque je serai en France. Quand tu seras partie, ceux qui te veulent du mal t'oublieront.

— Le roi n'oubliera pas un enfant aussi précieux que Félicité.

— Il l'oubliera quelque temps, affirma Durand. Les affaires du royaume pèseront plus lourd dans son esprit qu'un bébé et sa nourrice. Je m'occuperai de l'avenir de Félicité une fois la guerre avec Philippe terminée.

Christina réprima un rire amer. Durand ignorait la proposition que John lui avait transmise par l'ecclésiastique. Sans quoi, il ne lui aurait pas conseillé de partir à Winchester.

Le contact de ses mains était tellement réconfortant. Elle aurait voulu se blottir dans ses bras et ne plus en bouger.

Mais, au lieu de cela, elle fit un pas en arrière et se dégagea.

— La reine souhaite aussi s'occuper de l'avenir de Félicité. Excusez-moi, mon seigneur, je… je dois faire quelque chose.

Elle s'échappa et grimpa l'échelle qui menait au premier étage. Elle trouva rapidement ce qu'elle voulait dans ses affaires. Mais avant qu'elle ait pu porter le flacon à ses lèvres, Durand apparut derrière elle.

D'un bond il fut à son côté, et jeta le flacon par terre.

— Bonté divine ! Que fais-tu ? Qu'est-ce que c'était ? Du poison ?

Elle secoua la tête, abasourdie.

— Du poison ? Non, vous ne comprenez pas…

— Dieu du ciel… Explique-moi donc, ordonna-t-il en ramassant le flacon dont le contenu s'était répandu sur le sol.

Une ombre passa sur le visage de Christina, et elle balbutia :

— Je voulais… vous résister.

25

— Me résister?

Durand laissa retomber ses mains. La flasque lui échappa et roula sur les planches du parquet.

Christina ramassa un morceau de tissu, s'agenouilla et épongea la tache de liquide sur le sol.

— Oui, c'est une potion de résistance. La recette est très simple, n'importe quel herboriste sait faire cela.

Durand secoua la tête en arpentant la chambre exiguë.

— Une potion de résistance... Mon Dieu! Que n'en as-tu préparé une pour moi, il y a des semaines!

Elle le regarda avec stupeur.

— Je peux encore le faire, mon seigneur.

— Non, je ne veux pas résister, déclara-t-il en passant les mains dans ses cheveux. J'ai cru que c'était du poison et que tu voulais mettre fin... Pourquoi ai-je cru cela? S'il y a une femme au monde qui ne manque pas de courage, c'est toi.

Il tendit la main et l'aida à se redresser.

— Tu veux vraiment me résister? demanda-t-il avec douceur.

Elle retira sa main et retourna vers l'échelle. Durand la suivit en bas. Blottie sur la peau de mouton, Félicité dormait.

— Tu ne m'as pas répondu, insista-t-il en voyant Christina reprendre son bâton pour tourner la lessive. Tu veux me résister?

Elle soupira et le regarda à travers un nuage de vapeur. C'était le plus bel homme qu'elle ait jamais vu. Ses traits nobles, son allure altière trahissaient sa haute naissance. Il était destiné à une autre femme qu'elle.

Durand prit le bâton et le jeta sur le sol.

— Tu as voulu prendre cette potion parce que tu es aussi ensorcelée que moi. Mais en réalité, tu ne veux pas résister à l'attirance que nous éprouvons l'un pour l'autre.

Elle secoua la tête, et il la prit dans ses bras.

— Le roi a conçu des projets pour moi. Sans cela, tu serais déjà mienne, tu serais ma chair et mon sang.

Ces paroles causèrent à Christina une joie mêlée de souffrance.

— Je comprends, murmura-t-elle dans un souffle. Vous devez penser à vos fils, comme tous les barons.

— Je ne parlais pas à la légère lorsque je t'ai demandé de partir en emmenant Félicité. Quelqu'un ici a été le complice de Simon. Et j'ignore toujours qui. Je ne serai pas tranquille si tu n'es pas à l'abri en mon absence. Je vais demander au père Laurentius de tout arranger. À partir de maintenant, tu ne manqueras plus jamais de rien.

Il ne comprenait pas. Elle ne pourrait jamais être heureuse sans lui. Elle lui enserra la taille et blottit son visage contre son torse.

— Tu nous manqueras.

Les mots lui parurent dérisoires. Elle aurait voulu pleurer sur tant d'injustice.

Durand lui prit le menton.

— J'ai parlé au roi, en espérant qu'il accepterait de donner un autre époux à Nona. Il n'a pas vu ma requête d'un bon œil. À vrai dire, les barons qui souhaitent l'épouser ne manquent pas. Mais John se sert de cela pour me soumettre. Si je refuse d'épouser Nona, il menace de confisquer ses biens et les miens.

Christina alla à la fenêtre et ouvrit les volets. La pluie avait cessé, mais le ciel était toujours encombré de nuages gris. Cependant, l'air frais était apaisant.

Durand n'avait pas d'autre choix que d'épouser Nona. Le fait qu'il ait essayé d'échapper aux manigances du roi la consolait un peu. Elle jeta un coup d'œil à Félicité. L'enfant s'éveillerait probablement au moment le plus mal choisi, mais elle voulait profiter de ces derniers instants avec lui.

Il vint vers elle et la serra contre lui. Elle sentit son cœur battre sourdement contre sa joue.

Christina renversa la tête en arrière pour lire l'expression de ses yeux.

— Je souhaite de tout mon cœur... je...

— Juste une fois, murmura-t-il en capturant ses lèvres.

Elle se pressa contre lui et la flèche brûlante du désir lui transperça les reins. Il lui embrassa la gorge, la poitrine, puis s'agenouilla devant elle.

Ses mains se pressèrent sur ses hanches et il posa les lèvres à la jointure de ses cuisses. Elle se laissa tomber sur le sol.

— Durand, murmura-t-elle. Déshabille-toi. Je veux sentir ton corps nu contre le mien.

Il obéit, tandis qu'elle ôtait sa robe de laine. Puis il étala sa tunique sur le sol. Quelque chose bouillonnait en lui, un désir si violent qu'il craignait de lui laisser libre cours.

Il prit la main de Christina et la guida vers lui. Avec un doux gémissement, elle referma les doigts sur son sexe gonflé.

— Qu'est-ce qu'un homme peut souhaiter de plus que de faire l'amour avec la femme qu'il désire par-dessus tout ?

Son corps aux formes pulpeuses l'attirait irrésistiblement. Ses caresses l'enflammaient.

— Il n'existe pas de potion assez forte pour résister à cela, dit-il, les lèvres contre l'épaule de Christina.

Il avait l'impression de flotter au bord de la folie. Seule la satisfaction de ses sens pourrait le sauver.

Elle crispa les doigts dans ses cheveux et arqua son corps pour mieux s'offrir à ses baisers. Il l'embrassa sur la poitrine, puis plus bas, laissant glisser sa bouche jusqu'à l'intérieur de ses cuisses. Son corps était chaud, enfiévré de passion.

Quand ses lèvres viriles se posèrent au plus secret de sa chair, elle eut une exclamation étouffée.

— Durand... murmura-t-elle, éperdue.

Il se hissa au-dessus d'elle et pénétra dans sa chaleur. Pendant un long moment il se tint immobile, le regard plongé dans le sien, contemplant ce précieux visage qu'il ne pourrait bientôt plus voir qu'en rêve.

— Comment une seule fois pourrait-elle être suffisante ?

— Tu règnes sur mon cœur, mon seigneur, avoua-t-elle.

Des larmes roulèrent sur ses joues. Il les arrêta du bout de la langue, puis baisa ses lèvres humides.

— Je croyais tout savoir de l'amour, chuchota-t-il. Pourtant, avant toi je ne savais pas ce que c'est.

Au prix d'un effort surhumain, il retarda l'issue de leur étreinte, sachant que ce serait la dernière. Avec une lenteur mesurée, il pénétra plusieurs fois en elle. Les mains de Christina glissaient sur son dos, sur ses hanches, ses épaules, ses cheveux. Elle murmura son nom encore et encore, gémissant de bonheur dans ses bras.

Il crut que son cœur allait cesser de battre lorsqu'elle attira sa tête vers elle et chuchota :

— Je t'aime.

Mais elle prononça les mots à voix si basse qu'il pensa avoir rêvé. Puis elle poussa un cri et resserra l'étreinte de ses jambes sur ses reins, emportée par la vague du plaisir.

Cependant il attendit encore, résistant au besoin de bouger, de s'abandonner.

Quand il la sentit s'apaiser et que les vagues de la jouissance moururent en elle, il se hissa au-dessus d'elle pour la pénétrer plus profondément. Alors, accompagné par le bruissement des ailes des corbeaux devant la fenêtre, il céda au plaisir.

26

Christina s'éveilla au petit matin, avant le lever du soleil. Elle ouvrit les volets et vit que le ciel était clair et piqueté d'étoiles. C'était une belle journée pour prendre la mer.

L'air frais et parfumé de la forêt s'engouffra dans la pièce. Elle retourna à côté de Durand, allongé sur leurs vêtements, et plaça Félicité entre eux pour l'allaiter. Il s'éveilla et sourit. Ses doigts effleurèrent la joue du bébé et glissèrent tendrement sur son sein. Elle tendit la main, entrelaça ses doigts avec les siens.

— Accepterais-tu d'être ma maîtresse ?

Elle comprit pourquoi il posait cette question. Les dames de la noblesse toléraient parfois les concubines de leur époux.

— Je ne pourrais pas te partager, répondit-elle. Quand j'étais encore liée à Simon, j'essayais de me persuader que je ne ressentais pour toi que du désir. Pourtant, je pensais à toi nuit et jour. Mais à présent... non, je ne le pourrais pas. Je suis peinée que tu puisses si facilement...

Il se souleva sur un coude et l'interrompit.

— Rien de tout cela n'est facile. Cette séparation l'est encore moins. Un tel arrangement ne me plairait pas plus qu'à toi, mais il fallait tout de même que je te pose la question.

Félicité gigota dans les bras de Christina. Dans la pénombre, celle-ci ne put distinguer l'expression de son compagnon.

— Est-ce cela que font les hommes quand la passion s'empare d'eux, Durand ? Ils prennent une maîtresse ?

— Je n'ai jamais eu de maîtresse, car je croyais avoir tout ce que je désirais à Ravenswood. C'est toujours le cas, mais ce que je désire est hors de ma portée, précisa-t-il en l'embrassant.

Ses lèvres étaient douces, mais ses baisers chargés d'un désir qu'ils ne pourraient satisfaire.

— Je suis désolé, Christina, j'ai saccagé ta vie.

— Tu n'es en rien responsable, protesta-t-elle en lui prenant la main.

— Si, je dois avouer que je t'ai montré l'herbier d'Aelfric pour te tenter. Je ne m'en suis pas rendu compte sur le moment, mais le résultat est le même.

Elle passa le doigt sur ses sourcils sombres.

— Tu m'avais tentée bien avant que j'aie vu ce livre. Quant à Simon, je crains qu'il n'ait été tenté par les femmes et les richesses bien avant notre arrivée à Ravenswood. Il a donc décidé de voler le livre.

Durand l'entoura de ses bras et l'embrassa, puis embrassa le bébé.

— Si je récupère les possessions de Marion en Normandie, je pourrai peut-être convaincre le roi que je n'ai plus besoin de me marier.

Christina ne répondit pas. Même si Durand rentrait en possession de ses domaines, il ne serait jamais son époux. Le roi admettrait peut-être qu'il n'épouse pas Nona, mais il ne lui permettrait pas de s'allier à une femme sans le sou.

— Si je n'avais pas d'enfants, je donnerais tout ce que je possède à Luke et lui ferais épouser dame Nona !

La cime des arbres commençait de se détacher contre le ciel clair.

— Il faut partir, Durand. Tout de suite. Avant que tes hommes ne se mettent à ta recherche.

Il se leva. Elle eut tout juste le temps d'admirer une dernière fois les lignes superbes de son corps, avant qu'il ne revêtît ses vêtements. Il n'existait pas de mots pour exprimer ce qu'elle éprouvait. Et s'il y en avait, elle ne les connaissait pas. Lorsqu'il s'agenouilla devant elle pour lui caresser la joue, elle embrassa tendrement la paume de sa main.

— Ferme solidement la porte après mon départ. J'enverrai des hommes pour te garder, il n'est pas question que tu restes seule ici. Et attends-toi à recevoir la visite du père Laurentius. Il veillera sur toi.

Il se pencha pour embrasser la tête du bébé, puis effleura encore une fois la joue de Christina.

— Je t'ai désirée dès l'instant où j'ai posé les yeux sur toi. Mais je t'ai aimée quand je t'ai vue t'occuper de Félicité.

L'instant d'après, il fut parti.

Les yeux de Christina se brouillèrent de larmes. Elle entendit son cheval hennir en sortant de l'écurie. Elle se leva alors promptement et courut à la fenêtre avec Félicité, pour le regarder une dernière fois.

Durand se mit en selle et fit tourner son cheval vers le cottage. Puis il leva la main en un geste d'adieu.

Une couche de brume s'étendait au-dessus du sol. Le ciel était encore criblé d'étoiles. Un vent vif se leva. Durand s'embarquerait aujourd'hui pour la Normandie, et elle ne le reverrait jamais.

— Que Dieu t'accompagne, chuchota-t-elle quand sa silhouette fut absorbée par la brume du matin.

Durand piqua les flancs de sa jument pour lui faire accélérer l'allure. L'aube rosissait le ciel et chassait les étoiles. La journée serait claire.

Il fallait que Christina devienne sa femme. Il voulait la regarder aller et venir dans une chambre, à la lueur du feu. Il voulait l'appeler et voir son visage s'illuminer de plaisir.

Il voulait savoir qu'il était aimé d'une telle femme.

Il devait y avoir une solution. Une fois en Normandie, il aurait tout le temps d'imaginer une façon d'échapper au mariage avec dame Nona.

Il se rendit directement à la chapelle, mit pied à terre, poussa les doubles battants et demeura sur le seuil. Le père Laurentius et le père Odo tenaient un conciliabule près de l'autel. Durand attendit avec un peu d'impatience qu'ils remarquent sa présence. Ce fut Laurentius qui le vit le premier.

— Dieu soit loué, mon seigneur ! Le roi était très fâché de votre disparition hier soir. Il veut vous voir uni à dame Nona avant de partir pour la France.

Les traits austères du prêtre étaient creusés par l'anxiété. Durand eut l'impression que sa poitrine s'enflammait.

— Maintenant ? Par Dieu, quel but cela sert-il ?

— Le roi veut s'assurer de votre coopération, mon seigneur. Il a décidé qu'il s'embarquerait aujourd'hui, que William Marshall soit de retour ou non. Trois des barons ont semblé vouloir se rebeller. Venez vite, nous allons réveiller la dame et régler cette affaire. J'ai hâte de retourner à Winchester.

— J'ai besoin d'un moment, protesta Durand.

Il s'avança dans la chapelle et s'agenouilla devant l'autel. Les deux prêtres n'oseraient pas déranger un homme en prière. Joignant les mains, il tenta d'échafauder un plan pour échapper à ce mariage.

Quand il se releva enfin, les deux hommes lui adressèrent des signes anxieux.

— Venez, venez. Le mariage, dit Laurentius.

Durand les repoussa.

— Trouvez une excuse pour le retarder, rétorqua-t-il en franchissant les portes de la chapelle d'un pas ferme.

— Mais, mon seigneur ! Que dirons-nous ? Où allez-vous ? s'exclama le père Odo, affolé.

— Préparer les cadeaux que je destine à mon épouse.

Les traits délicats de dame Nona étaient crispés d'inquiétude. Elle se trouvait dans la salle des comptes, en compagnie de Luke. Ses cheveux étaient défaits, sa robe bleue en désordre. On lui avait laissé aussi peu de temps qu'à lui pour se préparer à ce mariage.

— Laisse-nous, Luke, ordonna Durand.

Chaque fois qu'il posait les yeux sur son frère, il éprouvait une bouffée de colère.

— Durand, il faut que je te dise quelque chose…

— Si tu ne sors pas sur-le-champ, je te couperai la tête et la ferai rôtir !

Dame Nona poussa un cri étranglé. Luke s'empourpra jusqu'à la racine des cheveux.

— Comme tu voudras, finit-il par déclarer, avant de sortir d'un pas raide.

— Asseyez-vous, madame, dit Durand en désignant le banc près de l'âtre. Le père Laurentius vient de m'apprendre que le roi souhaite nous voir mariés aujourd'hui.

Elle hocha la tête en nouant nerveusement les doigts.

— Mon seigneur, je…

— Je me moque de savoir ce que vous pensez, je vous demande simplement de m'écouter.

— J'obéis, mon seigneur, mais ensuite ce sera à vous de m'écouter.

— Certainement. Vous venez d'une illustre famille et tout homme serait flatté de cette union. Mais j'estime avoir déjà bien assez d'ancêtres et d'alliances illustres dans ma famille. D'autre part, ayant récemment souffert de la mort de mon épouse, je ne souhaite pas me marier pour le moment.

— Je vous demande pardon ? balbutia Nona, éberluée.

— Toutefois, le roi menace de confisquer tous vos biens, ainsi que les miens, au cas où nous refuserions cette alliance. Je suis persuadé qu'il n'y pensera plus s'il est victorieux en Normandie. Par conséquent, je vous prie de m'aider à mettre un plan sur pied, afin de repousser ce mariage jusqu'à notre retour.

Nona ouvrit la bouche et la referma plusieurs fois de suite.

— De quel plan est-il question, mon seigneur ? parvint-elle enfin à articuler. Je ne souhaite nullement être jetée dans les cachots du roi, ou enfermée dans un couvent pour servir vos projets.

— Je vous demande simplement de repousser la cérémonie. Si John insiste à notre retour pour que ce mariage ait lieu, je tiendrai ma promesse et vous épouserai.

— Merci, mon seigneur.

Durand crut percevoir une note d'amertume dans sa voix. Si elle se sentait insultée par son attitude, c'était regrettable. Mais il ne pouvait agir autrement.

— Voici mon plan. Vous allez tomber malade. Si gravement malade que vous ne pourrez pas vous marier. Votre maladie sera contagieuse et vous garderez le lit jusqu'à notre départ.

L'incrédulité se peignit sur le visage de la jeune femme.

— Comment pourrai-je feindre cette maladie, mon seigneur ? Aldwin risque de soupçonner quelque chose.

— Refusez l'assistance d'Aldwin. Exigez d'être soignée par maîtresse Le Gros.

Nona se leva, l'air pincé.

— Maîtresse Le Gros ? Où voulez-vous en venir ? J'admire grandement cette dame, mais je ne tolérerai pas vos maîtresses. Est-ce clair ?

Durand se leva également.

— Si vous ne devenez pas mon épouse, vous n'aurez pas à tolérer quoi que ce soit. À présent, je vous écoute. Que vouliez-vous me dire ?

— Rien, mon seigneur, murmura Nona en se rasseyant. Rien.

Le visage cramoisi, le roi allait et venait devant la cheminée. Dans la grande salle se pressaient les hommes qui attendaient la marée et le bon plaisir du souverain pour embarquer. Les doigts de John se crispèrent sur le pommeau de son épée comme les serres d'un oiseau de proie.

— Nona est malade ? À l'article de la mort ?

Durand marmonna une rapide prière pour demander pardon à Dieu de ses mensonges, et déclara :

— Nous craignons la contagion, sire. Il serait regrettable qu'elle ne vous transmette sa maladie à un moment aussi crucial.

Le père Laurentius mit d'autant plus de bonne volonté à le soutenir que le poids de sa bourse avait doublé depuis le matin.

— J'ai déjà vu pareil cas, sire. Une fois que le mal se sera répandu, tous les hommes du château se tiendront le ventre de douleur. Personne ne pourra se mettre en selle pour partir.

— Assez ! hurla le roi en reprenant ses allées et venues.

D'après Laurentius, il n'avait cessé de tempêter à propos de tout et de rien depuis le matin.

Roger Godshall s'approcha et lui murmura quelques mots à l'oreille. Il avait suffi à Durand de questionner un valet pour apprendre que c'était Godshall qui avait escorté Christina jusqu'au cottage. Et donc qui avait détruit le contenu de ses caisses. L'homme était sur sa liste de ceux qu'il avait l'intention de punir.

Le roi finit par cesser de s'agiter.

— Nous sommes gravement contrarié, dit-il en posant sur Durand un regard acéré. Priez dame Nona de se remettre de sa maladie avant notre retour. Sinon, vous le regretterez.

Puis il se tourna vers les trois barons qui s'étaient rebellés la veille.

— Vous nous offrirez chacun un fils en gage de votre fidélité.

Cela signifiait que les trois hommes laisseraient leurs fils en otage. Si les pères se montraient déloyaux, ils en subiraient les conséquences. Un des trois hommes, Guy Wallingford, s'avança courageusement.

— Je vous en prie, sire...

— Silence ! hurla le roi. Vous offrirez votre fils. Un refus signifierait que vous n'aimez pas votre suzerain.

Wallingford s'inclina et recula. Tous avaient déjà vu le roi en proie à ce genre de colère, et savaient qu'ils n'avaient guère de chances de le calmer.

— Et vous, reprit-il en se retournant vers Durand. Où étiez-vous hier soir ?

Sans laisser à Durand le temps de répondre, il poursuivit :

— Vous aussi, vous nous offrirez un fils. Non, deux fils, puisque vous êtes deux fois plus important que ces chiens.

Deux fils...

Durand sentit une main glacée lui serrer la gorge.

— Nous partons à Portchester... sur-le-champ ! décida le roi.

Rien n'empêcherait donc cette désastreuse offensive d'avoir lieu, songea Durand en pénétrant dans l'enceinte du château de Portchester avec le roi et sa suite. Mais là, sur les marches du château, se tenait le seul homme susceptible de mettre un terme à l'aventure. William Marshall.

— William, vous ne semblez pas décidé à faire ce voyage, observa le roi après l'avoir salué.

— Je ne peux partir, sire.

Un profond silence s'abattit sur le groupe d'hommes. Le roi posa la main sur le pommeau de son épée.

— Expliquez-vous.

Marshall soupira.

— Sire, vous m'avez envoyé en France pour tenter d'établir la paix avec Philippe. Une fois là-bas, je n'ai pas eu le choix, j'ai dû lui jurer obéissance et loyauté. Je ne peux prendre les armes contre lui.

Le visage du roi s'assombrit, ses doigts se crispèrent. Marshall ne pourrait se battre, ni pour lui ni pour Philippe. Cela privait John d'un des plus grands guerriers que l'Angleterre ait connu.

— Vous avez protégé vos intérêts aux dépens des nôtres !

— Non, sire. J'ai fait ce que vous m'aviez ordonné : la paix avec Philippe.

Le visage du roi se contorsionna de rage. Il se dressa sur sa selle, s'adressant à tous ses hommes :

— Êtes-vous avec moi, ou avec Marshall ?

Durand eut l'impression d'être écartelé. Il s'efforça de ne penser qu'à Robert et Adrien. Il demeura à sa place, à côté de John. Penne et Luke vinrent s'aligner derrière lui.

Les trois barons dont les fils étaient pris en otage se placèrent du côté de Marshall.

Brusquement, John fit faire demi-tour à son cheval et se dirigea vers le port, suivi par ses favoris.

— Où allons-nous, à présent ? demanda Penne.

— Nous restons ici, répondit Durand. Il reviendra dans quelques minutes et nous embarquerons. Mais, sans le soutien de William Marshall, cette mission est vouée à l'échec.

Pourtant, ajouta-t-il en pensée, je suis obligé de suivre le roi, pour sauver la vie de mes enfants...

— Je retourne à Ravenswood, annonça Luke.

Durand attendit avec Penne le retour du roi. Les heures passèrent. Enfin, un homme revint vers lui et sa troupe.

— Le roi a décidé de partir pour Winchester. Il y restera en attendant de prendre une décision au sujet de William Marshall.

— Nous n'avons qu'à retourner dormir à Ravenswood, suggéra Penne.

— Pour que le roi apprenne que nous ne l'avons pas attendu ? Non, je ne ferai pas courir un tel risque à mes fils.

Et, à vrai dire, peu lui importait désormais où il dormait.

Il s'allongea sur une paillasse dans une chambre du château et demeura éveillé. Il avait beau tourner et retourner le problème dans sa tête, il en arrivait toujours à la même conclusion. La seule chose à faire était d'aller chercher Christina et Félicité, puis de délivrer ses fils. Cela signifiait que tous ses biens seraient confisqués et que sa tête serait peut-être mise à prix. Mais il ne pouvait laisser le roi se servir de ses fils de cette manière.

Quelqu'un cogna à sa porte. Il se leva péniblement, exténué par les séquelles du combat et le manque de sommeil.

Penne se jeta dans ses bras. Les torches accrochées à la muraille projetaient sur son visage des ombres inquiétantes.

— Que se passe-t-il ?

Penne frissonna et recula, sans lâcher les épaules de Durand.

— Un messager vient d'arriver. Adrien... Robert...

— Penne ! Explique-toi !

— Le roi a fait pendre le fils de Wallingford.

— Doux Jésus...

Durand chancela comme sous l'effet d'un coup.

— Wallingford avait trop bu, le roi aussi, expliqua Penne. Ils ont eu une querelle au sujet de Marshall. Et le roi... a eu un accès de rage. Comme Wallingford ne cédait pas, John a donné l'ordre... de faire pendre son fils.

— Le fils de Wallingford était retenu chez Warre, n'est-ce pas ?

— Oui. Le roi ne supporte pas le moindre mot contre lui, tu comprends ? Rien. Alors, garde tes pensées pour toi. John sera de retour demain matin et il exigera une preuve de ta loyauté. Ne fais pas d'erreur, sinon Adrien et Robert seront...

— ... pendus, acheva Durand à sa place.

27

Christina explora le potager derrière le cottage et dénicha quelques légumes afin de préparer une soupe pour les hommes que Durand lui avait envoyés. Elle s'assit un moment au soleil sur un banc et contempla la route. Durand passerait-il par là un peu plus tard ? Ou bien avait-il embarqué pour la Normandie avec la marée du matin ?

Elle se leva en entendant un bruit de sabots sur la route. La reine, entourée de ses dames d'honneur, parmi lesquelles se trouvait Sabina, entra dans la cour. Les gardes de Durand s'avancèrent pour la saluer, et Christina fit une profonde révérence.

— Vous n'êtes pas encore partie ? lança Sabina d'un ton pincé.

— Je prépare mon départ, répondit-elle prudemment.

Le père Laurentius était venu la voir et lui avait exposé les plans de Durand pour qu'elle ne manque de rien.

— Vous avez toujours Félicité, à ce que je vois, dit Sabina en désignant l'enfant de ses doigts gantés.

Christina fit une autre révérence.

— Emmenez l'enfant chez Rose et quittez ce cottage. Vous abusez de la patience de la reine.

Cette dernière demeura sans expression. Ses dames de compagnie arboraient des sourires suffisants. Sabina, vêtue aussi richement que la souveraine, caressa l'encolure de son palefroi en toisant Christina avec hauteur.

— J'agirai selon la volonté de la reine, déclara celle-ci.

La reine inclina la tête et leva la main. Le petit groupe de femmes repartit en direction de Portsmouth.

Pendant un long moment, Christina demeura immobile, abasourdie. Elle n'était consciente que de la chaleur de

Félicité contre sa poitrine et de la brise qui lui fouettait le visage.

Tout allait donc finir ainsi.

Rose prit Félicité et la déposa dans le berceau d'osier. Une douce chaleur régnait dans le petit cottage et un fumet de perdrix rôties s'échappait de l'âtre. Le bébé de Rose était allongé sur un matelas. Son époux était assis devant la table. Il semblait aux anges. La pension de Félicité augmenterait considérablement leurs revenus. Et la reine leur avait déjà envoyé une bourse bien garnie.

— Elle s'adaptera très vite chez nous, assura Rose.

Réprimant ses larmes, Christina lui tendit son châle.

— Ce vêtement est imprégné de mon odeur. Utilise-le pour la porter. Et je suis sûre que, quand elle aura faim, elle…

— Laisse-moi faire, coupa Rose en l'embrassant gentiment. Tout ira bien.

Il n'y avait plus rien à ajouter. Christina embrassa l'enfant une dernière fois et partit, le cœur déchiré. Le retour jusqu'au cottage lui parut interminable. Les hommes de Durand la saluèrent comme si elle était une grande dame, mais c'est à peine si elle remarqua leur présence.

Elle ranima le feu et s'assit en contemplant les flammes. Pour la première fois de sa vie, elle était complètement seule. On frappa à la porte, si discrètement qu'elle n'entendit pas tout de suite. Encore un homme venu lui réclamer une potion…

— Dame Oriel! s'exclama-t-elle en ouvrant.

Elle s'effaça pour la laisser entrer.

— Connaissez-vous la nouvelle? Les fils de Durand sont retenus en otage chez Warre. Au moindre faux pas de sa part, ils seront pendus.

— Pendus? s'exclama Christina en chancelant.

Oriel éclata en sanglots.

— Nous pensions que ce n'était qu'une menace de John. Mais il a ordonné de pendre le fils de Wallingford pour l'exemple. Ce doit être fait, à présent…

Les deux femmes gardèrent le silence un moment, et Oriel se mit à trembler.

— Je ne veux pas rester seule en l'absence de Penne. J'ai la nausée tous les matins.

— Oh, madame ! Êtes-vous enceinte ? La potion était donc efficace.

Les joues pâles d'Oriel se colorèrent tout à coup.

— C'est plutôt, comme vous l'aviez dit, ce doux moment que nous avons connu... Je l'ai su tout de suite.

— Je suis si contente ! dit Christina en l'embrassant. Mais pourquoi êtes-vous seule dans un tel moment ? Dame Nona ne peut-elle vous réconforter ?

— Elle est très malade. Une fièvre soudaine... C'est pourquoi je suis venue. Elle refuse de voir Aldwin et insiste pour que vous alliez la soigner. Elle était trop malade pour épouser Durand avant son départ pour Portchester.

— L'épouser ? Si vite ? chuchota Christina, en proie à un soudain vertige. Quand les hommes sont-ils partis ?

— Le départ n'a pas encore eu lieu. Le roi s'est querellé avec Marshall. Plusieurs barons ont pris le parti de Marshall et le roi était hors de lui. C'est la raison pour laquelle il a fait pendre le fils de Guy. Oh, pauvre garçon...

Christina conduisit Oriel près du feu et lui servit une coupe de bière. Puis elle mit quelques plantes dans une bourse qu'elle tendit à la jeune femme.

— Respirez ceci, madame. Cela vous réconfortera.

Oriel serra la bourse contre son nez.

— Que va faire Durand ? demanda-t-elle.

Christina était glacée. Elle se jeta dans les bras d'Oriel et s'exclama :

— Oh, madame... que va-t-il faire ?

Christina savait que la reine prendrait ombrage de sa présence à Ravenswood, mais elle ne pouvait refuser de soigner Nona. Oriel et elle évitèrent la grande salle et entrèrent dans le château par la porte réservée aux serviteurs. Elles montèrent dans la salle des comptes, où elles trouvèrent Nona allongée.

Son teint était rose. Christina lui toucha le front et lui prit la main, mais elles échangèrent le moins de mots possible. Durand se tenait entre elles comme s'il avait été présent.

— Que vous arrive-t-il? demanda Christina.

— J'ai la fièvre et je suis dérangée. C'est une maladie contagieuse.

Christina s'assit à côté de la jeune femme. Un plateau posé sur la table contenait les restes d'un repas substantiel.

— Je pense que vous devriez me laisser seule avec dame Nona, dit-elle gentiment à Oriel.

Celle-ci se retira, et Christina regarda Nona dans les yeux.

— Vous êtes aussi bien portante que moi. Pourquoi me cachez-vous la vérité? J'encours la colère de la reine pour être revenue au château. Je n'ai pas envie de jouer aux devinettes.

Dame Nona contempla ses mains d'un air penaud.

— Messire Durand tenait absolument à repousser notre mariage. Comme je ne suis pas plus pressée que lui, j'ai accepté de jouer la comédie. Vous m'aiderez, n'est-ce pas? Sinon, Aldwin risque de soupçonner quelque chose.

— N'importe qui peut voir que vous n'êtes pas malade. Vous ne voulez pas épouser messire Durand?

Les mots passèrent ses lèvres avant qu'elle ait pu les retenir. Nona haussa les épaules.

— J'obéirai au roi… et Durand aussi. Mais nous ne voulons pas être les jouets de ses caprices.

— Je ne peux pas vous promettre de revenir. La reine m'a ôté la garde de Félicité et m'a ordonné de quitter le village, expliqua Christina en mettant rapidement de l'ordre dans la chambre, comme elle l'aurait fait pour un malade.

— Je suis désolée, dit Nona. Isabelle est très jeune, et le roi s'intéresse à vous. Elle est jalouse. Ne vous occupez plus de moi, pensez à vous.

Christina la remercia d'un hochement de tête.

— Je vous enverrai des herbes aromatiques, mais je partirai aussitôt après.

— Vous n'attendrez pas que les hommes aient pris la mer? s'enquit Nona en lissant les plis de sa robe.

— Non, fit Christina en secouant la tête. Il est dommage que je n'aie plus la clé du jardin de dame Marion. J'aurais pu y cueillir les plantes dont vous avez besoin.

— Oh, je sais où trouver la clé!

Dame Nona se leva vivement et alla ouvrir le coffre où Durand avait rangé l'herbier. Elle en sortit une petite boîte dont elle souleva le couvercle.

— C'est sûrement une de celles-ci !

Christina trouva étrange qu'elle sache où Luke rangeait ses clés. Elle prit celle du jardin et descendit à la hâte.

Elle ramassa les plantes destinées à Nona, puis fit une provision secrète pour elle-même. Jetant un dernier regard dans le petit carré de simples, elle referma le portail et se rendit à la chapelle. Le père Odo lui apprit que Laurentius était toujours à Ravenswood. La reine ne trouvait pas les messes du père Odo à son goût et avait exigé que l'illustre Laurentius reste pour elle.

Apparemment, tout le monde devait se plier à la volonté royale.

Le père Laurentius la considéra avec stupeur.

— Vous voulez que je vous fasse escorter à Winchester, chez le roi ?

— Oui, répondit Christina en s'inclinant. Il m'a fait une proposition que j'avais repoussée. Mais j'ai réfléchi et suis revenue sur ma décision.

Le prêtre secoua la tête.

— Je dois avouer que vous me décevez grandement.

Beaucoup diraient la même chose dans les jours à venir. Elle devait s'endurcir contre les critiques. Elle haussa donc les épaules et imita la désinvolture de dame Sabina. Cette dernière se moquait bien de l'opinion d'un prêtre.

— L'offre de messire Durand n'est-elle pas assez lucrative pour vous ? insista-t-il.

— Je vous remercie pour votre sollicitude, mais il est très important que je voie le roi. Dès ce soir, si possible.

— Messire Durand sera furieux. Il se peut qu'il retire son offre. Il ignore encore que vous n'êtes plus la nourrice de sa fille.

Elle ne pouvait oublier qu'on lui avait retiré Félicité. Ses seins étaient lourds, et son cœur était aussi douloureux que lorsqu'elle avait perdu sa propre fille.

— Me ferez-vous accompagner jusqu'à Winchester ?

— Oh, certes, mon enfant. Messire Durand m'a recommandé de vous accorder tout ce que vous désiriez.

Christina attendait dans une petite chambre d'être reçue par le roi. La pièce, qui se trouvait près de la chambre royale, dans son pavillon de chasse de Winchester, ne contenait que quelques bancs. Le pavillon était occupé principalement par des hommes.

Christina avait été sur le point de faire demi-tour en voyant Roger Godshall. Mais un page lui avait ordonné d'un ton brusque de le suivre, et elle avait obéi.

Ce qu'elle était sur le point de faire la terrifiait. Mais maintenant qu'elle avait eu cette idée, elle ne pourrait plus l'écarter. Sa conscience ne le permettrait pas.

Il était logique qu'une femme n'ayant plus rien à perdre se sacrifie pour celui qui courait un immense danger.

Christina avait perdu Félicité et Durand. Tout le monde la considérait comme une catin. Elle n'avait plus rien.

Elle n'attendit qu'un quart d'heure avant d'être de nouveau appelée par le page. Le roi John était assis dans un fauteuil imposant. Devant lui, des cartes et des documents jonchaient la table.

— Maîtresse Le Gros, dit-il. Vous êtes aussi inconstante que le vent qui doit transporter mes navires en Normandie.

— Sire, balbutia Christina d'une voix étranglée. L'inconstance est dans la nature des femmes.

— Un trait de caractère qui fait perdre la tête aux hommes, maîtresse.

— Je ne souhaite en aucun cas vous causer de souci, sire, assura-t-elle en choisissant prudemment ses mots.

— Vous pouvez parler à votre aise en ces lieux, nul ne nous écoute, répliqua le roi.

La salle lambrissée de chêne, et éclairée par de hautes fenêtres pourvues de carreaux de verre, occupait toute la longueur du pavillon. On entendait au-dessous les hommes festoyer et les troubadours chanter.

— Si j'ai bien compris l'offre qu'on m'a transmise, sire, vous désirez que je partage votre lit.

Le roi haussa les sourcils.

— Voilà qui est direct.

— Votre temps est précieux, je ne veux pas vous le faire perdre.

— Expliquez-vous.

— Je ne connais pas ma valeur, sire, mais j'aimerais discuter...

— De votre rémunération ?

— Vous êtes très compréhensif.

Le roi sourit. Un coffret incrusté d'ivoire était posé à côté de lui. Un parfum de bois de santal flottait dans la pièce.

— Quel prix exigez-vous ? Vingt livres ? Cinquante ?

Christina prit sa respiration et déclara d'une voix claire :

— Les fils de messire Durand.

Le roi ouvrit la bouche et la referma, ce qui le fit ressembler à un poisson sorti de l'eau.

— Les fils de Durand ? Que voulez-vous dire ?

— Je souhaite que vous les échangiez contre moi.

— Contre vous ? répéta le roi, ahuri.

— Oui, sire. J'offre ma personne en gage de la bonne conduite de messire Durand.

— Vous êtes en effet très directe !

Le roi s'assombrit, et elle craignit d'avoir commis une erreur.

— Je ne suis pas dans une position très heureuse, sire. J'ai donc pensé améliorer ma situation en aidant messire Durand.

— Et donc, nous voilà au cœur du problème. Vous souhaitez améliorer votre situation financière...

Elle avait bien cerné la personnalité du roi. Il comprenait parfaitement qu'elle veuille assurer sa sécurité matérielle.

John se leva et vint vers elle. Il lui souleva les cheveux et posa un doigt sur sa gorge.

— Vous êtes belle. Et encore assez jeune pour conquérir un cœur ou deux. Vous accepteriez donc d'attendre le bon plaisir de votre roi au château de Warre ? L'attente risque de durer longtemps.

— Je serai à votre disposition, sire, promit-elle, parcourue par un frisson de peur.

John claqua des doigts et un ecclésiastique surgit de derrière une tenture. C'était celui qui l'avait abordée à Ravenswood. Elle éprouva une bouffée de honte à l'idée que cet homme l'avait entendue se vendre au roi.

Les deux hommes chuchotèrent entre eux, et l'ecclésiastique griffonna quelques mots sur un parchemin. Le roi apposa son sceau et roula le parchemin, congédiant l'homme d'un geste. Il tendit le parchemin à Christina, mais le tint hors de sa portée lorsqu'elle fit mine de le prendre.

— Une fois que vous aurez pris ceci, vous serez à nous. Ne l'oubliez jamais.

Elle hocha la tête. Cet homme était aussi capricieux que le prétendait la rumeur. Un jour elle n'était pour lui qu'une voleuse, le lendemain il la trouvait digne de partager sa couche.

Il déposa le parchemin dans sa main.

— Vous le donnerez vous-même à Warre et veillerez à ce que nos ordres soient respectés.

Elle fit une profonde révérence et embrassa la main du souverain.

— Encore une chose. Faites usage de vos lotions pour vous-même, maîtresse. Le doux parfum d'une femme décuple le plaisir de l'homme.

28

Quand il était enfant, Durand venait souvent contempler le port de cette hauteur, pour échapper à la colère de son père, ou aux réprimandes de sa mère. Mais aujourd'hui, cette vue ne lui apportait aucun réconfort. Il n'était plus un enfant dont les vœux innocents pouvaient être comblés. La décision du roi concernant le fils de Wallingford était révélatrice. Il savait à présent quel homme il servait.

Il avait été témoin de grandes cruautés lorsqu'il était au service du roi Richard. Mais faire pendre un enfant était impardonnable.

Durand avait décidé qu'il partirait à la nuit tombée pour reprendre ses fils à Warre.

Luke arriva à cheval et vint à sa hauteur.

— J'étais sûr de te trouver ici.

— Je vais partir, annonça Durand.

— Oh? Partir où? À Winchester, pour faire entendre raison au roi?

— Non, je n'irai pas à Winchester. Quand j'aurai fait ce que j'ai l'intention de faire, il y aura peu de chances que nous gardions Ravenswood. Mais si John ne confisque pas le château, je veux qu'il te revienne.

Luke contempla les rochers.

— Tu comptes assiéger la forteresse de Warre à toi tout seul?

— S'il le faut, oui.

— C'est une épreuve d'avoir un frère comme toi, rétorqua Luke d'un ton sec. Nous savons tous les deux que tu seras tué, Ravenswood confisqué, et tes fils laissés pour toujours à la charge de Warre. Ou pire encore, ils seront pendus.

— Cela suffit ! Tu n'as pas le droit de me critiquer. Toi qui n'as pas de...

— Pas de quoi ? s'exclama Luke en affrontant son frère du regard. Réglons ça ici, entre nous. Personne ne pourra nous entendre, si c'est cela qui te retient de parler.

— En effet. Ton expression et tes regards fuyants te trahissent à tout instant. Chaque fois que tu poses la main sur elle, ta culpabilité transparaît.

— J'ai essayé de résister, mais...

— Vraiment ? Il semble que tes efforts n'ont pas été suffisants. Mais quelle importance ? Je la revendique à présent, car elle a touché mon cœur.

— Ton cœur ? Tu es froid comme la glace face à elle !

Durand pivota vivement sur lui-même.

— De qui parles-tu ?

— De Nona. Tu ne l'aimes pas, c'est évident. Soit tu l'ignores, soit tu as pour elle des paroles blessantes, grommela Luke, les poings sur les hanches.

— Il n'est pas question de Nona. Je parle de Félicité.

— Félicité ? Je ne comprends pas. Que vient-elle faire, entre Nona et toi ?

— Rien. Ce n'est pas Nona qui m'intéresse. Oses-tu nier que tu es le père de Félicité ?

— Le père de Félicité ? Tu es fou, Durand, balbutia Luke en trébuchant contre un rocher.

— Félicité est la fille de Marion, cela ne fait aucun doute. Mais ce n'est pas la mienne.

Il lui tourna le dos et alla à son cheval pour cacher son émotion.

— Doux Jésus ! s'exclama Luke en le rejoignant. Tu crois que... que Marion et moi... Tu penses que j'ai si peu d'affection pour toi que je n'hésiterais pas à coucher avec ton épouse ?

— Oui, admit Durand en détournant les yeux. Je n'ai confiance en personne.

— Tu me fais pitié.

Sur ces mots, Luke enfourcha son cheval et s'éloigna au galop, laissant son frère plongé dans une totale confusion.

Le père Laurentius pénétra dans la salle d'armes de Ravenswood derrière Durand. Celui-ci glissa à sa ceinture l'épée de Gilles d'Argent, et rangea plusieurs dagues dans un sac de cuir. Dans un autre, il mit du pain et du fromage, une bourse de pièces d'or, les deux bagues du roi et l'herbier d'Aelfric.

— J'ai des nouvelles qui vont vous intéresser, dit le prêtre.

— Je n'ai pas le temps d'écouter les commérages.

Durand enfila son manteau et l'agrafa avec une broche en forme de corbeau. Il prit son heaume et son bouclier, puis sortit de la salle d'armes. Laurentius lui emboîta le pas.

— Ce ne sont pas des commérages. Bien que je le lui aie fortement déconseillé, maîtresse Le Gros est partie à Winchester ce matin.

— À Winchester ? répéta Durand, éberlué. Pourquoi ?

— Il semble que John lui ait fait une proposition et qu'elle ait accepté.

— John ? Quel genre de proposition ?

— Je vous en prie. Quel genre d'offre le roi est-il susceptible de faire à une femme comme maîtresse Le Gros ?

Durand refréna l'envie de secouer le vieux prêtre comme un prunier.

— Expliquez-vous !

Laurentius baissa la voix :

— Voyez-vous, je connais un jeune homme au service de John, qui accepte de me communiquer ce qu'il apprend, moyennant quelques pièces, bien entendu, et…

— Parlez, par Dieu !

— Eh bien, il m'a dit que maîtresse Le Gros s'était proposée en échange de vos deux fils.

Durand agrippa Laurentius par le col de sa soutane.

— Au nom du Ciel, que voulez-vous dire ?

— Maîtrisez-vous, mon seigneur ! On nous regarde.

Durand laissa retomber le prêtre comme si ses doigts le brûlaient.

— Que signifie cette histoire ?

— Votre maîtresse est devenue celle du roi, qui en échange lui a promis de libérer vos fils. Elle est en route en ce moment pour le château de Warre.

Durand tourna le dos au prêtre, sauta en selle et partit au galop. Penne et Luke l'attendaient devant les grilles du château. En dépit des mots terribles qu'ils avaient échangés, Luke était prêt à risquer sa vie pour lui. Penne aussi. Durand fut mortifié.

— Warre détient aussi Christina, annonça-t-il.

Sans un mot, les deux hommes traversèrent le pont à sa suite et s'engagèrent sur la route.

Le ciel était obscurci par les nuages lorsque Christina arriva en vue du château de Warre. Ce n'était qu'un petit manoir, mais elle eut l'impression d'être face à une forteresse imprenable.

La pluie tombait sans discontinuer, inondant les ornières. Le chariot fermé dans lequel elle voyageait avançait lentement. Le domaine de Warre se trouvait à mi-chemin entre Winchester et Marlborough. Le château était bâti près d'un lac que l'on disait habité par des fées et des dragons. Elle caressa du bout des doigts le sceau du roi sur la missive. Les fils de Durand n'avaient plus rien à craindre.

Il ne voudrait plus d'elle quand elle aurait couché avec le roi. Il épouserait Nona et elle le perdrait définitivement.

Christina avait fait son choix…

Warre était un homme d'une quarantaine d'années, dont le front commençait à se dégarnir. Il avait perdu le bras gauche au combat, ce qui le dispensait de faire le voyage en Normandie avec l'armée du roi.

Il prit la missive que lui tendit Christina et brisa le sceau.

— Du latin ? dit-il en ricanant. Pourquoi le roi m'écrit-il en latin ?

Il aboya un ordre, et un prêtre arriva au bout de quelques secondes. Celui-ci parcourut la lettre.

— Ce message est d'ordre privé, mon seigneur.

Les deux hommes s'approchèrent de l'âtre. De lourds chandeliers éclairaient une longue table de chêne.

Christina eut un frisson d'appréhension. Elle ne fut pas invitée à s'approcher du feu, mais elle n'y tenait pas. Warre était un assassin, un homme qui tuait des enfants. Sa seule présence la terrifiait.

Le prêtre traduisit le contenu de la lettre à haute voix. La jeune femme n'entendit pas ce qu'il disait.

Warre leva la tête et la regarda en souriant.

— Venez, Christina. Venez par ici, dit-il avec un geste de la main.

Il l'aida à ôter son manteau et approcha du feu un fauteuil de chêne sculpté. Christina se percha délicatement sur le siège.

— Allez-vous renvoyer les garçons dans le chariot qui m'a amenée ?

Warre secoua la tête.

— Non, je leur donnerai un meilleur véhicule quand la pluie aura cessé.

— Puis-je les voir et m'assurer qu'ils sont en bonne santé ? demanda-t-elle en étalant les plis de sa jupe devant le feu.

— Mais, naturellement.

Il fit un signe au prêtre qui s'inclina et disparut.

— Ensuite, on vous donnera une chambre convenable. Le roi vient de temps en temps au château. Il aime avoir ses aises pour prendre son plaisir.

Un froid glacial s'abattit sur Christina. Elle se dit qu'elle ne pourrait plus jamais se réchauffer.

Durand s'agenouilla sur un rocher et observa les grilles de Warre.

— Nous arrivons trop tard, dit-il en abattant son poing sur la roche. Elle était dans ce chariot, j'en suis certain.

— Oui, acquiesça Luke. C'est un des véhicules du roi. Pourquoi ne pas s'avancer et demander à entrer, tout simplement ? Warre ne s'attend pas à nous voir. Nous aurions le temps d'emmener Christina et les garçons avant qu'il ait pu sonner l'alarme.

— C'était ma première intention. Mais la pluie m'a rafraîchi les idées. Je ne veux pas compromettre nos chances avec un plan trop téméraire. Attendons de voir si Warre libère mes fils, maintenant qu'il détient Christina.

Ils attendirent pendant trois heures, les yeux fixés sur le château. Les grilles demeurèrent fermées. Excédé, Durand éprouva le besoin d'agir.

— Je vais les chercher! s'exclama-t-il en se levant.

Luke et Penne voulurent le retenir, mais il protesta :

— Warre n'a pas beaucoup d'hommes avec lui. Les plus valeureux de ses guerriers sont à Portsmouth. Je n'attendrai pas plus longtemps.

— Warre les relâchera sans doute demain matin, suggéra Penne, rassurant. Prenons encore un peu patience.

Mais Durand savait que Warre ne libérerait jamais ses fils.

— Le roi nous fera tous pendre quand il s'apercevra que nous sommes partis, dit Luke en relevant le col de son manteau.

— Cette satanée pluie nous a ralentis, sans quoi nous aurions pu rattraper Christina sur la route, fit observer Penne.

— Mais les garçons seraient restés prisonniers...

Durand fouilla dans ses sacoches de voyage et en sortit l'herbier d'Aelfric, soigneusement enveloppé dans une toile huilée.

— Que vas-tu faire de ça? questionna Luke.

— Ce livre est à l'origine de tous nos problèmes. Puisqu'il a tant de valeur, j'ai pensé l'utiliser comme monnaie d'échange.

— Avec un barbare comme Warre? fit Penne, dubitatif. Ça ne marchera pas.

Les fils de Durand furent amenés dans la grande salle, environ une heure après l'arrivée de Christina. Adrien, qui avait quinze ans, promettait d'être aussi bel homme que son père. Robert était encore un petit garçon de douze ans. Il avait les yeux bleus et les cheveux blonds de sa mère, ses traits étaient ceux d'un enfant. Warre serait-il assez cruel pour pendre un être aussi innocent? se demanda Christina, consternée.

— Comme vous pouvez le voir, ils vont très bien, dit Warre en la guidant vers une table.

— Quand partiront-ils?

Warre leva la main, lançant un ordre muet à l'un des serviteurs qui fila vers le fond de la salle.

— Ce soir, nous aurons de la musique pour célébrer votre arrivée. Mes ménestrels n'ont pas autant de talent que ceux du roi, mais vous ne serez pas déçue.

— Quand les garçons partiront-ils ? répéta-t-elle.

— J'aimerais avoir votre opinion sur les divertissements que j'ai prévus pour le roi. John arrivera demain matin.

— Demain matin ?

Elle lâcha son gobelet et le vin se répandit sur les dalles de pierre. Un jeune serviteur se précipita pour nettoyer.

— Oui, c'est ce que disait son message. J'attends sa visite depuis longtemps et je vais enfin pouvoir organiser quelques festivités. Votre présence ajoutera du piment à la fête.

Le roi serait donc là le lendemain ? Cela signifiait que le départ en Normandie était ajourné. Le temps n'était sans doute pas favorable, songea-t-elle en écoutant la pluie tambouriner sur le toit. Elle avait espéré que plusieurs mois s'écouleraient avant que le roi ne fasse d'elle sa maîtresse.

— Quand les garçons pourront-ils partir ? s'obstina-t-elle.

— Dans quelques jours. Auparavant, ils verront le roi et participeront aux festivités.

Soudain, Christina comprit. Les garçons ne seraient jamais libérés, et elle-même était prise à son tour en otage. Au prix d'un effort surhumain, elle parvint à contenir sa peur. Warre ne devait pas deviner ce qu'elle pensait.

— Qu'avez-vous préparé comme divertissement ? s'enquit-elle avec vivacité.

— Nous allons simuler une bataille contre Philippe, pour rendre hommage aux prouesses guerrières du roi John. Il sera enchanté.

Ou très contrarié, puisque ses plans d'attaque demeuraient en suspens, songea-t-elle.

Warre lui prit la main et la pressa en souriant.

— Et quand John est content, il aime une douce distraction pour terminer la soirée. Puisque vous êtes là, son plaisir sera complet.

Luke surveillait la route, pendant que Penne et Durand mettaient au point un plan pour franchir les portes du château. Tout à coup, il écarquilla les yeux et secoua la tête pour s'assurer qu'il ne rêvait pas.

— Penne! Durand! Regardez!

— C'est Oriel! s'exclama Penne, éberlué.

Durand fronça les sourcils.

— Doux Jésus! Une femme l'accompagne. Qui est-ce?

Les trois hommes enfourchèrent leurs montures et descendirent vers la route, tout en restant à couvert sous les chênes feuillus.

— Attendez qu'elles approchent, ordonna Durand. C'est peut-être un piège.

Mais les deux femmes semblaient être seules. Oriel et sa compagne, Nona, poussèrent un hurlement en voyant les hommes émerger de la forêt comme des fantômes.

Penne prit les rênes du cheval d'Oriel et l'entraîna avec lui sous les arbres. Nona les suivit. Ils se retrouvèrent tous les cinq dans la forêt, sur le promontoire où les hommes avaient installé leur camp.

— Explique-toi! ordonna Penne à son épouse, tandis qu'elle mettait pied à terre. Pourquoi risques-tu ta vie alors que tu es enceinte?

— Comment le sais-tu? s'écria Oriel en se jetant dans ses bras.

— Un mari devine ces choses-là.

Ils s'étreignirent, et Nona leva les yeux au ciel.

— Je vais tout vous expliquer, mes seigneurs, déclarat-elle. Nous savions que vous étiez partis au secours de Christina et nous pensions que vous auriez besoin de nous.

— Vous vous trompiez, dit Luke en glissant ses gants dans sa ceinture. Nous n'avons pas besoin de votre aide. Retournez à Ravenswood avant qu'il ne vous arrive malheur.

Nona le toisa d'un air buté, et Durand se dit qu'elle était exactement la femme qu'il fallait à son frère.

— Que pensera John quand il saura que vous n'êtes plus malade et que vous courez la campagne? lui demandat-il.

— J'ai laissé des ordres. Ma servante prétendra qu'Oriel est tombée malade en me soignant et que nous sommes toutes deux alitées. Les autres éviteront la chambre comme si nous étions pestiférées.

Durand inclina la tête d'un air approbateur, mais il doutait que la ruse fonctionne plus de deux ou trois jours.

— Ma servante a appris par le valet de Laurentius que le roi n'avait nullement l'intention d'échanger vos fils contre Christina, poursuivit Nona. Donc, nous sommes là pour vous aider.

Luke eut un ricanement moqueur. Penne était trop occupé à embrasser sa femme pour leur prêter la moindre attention. Nona leva crânement le menton et darda sur Luke un regard hautain.

— Les femmes peuvent parfois s'introduire dans des lieux où les hommes n'ont pas accès.

Durand contempla l'austère forteresse. Les grilles étaient fermées. La pluie avait cessé, cédant la place à une bruine légère qui enveloppait le paysage de grisaille.

— Je pense, dame Nona, que vous êtes la réponse à nos prières. Votre arrivée est un soulagement.

Une heure plus tard, Durand eut établi un plan. Les deux femmes devaient pénétrer dans le château et découvrir où se trouvait la poterne. L'ouvrir si possible, et repartir aussitôt.

Oriel passa un bras sous celui de Penne pour le rassurer.

— Personne ne nous fera de mal, mon amour. Warre ne nous connaît pas. Pour lui, nous serons simplement deux sœurs en route pour l'abbaye de Ludgershall et cherchant un abri pour la nuit. Vous devez nous faire confiance.

À ces mots, Durand se leva précipitamment et s'éloigna.

— Qu'ai-je dit ? s'étonna Oriel, éberluée.

— Tu as seulement demandé l'impossible, expliqua Luke avec amertume. Durand n'accorde sa confiance à personne.

Christina fut assise à côté de Warre pour le repas du soir. Il lui touchait le bras chaque fois qu'elle se tournait sur son siège, et ses allusions constantes au plaisir du roi l'écœuraient. Le plat de perdrix carbonisées qu'on leur présenta ne fit rien pour lui rendre l'appétit.

— Puis-je me retirer ? finit-elle par s'enquérir avec un sourire charmeur. Je suis exténuée.

Warre lui embrassa la main. Elle frissonna comme au contact d'un serpent.

— Comme vous voudrez, répliqua-t-il en appelant une servante à l'air renfrogné, pour qu'elle la conduise à sa chambre.

Dès qu'elles furent hors de vue, Christina oublia sa fatigue et se mit à bavarder gentiment.

— Vous avez une très jolie peau, dit-elle. J'ai une crème pour rosir les joues.

La jeune fille sourit timidement. En quelques minutes, Christina eut gagné sa confiance. Quand elle lui demanda de lui faire visiter le château, la servante accepta sans hésiter. Tandis qu'elle lui montrait les recoins secrets de la forteresse, Christina lui confia les recettes de sa mère pour faire briller les cheveux.

— Il faut oublier les différends qui nous opposent, déclara Luke en regardant les deux femmes se diriger vers la forteresse.

— Comment oublier une trahison ? rétorqua Durand.

— Personne *ici* ne t'a trahi ! Je ne suis pas le père de Félicité, et Penne non plus.

— Comment puis-je en être sûr ? marmonna Durand avec lassitude.

— Tu le sais ! Tu me connais ! Nous sommes frères, bon sang ! s'écria Luke en le prenant par la manche. Je n'ai jamais touché Marion. Je n'ai jamais couché avec une femme mariée... jamais. Les maris sont généralement armés, ajouta-t-il avec un sourire penaud.

Durand n'avait pas le cœur à plaisanter.

— Mais alors, qui est le père de Félicité ? Il ne reste donc que le roi comme suspect ?

— Marion n'éprouvait rien pour John, assura Luke en détournant les yeux.

— Que sais-tu, au juste ?

— Je sais que Marion aimait flirter. Elle était seule, et les femmes seules s'écartent parfois du droit chemin.

Ils virent de loin Oriel et Nona atteindre la porte du château. Comme l'avait prédit Nona, les grilles s'ouvrirent et on les laissa entrer.

Luke tendit la main à son frère.

— Écoute-moi. Je me mets à ton service et je t'obéirai en tout. Je n'exige qu'une seule chose… épouser Nona. Et nous prendrons Félicité avec nous, si c'est ce que tu veux.

Comment avait-il pu douter de son frère ? Un peu honteux, Durand prit la main de Luke et déclara :

— Tu peux avoir Nona. Mais Félicité est à moi.

29

Christina arpentait la chambre luxueuse, dans laquelle régnait un profond silence. Le roi viendrait-il dès cette nuit, comme Warre l'avait laissé entendre ? Elle frémit d'appréhension et jeta un coup d'œil aux herbes qu'elle avait apportées. Si elle était très prudente et assez rusée, elle repousserait peut-être le moment redouté.

Elle pila quelques feuilles sèches et prépara une poudre qui, ajoutée à de l'eau, ferait surgir des plaques d'urticaire en quelques heures.

Puis elle finit par se coucher dans l'antichambre, sur le lit qu'on lui avait octroyé et qui n'était en fait qu'un grabat inconfortable. Le lit du roi John était tendu de soie et orné de cordelettes dorées, son matelas moelleux était rempli de duvet. Cependant, elle espéra qu'elle n'aurait jamais à s'y allonger.

On gratta doucement à la porte. Son cœur se mit à battre à grands coups, mais ce n'était que Maud, la servante avec qui elle s'était liée au cours de la soirée.

— Maîtresse, il y a deux dames dans la grande salle qui viennent d'arriver. Elles ont froid et auront peut-être besoin de vos soins.

Christina manqua défaillir en voyant les deux jeunes femmes blotties misérablement dans un coin de la salle, leurs manteaux trempés, leurs jupes crottées de boue.

— Venez vite, chuchota-t-elle en leur faisant signe.

Elle s'engouffra dans une galerie qui menait au potager.

— Pourquoi avez-vous quitté Ravenswood ? demanda Christina.

— Il fallait que nous apportions un message aux hommes. Durand, Penne et Luke sont venus ici pour délivrer les enfants. Et pour vous secourir aussi, expliqua Oriel.

Nona prit Christina par le bras.

— Le roi n'a pas l'intention de procéder à l'échange. Il compte vous garder en otage et vous utiliser selon sa fantaisie.

— Je suis stupide, balbutia Christina en baissant la tête. Je me suis jetée moi-même dans la gueule du loup. Que doit penser Durand ?

— Oh, il vous aime trop pour râler très longtemps, se moqua Oriel. Maintenant, trouvons cette poterne et faisons-les entrer.

— Impossible, protesta Christina. Le roi et ses hommes arriveront demain matin. La surveillance sera renforcée.

— Qu'allons-nous faire ? murmura Nona, consternée.

— Vous ne ferez rien. Couchez-vous, dormez, et repartez à l'aube. Quand le roi sera là, j'exigerai qu'il tienne parole.

Nona secoua la tête en signe de refus.

— C'est de la folie ! Il faut trouver autre chose, Christina. La vie des garçons dépend de nous.

— Laissez-moi réfléchir.

Christina arpenta l'étroit jardin, se baissant pour ramasser des feuilles de menthe qu'elle mordilla.

— J'ai trouvé ! dit-elle en souriant. C'est simple comme la menthe.

Les deux femmes la regardèrent d'un air ahuri et elle expliqua :

— La menthe paraît inoffensive. Mais si on ne s'en méfie pas, elle peut envahir tout un jardin. Or, qui a l'air plus inoffensif qu'une femme ? Voici mon plan...

Christina reprit ses allées et venues, tout en dévoilant à ses amies ce qu'elle avait imaginé.

— Demain, à la tombée de la nuit, Warre compte donner le spectacle d'un faux combat pour amuser le roi. Cela créera une grande confusion dans le château, et l'attention de John sera fixée sur le spectacle. À ce moment-là, nous pourrons faire entrer les hommes, déguisés en femmes. Je connais un moyen de leur procurer des vêtements, par les servantes. Mais vous devrez partir tôt demain matin, sans vous montrer. Si le roi vous voit, ses soupçons seront éveillés.

— Nous agirons selon vos plans, promit Nona en lui prenant les mains. Mais faites attention à vous, Christina. Durand vous aime, il est là pour vous autant que pour ses fils.

— Et vous l'épouserez, murmura Christina.

— J'épouserai un de Marle. Mais ça ne sera pas Durand.

Les deux jeunes femmes tournèrent les talons et s'enfuirent dans l'ombre. Christina les suivit des yeux, sidérée. Nona aimait donc Luke ? Elle ne voulait pas de Durand ?

Sa joie fut cependant de courte durée. Si leur plan échouait, ils seraient tous soumis aux caprices du roi.

Dans la lueur grise de l'aube, Durand attendait avec impatience le retour des deux femmes. Quand il les vit franchir les grilles du château, il connut un moment de joie intense.

Mais les nouvelles qu'apportaient Nona et Oriel le plongèrent dans le désespoir. Ils ne pourraient entrer par la poterne.

— Ne faites pas cette tête, dit Nona en ouvrant les sacs accrochés aux flancs des chevaux. Nous vous avons apporté de quoi pénétrer dans la forteresse sans éveiller les soupçons.

Durand éclata de rire en voyant ce qu'elle tenait dans ses mains.

Nona observa les trois hommes, un doigt sur le menton.

— Vous êtes très laides, mesdames... à part Luke. Mais il a l'air d'une catin, pas d'une blanchisseuse.

Durand vérifia les armes cachées dans les bagages, et saisit ses jupes à deux mains pour monter sur le palefroi de Nona. Oriel embrassa Penne en lui caressant la joue.

Luke hésita un moment avant d'enfourcher sa jument.

— J'ai confiance en toi, Luke, dit Durand. Et en Penne aussi. Je vous demande pardon d'avoir douté de vous. Embrasse Nona et partons.

Luke tendit les bras. Nona se blottit contre lui, et Durand devina que ce n'était pas la première fois. Cela expliquait le désordre de sa tenue l'autre matin, dans la salle des comptes. Il soupira. Il y avait tant de choses qu'il ignorait…

Il connut un moment de doute lorsqu'ils demandèrent à entrer au château. Par chance, on accordait peu d'attention à de simples blanchisseuses. Des serviteurs affairés couraient en tous sens, préparant l'arrivée du roi. Sur le rivage du lac étaient alignés de petits bateaux de pêche représentant les navires royaux de Portsmouth.

Suivant les consignes de Nona, les trois hommes se hâtèrent de gagner le seul endroit où les guerriers n'allaient jamais : les cuisines. Assise près de l'âtre, Christina remuait une mixture dans un chaudron. Durand alla vers d'elle, renifla la mixture et murmura :

— Cela embaume comme un jardin en été.

— J'ai promis cette préparation pour les mains aux blanchisseuses, en échange des vêtements, répondit-elle sans lever la tête. Suivez-moi.

Elle confia le chaudron à une fille de cuisine et emmena les trois hommes vers un bâtiment en ruine, derrière le colombier. Elle fouilla sous un tas de paille et sortit des tuniques de soldats, aux couleurs de John ou de Philippe.

Durand la prit dans ses bras et l'embrassa. Elle lui rendit son baiser avec tout l'amour et la passion que contenait son cœur.

— Pourquoi as-tu fait cela ? s'enquit-il doucement.

— Comme je ne pouvais pas t'avoir, je…

Elle ne put finir. Il la fit taire d'un baiser.

Puis les trois hommes se débarrassèrent de leurs robes et enfilèrent les costumes de guerriers.

— Préviens mes fils que je vais les secourir, déclara Durand. Et toi, où te trouverai-je ?

— Ne t'inquiète pas pour moi. Je garderai un œil sur eux et quand tu les enlèveras, je vous suivrai.

— Je ne partirai pas sans toi, dit-il en l'enlaçant.

— Qu'est-ce que c'est ? s'exclama-t-elle pour détourner son attention.

Elle posa les mains sur un objet dur et épais qu'il venait de cacher sous ses vêtements, à la hauteur de l'estomac.

— L'herbier d'Aelfric. Il me sera peut-être utile comme monnaie d'échange.

— Durand, il faut y aller à présent ! lança Penne d'un ton pressant.

Durand prit le visage de Christina dans ses mains.

— Si demain matin tu n'es pas sortie d'ici avec nous, je reviendrai te chercher !

L'arrivée d'un roi ne passait pas inaperçue. Celle de John fut annoncée à grand bruit, peu après le déjeuner. Christina était terrorisée. Viendrait-il directement dans sa chambre, ou bien aurait-il d'abord une entrevue avec Warre ?

Elle se glissa dans la baignoire du roi, décidée à l'attendre là toute la journée, si c'était nécessaire. John devait être persuadé qu'elle s'était baignée dans la même eau que lui.

Enfin, elle entendit des bruits de pas dans l'escalier, et reconnut sa voix dans le couloir. Tremblante, elle versa alors le mélange d'herbes pilées dans l'eau chaude.

Le roi ouvrit la porte et demeura figé sur le seuil.

— Sors ! ordonna-t-il au valet qui arrivait sur ses talons.

Christina se leva, tenant un drap de lin devant elle pour dissimuler sa nudité.

— Sire ! Pardonnez-moi. J'avais envie de prendre un bain.

Le roi s'inclina devant elle comme devant une reine.

— Je vous en prie, Christina. Notre baignoire est la vôtre.

Il alla vers elle, les yeux fixés sur ses seins à peine cachés par la toile fine.

— L'eau est encore chaude, sire, balbutia-t-elle. Je l'ai parfumée avec de la lavande et de l'essence de laurier.

Les autres ingrédients étaient inodores.

Il lui fit signe d'approcher et lui demanda de l'aider à se déshabiller. Elle drapa la pièce de lin autour d'elle comme une robe, et s'exécuta. Quand John entra dans l'eau chaude et parfumée, elle croisa les doigts pour que tout marche selon ses plans. Le roi ferma les yeux, et elle en profita pour aller revêtir une chemise.

Après son bain, il l'invita à s'asseoir près du feu avec lui. Il leur servit à tous deux un gobelet de vin. Mais avant qu'elle ait pu porter le sien à ses lèvres, il se mit à se gratter vigoureusement.

C'était beaucoup trop tôt !

— Sire, que se passe-t-il ? dit-elle d'un ton innocent.

— Cette satanée tunique devait être pleine de puces ! s'exclama John en ôtant le vêtement d'un geste rageur.

Son corps était couvert de larges plaques rouges.

— J'ai un onguent très efficace contre les puces, dit Christina.

— Allez le chercher !

Quand elle revint, le serviteur personnel du roi était à son côté. L'homme prit le pot d'onguent et lui ordonna de sortir. Les démangeaisons du roi avaient pris le pas sur ses sens !

Christina retourna prestement dans l'antichambre et revêtit la robe brune ornée de broderies rouge et or que le roi avait fait apporter pour elle. Elle sortit en hâte, de crainte qu'il ne la fasse rappeler.

À la tombée de la nuit, elle se faufila dans la cour intérieure, où les hommes étaient rassemblés, vêtus des costumes des deux armées ennemies. Le temps avait tourné et le ciel était d'un gris sombre et menaçant. Une pluie fine tombait sur le château.

Warre l'aperçut et lui prit le bras d'un air hargneux.

— John est en rage. Courez au pavillon royal et calmez-le. Sinon, ce n'est pas au plaisir du roi que vous servirez, mais à celui de mes hommes.

Elle se dégagea d'un mouvement brusque et se dirigea vers la rive du lac, éclairée par des torches. Les hommes portant l'uniforme anglais étaient là. Durand se trouvait parmi eux. Ils devaient se rendre devant le pavillon du roi, où les attendaient les hommes de Philippe. Tout autour du champ de bataille étaient disposées de petites structures de bois en forme de châteaux, représentant les territoires que les Anglais devaient reprendre à Philippe.

Tout à coup, elle se figea. Dame Sabina se dirigeait d'un air altier vers le pavillon. Que faisait-elle ici ?

Il y eut un roulement de tambour, et Warre grimpa sur une plate-forme pour annoncer le début des festivités.

Christina chercha les fils de Durand et les vit sur le côté, flanqués de leurs gardes du corps. Elle garda les yeux fixés sur eux, afin de voir le moment où Durand les emmènerait. Ce serait peut-être la dernière vision qu'elle aurait de lui, songea-t-elle en crispant les mains pour les empêcher de trembler.

La bataille commença et prit rapidement l'apparence de la réalité. Le sang jaillit, des hommes tombèrent et furent piétinés. Du coin de l'œil, Christina vit un homme portant les couleurs du roi s'adresser à Sabina dans le pavillon.

Tout à coup, elle s'aperçut qu'une certaine confusion régnait autour des deux fils de Durand. Celui-ci avait réussi à s'approcher d'eux. Il les poussa vers un homme vêtu des couleurs anglaises... Luke. Les deux garçons disparurent dans le brouillard, et Durand se précipita vers le pavillon royal. Sabina se tourna vers lui, imitée par son compagnon. Roger Godshall. Ses éperons étaient décorés d'émail bleu. Tout comme sa dague. C'est alors que Christina se souvint. L'un des brigands qui avaient attaqué l'évêque portait ces mêmes éperons...

Étouffant un cri, elle se leva. Au même moment, Sabina reconnut Durand sous son costume et cria son nom. Le roi se tourna, tandis que des torches enflammaient les petits châteaux de bois. Les flammes enveloppèrent Durand d'un halo doré lorsqu'il monta les marches du pavillon. Deux hommes voulurent l'arrêter, mais il brandit l'épée de Gilles d'Argent. Le roi leva la main.

— Saisissez-le, ordonna-t-il à ses gardes.

— Sire ! lança Christina. Je vous en prie... Cet homme...

Elle pointa un doigt vers Godshall. Ce dernier s'avança.

— Les catins doivent rester à leur place, dit-il en ricanant.

— Laissez-nous entendre ce que maîtresse Le Gros veut nous dire, Godshall, ordonna le roi en fronçant les sourcils.

— Sire, cet homme était l'un des brigands qui ont attaqué la troupe de l'évêque. Je reconnais ses éperons.

— Expliquez-vous, Godshall, dit le roi.

— Elle ment ! Comme toutes les catins.

Le roi s'empourpra. Godshall était allé trop loin.

Durand mit un genou en terre.

— Sire, la hache qui fut lancée à votre champion lors du combat singulier était ornée de bleu, comme ces éperons. Je ne l'oublierai jamais. Sire, si Godshall a attaqué l'évêque, c'était probablement pour lui prendre l'herbier d'Aelfric. Et qui pouvait lui avoir parlé de la valeur de ce livre, à part quelqu'un de proche comme… dame Sabina ?

— Moi ? Pour… pourquoi aurais-je fait cela ? bredouilla la jeune femme, désarçonnée.

— Votre père a subi des revers de fortune, ses domaines se sont appauvris. Et vous avez rapidement compris qu'il n'y aurait pas d'alliance avec Ravenswood.

Durand se releva et s'approcha de Sabina.

— Qui a rencontré Simon en secret dans ma chapelle ? Simon et vous avez comploté pour vendre l'herbier à l'évêque, n'est-ce pas ? Contre trois bagues. Où est la dernière ?

Sabina devint aussi pâle que ses jupes ivoire.

— J'aurais fait tout cela pour une bague ? C'est ridicule.

La voix de Christina s'éleva dans le silence qui suivit.

— Ce n'était pas assez. Donc, vous avez envoyé Godshall tuer l'évêque et lui reprendre le livre, afin de le revendre à une autre abbaye.

— Sabina, déclara le roi d'un ton glacial, votre père a beau être un ami, je ne peux plus vous protéger.

— Je demande justice ! lança Durand.

Avec un haussement d'épaules, le roi fit signe à ses gardes et désigna Sabina et Godshall.

— Emmenez-les. Nous les jugerons demain matin.

Sabina s'écarta en trébuchant pour échapper aux hommes qui s'avançaient. Elle sauta de l'estrade et s'enfuit sur le champ de bataille. Godshall voulut la suivre, mais Durand lui barra le passage.

Et tout à coup, Godshall poussa un hurlement déchirant. Tous les regards se tournèrent, suivant la même direction que le sien. Sabina avait réussi à se faufiler entre les combattants, mais alors qu'elle passait devant l'une des constructions, ses jupes s'étaient enflammées.

— Sabina ! cria Godshall en se débattant.

Horrifiée, Christina vit la jeune femme tournoyer sur elle-même en frappant ses jupes de ses mains pour éteindre les flammes. Durand courut vers elle, mais deux hommes du roi l'empêchèrent de passer, pointant leurs épées sur lui.

— Sire, sauvez-la, supplia Godshall.

— Qu'on laisse brûler cette sorcière, décréta John, impitoyable.

Christina vacilla sur ses jambes. Durand jura tout bas. De loin, ils virent Sabina se précipiter vers le lac. Elle trébucha, tomba, se releva. Puis elle tomba de nouveau et ne se releva plus.

— Vous avez dû vous tromper, Durand. Son âme était pure, puisqu'elle est morte, dit le roi. C'est donc vous, Godshall, qui avez volé l'herbier?

— Non! hurla Godshall. J'exige d'être relâché!

— C'est le roi qui exige, Godshall! Vous, vous obéissez.

Tous se figèrent. Avec un grognement de rage, Godshall échappa à ses gardes, sortit sa dague et se lança sur le roi. Durand s'interposa et reçut le coup, basculant au sol.

Christina poussa un cri. Les hommes du roi saisirent Godshall et le tirèrent en arrière, tandis qu'elle s'agenouillait près de Durand. La lame était enfoncée jusqu'à la garde dans son estomac.

30

Le roi vint s'agenouiller à côté de Christina. Penne et Luke s'approchèrent, accompagnés de Robert et d'Adrien.

Christina repoussa tous ceux qui se pressaient autour de Durand.

— Laissez-lui de l'espace ! Il a besoin d'air.

Durand posa les mains sur le pommeau de la dague.

— C'est l'herbier d'Aelfric, marmonna-t-il en tirant sur la poignée.

La lame sortit. Christina fut partagée un instant entre les larmes et le rire. Elle aida Durand à soulever sa tunique et prit l'herbier. Il n'y avait aucune trace de sang sur le livre, ni sur les vêtements. La lame avait transpercé la couverture de bois et l'épaisse liasse de parchemins, sans atteindre la chair.

— Vous aurez mal au ventre pendant quelques jours, grommela le roi.

Hébété, Godshall regardait la scène. Il avait essayé de tuer un roi. Il était condamné à la pire des morts, et il le savait. Sur un signe du souverain, il fut entraîné vers les geôles du château.

— De Marle, dit le roi. Vous devriez logiquement payer votre désobéissance de votre vie et de celle de vos enfants. Mais nous reconnaissons le service que vous nous avez rendu aujourd'hui. Nous reconnaissons également l'injustice subie par maîtresse Le Gros.

Il repoussa le col de son manteau et se gratta vigoureusement la nuque, avant d'ajouter avec magnanimité :

— Vous êtes libre, Durand de Marle. Emmenez avec vous qui vous voudrez. Mais vous n'aurez plus de titre ni de terres. Et vous serez banni des royaumes d'Angleterre et de France. Qu'avez-vous à dire ?

Durand mit un genou en terre.

— Je ne demande rien, sire, sinon la liberté pour les miens.

— Accordé.

Warre s'avança et s'inclina profondément.

— Sire, je vous en supplie, n'autorisez pas cet homme à partir. Il fomentera la révolte parmi vos barons. Vous êtes trop bon. Trop accommodant.

— Accommodant ? Trouvez-vous que l'exil soit facile ?

— Mais, sire, je crains que...

Le roi se mit à rire.

— Que craignez-vous, Warre ? Pourquoi cet homme nous ferait-il peur ? Il n'a désormais ni influence ni pouvoir. Il n'a plus rien, que la brume qui l'entoure. C'est le seigneur de la brume !

Les fils de Durand chevauchaient derrière Luke et Penne. Durand était en tête avec Christina. Quand ils atteignirent un croisement de routes, ils firent halte. Tout le monde mit pied à terre.

— Avoue que tu as craint un moment que nous ne partions de Ravenswood sans Félicité, dit Durand à Christina.

— Je n'aurais pas pu l'abandonner, avoua-t-elle.

Il regarda la jeune femme s'asseoir sur le sol et dégrafer sa robe.

— Je t'aime, murmura-t-il en lui caressant la joue.

Quand Félicité eut fini de téter, Durand la prit dans ses bras et ils retournèrent vers les autres. Nona préparait un repas frugal. Les garçons étaient allés pêcher dans la rivière voisine.

Christina s'approcha d'Oriel. Certaines pensées la tourmentaient. Elle ne parvenait pas à oublier la ressemblance entre Hugues, le fils de Simon, et Félicité.

— Oriel, c'était Simon, n'est-ce pas ? Il flattait dame Marion et la consolait de sa solitude ? Avouez, Oriel. Ils sont hors de portée du jugement humain, à présent, et ne demandent que notre pardon.

Interdit, Durand baissa les yeux sur Félicité, puis regarda Oriel.

— Ce serait Simon... ?

Oriel acquiesça.

— Je pensais que c'était encore une des fantaisies de Marion et que tout s'effacerait à votre retour. Mais vous avez tardé. Et quand elle s'est aperçue qu'elle attendait un enfant…

— N'en dites pas davantage, Oriel.

— Je suis désolée. Je pense qu'elle a peut-être aimé Simon, à sa manière. Et j'étais jalouse… je craignais qu'elle ne reporte son attention sur mon époux.

Elle posa la joue sur l'épaule de Penne. Durand hocha la tête.

— Je lui pardonne. Tout cela est derrière moi, à présent. J'ai des fils, une fille… et j'ai Christina.

Il se tourna vers la jeune femme et repoussa les cheveux qui lui barraient la joue.

— Je n'ai plus ni château ni parures à t'offrir. Je n'ai que moi et mes enfants. Veux-tu être ma femme ?

— Oh, oui, chuchota-t-elle en passant les bras autour de son cou pour l'embrasser. Avec toi, je ne manquerai jamais de rien. Car je t'aime.

*Découvrez les prochaines nouveautés
de nos différentes collections J'ai lu pour elle*

AVENTURES
*&*PASSIONS

Le 3 septembre :

La fiancée délaissée ∽ Jude Deveraux (n° 3181)
En pleine nuit, une femme court sur les quais. Un homme tente de l'attraper par le bras. Elle se dégage brusquement, réussit à lui échapper et reprend sa course désespérée… Et percute de plein fouet un inconnu. Trop fatiguée, trop effrayée pour se débattre, elle niche son visage contre l'épaule de l'homme. Qu'il l'emporte ! Le plus loin possible...

Le chevalier noir ∽ Connie Mason (n° 8451)
Drake, le chevalier noir, vient de gagner le tournoi contre Waldo, son demi-frère, qui s'apprête à épouser la belle Raven. Mais cette dernière déteste son fiancé, l'accusant d'avoir assassiné sa sœur. Elle demande son aide au chevalier, son compagnon d'enfance dont elle a toujours été secrètement amoureuse. Drake emmène alors la belle jeune femme avec lui…

Embrasse-moi, Annabelle ∽ Eloisa James (n° 8452)
En Angleterre, au XIXᵉ siècle. Annabelle est issue d'une famille écossaise aristocratique ruinée. Elle décide alors d'épouser un riche anglais. Lors d'un bal, elle rencontre le séduisant lord Ewan Ardmore, qui a la réputation d'être pauvre. À la suite de quiproquos, il la compromet et doit l'épouser…

Le 17 septembre :

Mariage forcé ∽ Jude Deveraux (n° 3182)
L'église de Whitefield est pleine à craquer. Toute la congrégation est réunie pour célébrer le mariage de Wesley Stanford et de sa ravissante fiancée Kimberly. Mais soudain, le vieux Elijah Simmons, ivre de rage, traîne sa fille enceinte derrière lui et somme le coupable de se dénoncer. Wesley, livide, se souvient d'une soirée enivrante et décide d'épouser la jeune femme, pour l'honneur…

Vivian et le Yankee ∽ Leigh Greenwood (n° 8453)
Texas, après la guerre de Sécession. Holt, un médecin yankee ayant servi sur les champs de bataille, décide de rester au Texas dans l'espoir de retrouver Vivian, une orpheline avec qui il a été élevé et dont il est amoureux. Dans sa quête, il vient en aide à un médecin alcoolique dont l'adorable fille Felicity le dévore des yeux…

***Nouveau ! 2 rendez-vous mensuels
aux alentours du 1ᵉʳ et du 15 de chaque mois.***

Le chant de la louve ❦ Rosanne Bittner (n° 4782)

Louve Bienfaisante n'en croit pas ses yeux. La tribu au grand complet s'est rassemblée en son honneur, afin de célébrer son retour après deux ans d'exil chez les Blancs. Mais pour l'instant, ses yeux cherchent Patte d'Ours parmi les guerriers. Il est là, encore plus beau que dans son souvenir. En songeant qu'elle va devenir sa femme, elle sent une étrange vibration parcourir son corps...

Le trésor des Highlands — 3, Une provocante épouse ❦
May Mc Goldrick (n° 8454)

Edmund Percy est le détenteur d'un trésor très convoité. A sa mort, ses trois filles, qui possèdent chacune le plan de la cachette, se séparent pour échapper aux futurs assaillants. Mais un jour, leur mère est enlevée et ne sera libérée qu'en échange des précieuses cartes. Catherine et Laura envoient alors le séduisant chevalier Wynton McLean chercher leur sœur Adrianne par-delà les mers...

> *Nouveau ! 2 rendez-vous mensuels*
> *aux alentours du 1ᵉʳ et du 15 de chaque mois.*

Si vous aimez Aventures & Passions,
laissez-vous tenter par :

$\mathcal{P}$assion
intense

Quand l'amour vous plonge dans un monde de sensualité

Le 17 septembre :
La chambre des délices ❦ Jaci Burton (n° 8455)

Serena Graham est enseignante dans un petit collège du Middlewestern. Elle est timide mais secrètement attirée par la littérature érotique. Elle économise des mois pour se payer une semaine dans un centre exclusif, le « Paradise Resort », où l'on peut réaliser ses fantasmes sexuels. Suite à une erreur de calendrier, elle doit partager sa chambre avec le séduisant Michael Donova. Ensemble ils vont partager les joies du sexe mais aussi de l'amour...

> *Nouveau ! 1 rendez-vous mensuel*
> *aux alentours du 15 de chaque mois.*

Romance
d'aujourd'hui

Le 17 septembre :

Un mariage en blanc ⊘ Jayne Ann Krentz (n° 3797)
Non ! Annie Lyncroft refuse de croire à la mort de son frère Daniel, disparu dans un accident d'avion. En attendant son retour, elle doit trouver quelqu'un pour diriger l'entreprise familiale. Et ce qu'elle imagine est plutôt rocambolesque : proposer à Oliver Rain, brillant homme d'affaires et ami de Daniel, un mariage blanc !

Georgia et compagnie ⊘ Beverly Brandt (n° 8448)
Une petite ville du sud des Etats-Unis. Georgia a invité ses copines chez elle, un club baptisé Tiara en hommage à leurs titres d'anciennes reines de beauté. La télévision est allumée sur une émission de cuisine et voilà que le présentateur Daniel Rogers parle d'une fan qui lui a écrit pour vanter les miracles d'un appareil qui transformerait n'importe qui en cordon bleu. L'inventrice n'est autre que Georgia : elle va devoir rencontrer Daniel !

> **Nouveau ! 1 rendez-vous mensuel**
> **aux alentours du 15.**

SUSPENSE

Le 3 septembre :

Qui a tué Peggy Sue ? ⊘ Tess Gerritsen (n° 3954)
M.J. Novak est une jeune femme médecin légiste. Un matin, on apporte à la morgue le corps d'une inconnue morte d'overdose. Dans sa main, un numéro de téléphone : celui d'Adam Quantrell, un des hommes les plus puissants de la ville. Ce citoyen au-dessus de tout soupçon serait-il mêlé à une affaire de drogue ? Adam est-il à l'origine d'une sombre machination ? À vrai dire, M.J. préférerait prouver son innocence. Difficile de résister au charme de cet homme...

L'héritage du passé ⊘ Julie Garwood (n° 8449)
Criminaliste confirmée au sein du FBI, Avery Delaney semble n'avoir connu que le succès. Mais la jeune femme cache le traumatisme d'une enfance dévastée. Seule sa tante Carrie lui a prodigué l'affection dont elle avait si désespérément besoin. Aujourd'hui, Avery s'apprête à rejoindre Carrie dans une luxueuse station thermale du Colorado. Or, à son arrivée, aucune trace de sa tante. Commence alors une course éperdue qui va la ramener sur les traces de sa jeunesse malheureuse...

> **Nouveau ! 1 rendez-vous mensuel**
> **aux alentours du 1er de chaque mois.**

MONDES MYSTÉRIEUX

Le 1er juin :
Crimson city — 3, Le voile pourpre ∝ Patti O'Shea (n° 8456)
Les trois espèces dominant la ville, humains, vampires et loups-garous, sont parvenues à une paix précaire. Mais une quatrième race cherche à pénétrer la cité, des démons cruels, les Bak-Faru, vivant dans un monde parallèle. Mika Noguchi, mi-humaine, mi-démon, a reçu de l'héritage paternel la faculté de traverser le rideau qui sépare les différents univers. Le conseil des démons la charge alors de récupérer une incantation magique à Crimson city, détenue par le séduisant Conor McCabe...

Le cercle des immortels — 7, Le romain immortel ∝
Sherrilyn Kenyon (n° 8457)
Depuis qu'elle est adolescente, Tabitha Devereaux combat les vampires. Depuis peu, elle est considérée comme folle par son entourage. Une nuit, Valerius Magnus, un vampire solitaire et haï de tous, tombe par hasard sur Tabitha qui est en train de donner la chasse aux démons. Pendant la bagarre, elle le blesse involontairement. Se sentant coupable, elle brave le danger et l'emmène chez elle pour le soigner...

> *Nouveau ! 1 rendez-vous mensuel*
> *aux alentours du 1er de chaque mois.*

Et toujours la reine du roman sentimental :

Barbara Cartland

Le 3 septembre :
La révolte de lady Corrina (n° 964) *collect'or*
Un don du ciel (n° 8447)

Le 17 septembre :
Un mariage dangereux (n° 4369)

> *Nouveau ! 2 rendez-vous mensuels*
> *aux alentours du 1er et du 15 de chaque mois.*

8415

Composition Chesteroc Ltd
Achevé d'imprimer en France (Malesherbes)
par Maury-Eurolivres
le 17 juillet 2007.
Dépôt légal juillet 2007. EAN 9782290000717

Éditions J'ai lu
87, quai Panhard-et-Levassor, 75013 Paris
Diffusion France et étranger : Flammarion